Edge

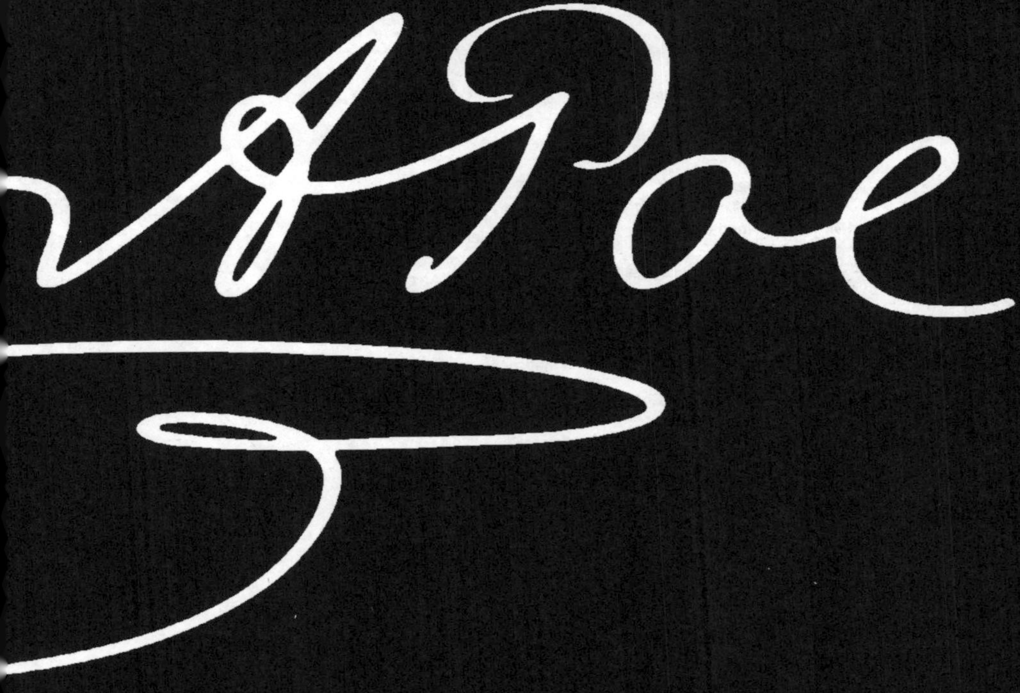
A Poe

Tradução para a língua portuguesa
© Marcia Heloisa, 2017

Xilogravuras
© Ramon Rodrigues, 2017

Imagens das casas de Poe
© Eon Images

Diretor Editorial
Christiano Menezes

Diretor Comercial
Chico de Assis

Diretor de Novos Negócios
Marcel Souto Maior

Diretor de Mkt e Operações
Mike Ribera

Diretora de Estratégia Editorial
Raquel Moritz

Gerente Comercial
Fernando Madeira

Coordenadora de Supply Chain
Janaina Ferreira

Gerente de Marca
Arthur Moraes

Gerente Editorial
Marcia Heloisa

Editor
Bruno Dorigatti

Capa e Projeto Gráfico
Retina 78

Coordenador de Arte
Eldon Oliveira

Coordenador de Diagramação
Sergio Chaves

Finalização
Roberto Geronimo
Sandro Tagliamento

Revisão
floresta
Retina Conteúdo

Impressão e Acabamento
Ipsis Gráfica

DADOS INTERNACIONAIS DE CATALOGAÇÃO NA PUBLICAÇÃO (CIP)
Angélica Ilacqua CRB-8/7057

Poe, Edgar Allan, 1809-1849
    Edgar Allan Poe : medo clássico : coletânea inédita de contos do autor / Edgar Allan Poe ; tradução de Marcia Heloisa Amarante Gonçalves ; ilustrações de Ramon Rodrigues. — Rio de Janeiro : DarkSide Books, 2017.
    384 p. : il.

    ISBN 978-85-9454-024-9

    1. Ficção norte-americana 2. Contos de terror 3. Ficção policial I. Título II. Gonçalves, Marcia Heloisa Amarante III. Rodrigues, Ramon

16-1481   CDD 813

Índices para catálogo sistemático:
1. Ficção norte-americana : contos

[2017, 2023]
Todos os direitos desta edição reservados à
DarkSide® *Entretenimento LTDA.*
Rua General Roca, 935/504 — Tijuca
20521-071 — Rio de Janeiro — RJ — Brasil
www.darksidebooks.com

MEDO CLÁSSICO

EDGAR ALLAN POE

Tradução
MARCIA HELOISA

Ilustrações
RAMON RODRIGUES

DARKSIDE

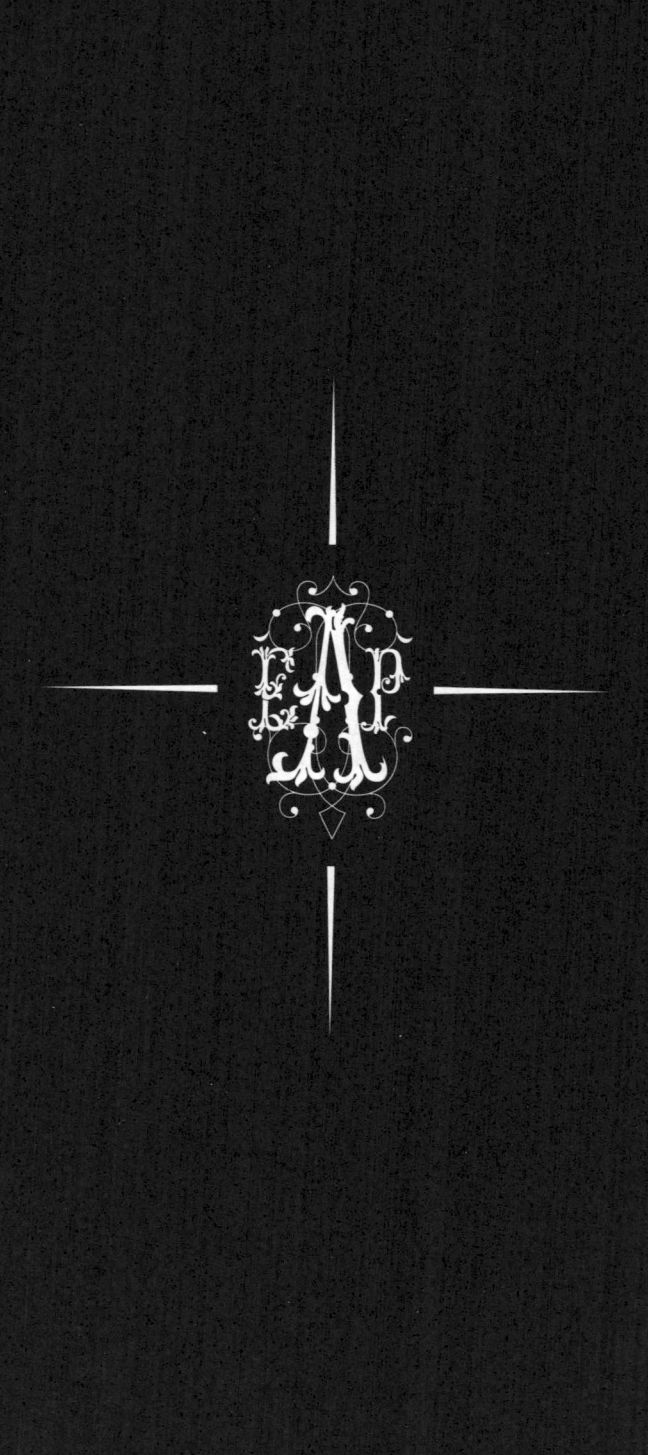

SUMÁRIO

Introdução DarkSide 11
O Homem e a Obra, por Charles Baudelaire 23

ESPECTRO DA MORTE

O poço e o pêndulo 35
A queda da casa de Usher 53
O baile da Morte Vermelha 75

NARRADORES HOMICIDAS

O gato preto 85
O barril de amontillado 97
O coração delator 107

DETETIVE DUPIN

Os assassinatos na rua Morgue 117
O mistério de Marie Rogêt 157
A carta roubada 209

MULHERES ETÉREAS

Berenice 233
Ligeia 245
Eleonora 263

ÍMPETO AVENTUREIRO

Manuscrito encontrado numa garrafa 273
O escaravelho de ouro 287
Nunca aposte a cabeça com o diabo 327

O CORVO

A filosofia da composição 341
Versão original 354
Tradução de Machado de Assis 359
Tradução de Fernando Pessoa 366

A casa do Mestre 370

◀ INTRODUÇÃO ▶

INTRODUÇÃO
DARKSIDE

por
MARCIA HELOISA
2017

Poucos autores se tornaram tão efígie de sua obra quanto Edgar Allan Poe. A imagem de seu enigmático retrato parece presidir sobre cada uma de suas palavras, como o busto de Palas em seu poema mais célebre. Sozinho, ou pareado com o corvo, o semblante de Poe nos devolve em seu olhar a mesma impressão de desamparo, angústia e empáfia tão presentes em suas criações literárias. Ler Poe é, antes de tudo, reconhecê-lo. Porém, na fantástica casa de espelhos onde ele se encontra, com sua imagem replicada em uma multidão de máscaras, por onde podemos começar? Fractal e fragmento, o rosto do autor nos fita em sua incompreensível beleza — e nunca houve uma esfinge com tantos segredos.

Ébrio, louco, lúbrico — sim, há quem veja no aspecto de Poe o reflexo de sua obra ficcional. No mais distorcido dos espelhos, julgamos distinguir em seus olhos o brilho rútilo dos narradores homicidas, a rigidez pétrea dos monomaníacos lhe enrijecendo o rosto, o fetichismo lascivo dos mórbidos apaixonados na aridez dos lábios ocultos pelo bigode. Na pasteurização do artista, seus vaticínios em versos se confundem com as perdas que conheceu em vida e seus pobres-diabos entorpecidos de álcool e ópio parecem espelhar as mazelas do próprio autor. No entanto, nada é mais complexo do que um reflexo. É preciso entender que Poe não usa uma máscara. Ele traz consigo o capacete de Hades e, assim como o poderoso senhor do submundo, tem o poder de ficar invisível para reinar sobre os mortos.

Filho de atores de teatro, Edgar Allan Poe nasceu em Boston no dia 19 de janeiro de 1809. Depois de ter sido abandonado pelo pai com apenas um ano de idade, perdeu a mãe para a tuberculose no ano seguinte. Separado de seus dois irmãos, o pequeno Edgar foi criado por Frances e John Allan. Essas poucas linhas abarcam uma biografia, mas escondem um poço de *pathos*. Desmembrando cada uma das informações acima — como o protagonista de "O coração delator" faz com sua vítima —, poderíamos romper com a *trivia* e oferecer ao leitor um verdadeiro mapa da psique de nosso biografado. O pai de Poe, por exemplo, era um ator medíocre, porém romântico, que entrou para a companhia teatral apenas para cortejar sua mãe — ela, sim, uma atriz de amplo repertório, reconhecido talento e dona de uma beleza melancólica que haveria de assombrar para sempre a memória do impressionável Edgar. A mãe, ceifada pela doença no auge da vida e da carreira, legou ao filho querido uma aquarela onde se via em tons pastéis o porto de Boston, com a seguinte dedicatória: "Para meu filhinho Edgar, que deve para sempre amar Boston, local onde nasceu e onde sua mãe encontrou os melhores e mais solidários amigos". Embora tenha deixado a cidade muito cedo para ser criado pelos ricos Allan em Richmond, Poe de fato cresceu com a impressão de que não conquistar sucesso em Boston equivaleria a fracassar em um anseio íntimo, ofendendo, de alguma maneira, a expectativa de sua mãe. Talvez por isso, ao publicar anonimamente os primeiros poemas, tenha escolhido assiná-los apenas como "Um bostoniano". Para alguns, estratégia diplomática e mercadológica; para outros, traição de um desejo velado de pertencimento. Fato é que Boston, em sua empolada arrogância histórica, nunca foi particularmente generosa ou solidária com o autor. Uma das cidades mais icônicas dos Estados Unidos, pelo seu protagonismo no período colonial, sobretudo no que diz respeito às enrijecidas raízes puritanas e à tradição de liderança política, Boston é o farol da "cidade sobre a colina", potente argamassa na construção do *ethos* estadunidense — sobretudo em relação ao conceito de excepcionalismo americano. Não obstante, o filho de Boston jamais foi compreendido ou reverenciado na cidade. Os poemas do "bostoniano" não causaram o impacto que o autor almejava na época do lançamento e, quando Poe regressou ao local no auge da fama, convidado para ler seus poemas em um evento literário, decidiu dar o troco. Quando todos aguardavam algo feito para a ocasião, ele apresentou "Al Aaraaf", composto em sua mocidade, como um poema novo — e enganou toda a plateia. O poema é também o mais longo já escrito pelo autor e podemos imaginar o deleite de Poe, o implicante, observando a alta-roda literária com um sorriso afetado durante a declamação de suas mais de quatrocentos linhas. Comentando o fracasso do evento — e a ira dos presentes quando descobriram que foram enganados —, ele escreveu: "Eu jamais me daria ao trabalho de compor algo novo para os bostonianos. Também não acho o poema bom — não é *transcendental* o bastante".[1] Em 2014, querendo ou não, Poe conquistou o solo da cidade: em uma praça que recebe seu nome, foi inaugurada uma estátua do autor. O Poe em bronze está em movimento, com uma capa esvoaçante e uma pasta de onde caem uma pilha de livros, um coração humano e — é claro — um imenso corvo de asas abertas.

O leitor, ao saber que Poe foi criado pelos Allan, desconhece a rigidez que permeou seu relacionamento com o homem que assumiu sua educação. Nunca adotado formalmente, Poe conheceu o afeto compassivo de Frances, sua mãe postiça, mas feriu-se em constantes atritos com aquele que deveria ser mais paternal e menos patriarcal. É bem verdade que, graças à afluência da família Allan, ele pôde morar e estudar na Europa, além de prospectar carreira militar e universitária. Contudo, nunca houve abrigo ou aconchego e, provavelmente por isso, Poe terminou alijado dos Allan — sem herança, dinheiro, senso familiar ou vínculo amoroso. Embora durante um tempo ele tenha se recusado a usar o sobrenome Allan quando escrevia ou assinava seu

---

[1] Jeffrey Meyers, *Edgar Allan Poe: His Life and Legacy*. Nova York: Cooper Square Press, 1992, p. 182.

nome, como forma de renegar frutos àqueles que nunca o incorporaram em suas ásperas raízes, em uma carta a John Allan, ele antevê que a melhor vingança seria seu sucesso — e utilizando o nome completo: "Se o senhor estiver determinado a me abandonar de vez, então serei duas vezes mais ambicioso do que já sou e, um dia, o mundo ouvirá falar sobre o filho que você julgou indigno de sua consideração".[2]

Sozinho e sem posses, o nosso jovem Edgar então se viu morando com a tia e a prima. A história que se segue muito ajudou a compor a persona do autor: apaixonado e paupérrimo, aos 27 anos se casa com a prima, Virginia Clemm, que contava com apenas treze. O casamento haveria de durar até o fim da vida de Virginia, vítima da Morte Vermelha, tal como a mãe de Poe: a tuberculose, com sua aura de tristeza e tragédia lenta, inexorável. Mesmo a fama adquirida pela sua atuação como crítico, editor de jornal, poeta e autor publicado jamais rendeu a Poe o subsídio necessário para proporcionar conforto à sua bela e enferma Virginia. Biógrafos relatam um chalé de frieza obstinada, impermeável ao calor precário das lenhas que crepitavam na lareira; um cômodo modesto, onde Virginia agonizava em sua morte rouca e gelada, na companhia da gata Catterina e parcamente aquecida pela velha jaqueta militar do marido. Morreu aos 24 anos, mesma idade em que a mãe de Poe o deixou órfão. Na esteira dessa máxima perda, o autor se envolveu em uma infinidade de brigas literárias, adoeceu, recuperou-se, tentou suicídio com láudano e cortejou, pelo menos, quatro mulheres ao mesmo tempo. A poeta Fanny Osgood, antiga amiga e paixão perene, foi quem melhor definiu, parafraseando Alfred Tennyson, o *sex appeal* do poeta: "Ele é, realmente, um demônio glorioso, de grande coração e inteligência".[3] A despeito de seus *affairs* & afetos, Poe não se casou novamente. A pobreza, o descuido com a saúde e as incontáveis frustrações literárias, jornalísticas e amorosas roubaram o resto de sua já escassa energia vital. "Havia em Poe uma sensação constante de que caminhava sobre um solo

---

2 Carta de Poe a John Allan, datada de 22 dez. 1828, in J. Gerald Kennedy (ed.), *The Portable Edgar Allan Poe*. Londres: Penguin, 2006, p. 450.
3 James M. Hutchisson, *Poe*. Jackson: University of Mississippi Press, 2005, p. 223.

escorregadio ou instável que poderia ceder, a qualquer momento, sob seus pés e precipitá-lo em uma queda eterna", comentou um de seus biógrafos.[4] O chão enfim cedeu para sempre em outubro de 1849. Poe morreu aos quarenta anos, dois anos depois de Virgínia.

Sua morte acrescentou uma camada definitiva e espessa na construção de seu mistério. Encontrado em estado de atordoamento, trajando as roupas de outra pessoa, o autor agonizou por quatro dias antes de morrer. A consciência nunca voltou para que ele pudesse dar conta de sua derradeira narrativa autoficcional. O célebre obituário publicado no New York Daily Tribune, em 9 de outubro de 1849, inaugura o teatro do luto com uma mortalha de papel crepom: "Edgar Allan Poe está morto. Faleceu anteontem em Baltimore. Este anúncio surpreenderá a muitos, mas poucos vão lamentá-lo". Escrito por um misterioso "Ludwig", o texto é de autoria do antologista Rufus Griswold, antigo rival de Poe que — de forma surpreendente ou não — tornou-se o executor literário de suas obras. Griswold é também o autor da primeira biografia de Poe, na qual o retrata como uma profusão de "vês": vaidoso, violento, viciado e vingativo. Não é de se admirar que a sobreposição do autor com seus personagens se desse de maneira tão aderente — admirável é perceber que, ainda hoje, há quem o veja exclusivamente nesses termos. Sim, Poe estava morto, Poe esteve morto. Contudo, o repetitivo "nunca mais" transmuta-se em eterna permanência; como aprendemos na cartilha de seus contos e nas parábolas de seus poemas, as mortes de Poe nunca duram para sempre.

O velho Hades tornou-se invisível enquanto matéria para se substancializar no éter atemporal de sua escrita. Desde então, ele assombra nossos castelos mentais. Desde então, nós o distinguimos como mundano em sua sacralidade e o saudamos como a um amigo com quem compartilhamos os mais férteis silêncios. A voz de Poe desperta as cordas mais sanguíneas de nosso coração. Leitor e livro se mesclam em uma melodia visceral de ventrículos pulsantes. O maestro do arabesco e do grotesco reserva uma sinfonia para cada um de nossos acordes

[4] Id., ibid., p. 201-202.

mais profundos. No entanto, cabe ao leitor virgem em Poe perguntar: por que *ainda* ler suas obras? Ou, melhor, onde exatamente o autor se encaixa — ele, um bastião vitoriano do alto romantismo norte-americano, com suas mansões, maníacos e mulheres mortas — na pujança tropical do Brasil? A força de seu horror e sua fantasia ainda se sustenta, permanece pertinente e — sejamos sinceros — é capaz de provocar nos talvez dessensibilizados consumidores contemporâneos a mesma emoção paralisante que roubava o fôlego dos leitores no século XIX?

Para responder a essas perguntas, convidamos o leitor a empreender uma viagem pelos contos apresentados nesta edição. Serão cinco paradas. Na primeira, visitaremos espaços assombrados pelo espectro da morte. Começamos explorando as entranhas obscuras de "O poço e o pêndulo", depois escapamos de "A queda da casa de Usher" e, por fim, somos convidados para "O baile da Morte Vermelha". Em seu estudo sobre Poe e a subversão da literatura norte-americana, o autor Robert Tally Jr. pontua: "[...] o horror dos contos de Poe não jaz em um susto específico, mas em uma atmosfera geral de incerteza".[5] A morte, a certeza mais incerta de todas, paira, ronda e viola os espaços precariamente impermeáveis desses contos. É agente de tortura, mascarado indesejado e por fim materializa-se na senciência sobrenatural de uma casa que adoece junto com seus proprietários — uma casa que morre com eles.

Na segunda parada, encontraremos três célebres narradores homicidas em "O gato preto", "O barril de amontillado" e "O coração delator". Os criminosos de Poe desferem um golpe profundo na imaginação do leitor, atingindo o núcleo mais sensível. Uma vez lidos, jamais serão esquecidos. São contundentes retratos de insensatez e vaidade e, na brutalidade consciente de suas vinganças, provam que a monstruosidade humana supera o horror muitas vezes etéreo das ameaças sobrenaturais.

Logo após, somos convidados a investigar três mistérios com Auguste Dupin, "Os assassinatos na rua Morgue", "O mistério de Marie Rogêt" e "A carta roubada". Poe foi pioneiro na criação do detetive literário. Todos os tropos dos romances policiais tal como os conhecemos estão lá:

---

5   Robert Tally Jr., *Poe and the Subversion of American Literature: Satire, Fantasy, Critique*. Londres: Bloomsbury, 2014, p. 7.

o protagonista de hábitos excêntricos e capacidade dedutiva extraordinária; seu estimado companheiro, sempre um degrau abaixo do leitor e dois degraus abaixo do detetive, a quem acompanha com um olhar que é misto de fascínio e reprovação; o delegado boa gente, que sempre recorre ao detetive quando todos os empenhos policiais se mostraram inúteis, mas não perde a arrogância encruada de agente oficial da lei e acaba por considerar meras esquisitices os preceitos investigativos do protagonista. Os aposentos à meia-luz, onde o detetive e o narrador gastam a tarde em elucubrações e cachimbos turcos, as pistas, a lista de suspeitos, os crimes, o clima e, sobretudo, o *molde*. Quarenta anos mais tarde, o dr. Watson dirá a Sherlock Holmes: "Você me lembra o Dupin de Edgar Allan Poe. Não fazia ideia que indivíduos assim existissem fora da ficção".[6]

Em seguida, conheceremos três lindas mulheres mortas que deram profundidade ao famoso dito de Poe: "Não existe nada mais poético do que a morte de uma bela mulher".[7] Nem Camille Paglia escapou da armadilha de sobrepor autor e texto, afirmando: "Os contos de Poe são mais românticos do que góticos, devido à intensa identificação entre ele e seus narradores. Suas mulheres têm muitos nomes, mas apenas um narrador, uma voz".[8] A primeira delas, Berenice, surge nesta edição mais avantajada do que quando publicada em 1840, com a inclusão dos quatro parágrafos suprimidos pelo editor na época, por terem previamente chocado os leitores quando da publicação original em um jornal. "Você pode dizer que é de mau gosto. Eu tenho minhas dúvidas", defendeu-se Poe em uma carta ao editor. Mais adiante, ele justifica sua escolha por temas macabros: "Para ser apreciado, um escritor precisa ser *lido*, e tais temas são avidamente procurados pelos leitores".[9] Em algum lugar, Stephen King está concordando com a cabeça. "Ligeia" e "Eleonora" encerram o tríptico de mulheres vivas quase mortas que morrem e depois voltam à vida para, contraditoriamente, morrerem mais uma vez — a primeira morte não era verdadeira, algo que o leitor compreenderá melhor *lendo*. Em "Ligeia"

---

6 *Um estudo em vermelho*, romance de Sir Arthur Conan Doyle, publicado em 1888.
7 J. Gerald Kennedy (ed.), op. cit., p. 548.
8 Camille Paglia, *Personas sexuais: Arte e decadência de Nefertite a Emily Dickinson*. São Paulo: Companhia das Letras, 1992, p. 525.
9 J. Gerald Kennedy (ed.), op. cit., p. 457.

tudo é opressão e mistério. A vampírica protagonista parece saída de um poema de Samuel Taylor Coleridge — ou, para ser menos poética e mais mundana, de um filme de horror da produtora Hammer. A história é aterrorizante e claustrofóbica e nem mesmo o poema "O verme vencedor", inserido no meio do conto, nos oferece alento. Já em "Eleonora", tudo muda de figura. Um ponto fora da curva no *chiaroscuro* de Poe, o conto é uma multicolorida fantasia idílica de amor e perdão, que desfaz pontualmente o clima *Silent Hill* em Shangri-la. Os catadores de conchas autobiográficas vão deixar o litoral de "Eleonora" com os baldes cheios: há quem sustente que o conto, escrito no início da doença de Virginia, é uma nostálgica despedida e um profético desejo de, uma vez viúvo, voltar a se apaixonar.

E, por fim, em um o ímpeto menos racional e mais aventureiro, nos confrontaremos com um "Manuscrito encontrado em uma garrafa", "O escaravelho de ouro" e "Nunca aposte a cabeça com o diabo". O último, uma pérola da implicância, é a resposta de Poe aos que o criticavam pela moral ausente ou desviante de seus contos. Em um ataque nominal aos transcendentalistas, Poe prova que o conto admonitório e o *nonsense* são parentes e nos mostra o quão deliciosamente diabólico pode ser seu humor. O protagonista, Toby Dammit (cujo sobrenome precisei resistir para não traduzir, como pretendia Poe, como Toby *Danesse*), descobre que apostar a cabeça com o diabo é bravata perigosa e pode provocar acidentes um tanto quanto graves para os quais, como atesta o narrador, os tratamentos homeopáticos ainda não encontraram solução.

O leitor já deve ter percebido que os temas de Poe são os temas de *todos nós*. Quem busca uma resposta fácil para sua popularidade pode encontrá-la na palavra "identificação". A obra de Poe — como boa literatura — não tem sexo, geografia, idade ou nacionalidade. Ou melhor: abarca todos esses elementos. Os seus dramas e devaneios são intercambiáveis com os nossos. Para quem duvida da abrangência de sua natureza intrinsecamente humana, uma boa indicação é a brasileiríssima série *Contos de Edgar*. Produzida pela Fox e pela O2 Filmes, a série recria os contos de Poe na São Paulo dos dias atuais. Nosso Edgar, após ter seu bar lacrado pela prefeitura, trabalha com o amigo Fortunato na dedetizadora Nunca Mais. Aos puristas, uma mensagem do próprio Poe:

quando acusado de fazer um horror muito "germânico", ele foi taxativo: "[...] o horror não vem da Alemanha, vem da alma".[10] Poe também vem da alma. É por isso que ele se afina conosco, brasileiros.

Embora o universo do autor seja muito maior do que nosso tour pretende contemplar, encontraremos, nos contos desta edição, seus inescapáveis pontos turísticos, as paisagens e os monumentos mais frequentes em sua obra. A viagem é turística, mas suplico que o leitor não o seja; o turista registra sem absorver, o viajante vivencia para aprender. Um apenas sonha, o outro desperta de um sono profundo.

Esse despertar pode vir envolto nas numinosas brumas de uma epifania ou se dar de maneira mais cotidiana e prosaica. Instada a compor um trabalho escrito sobre os contos de Poe, uma de minhas alunas começou o texto com a seguinte reflexão: "Acho que é o melhor escritor que já li; por causa dele perdi dois ônibus a caminho da faculdade". Ponto para Poe, que preconizava que seus contos eram talhados para ser lidos de uma só vez, em ritmo contínuo e sem interrupções, a fim de que não se disperse a cadência de seu desenrolar e o impacto de seu desfecho. É pensando nesse Poe-em-pílulas-precisas que o vejo assumindo um espaço adicional ao que ele costuma ocupar no mapa literário. Sabemos que a emplumada sombra passeriforme do autor já paira sobre o território do horror, onde a arquitetura gótica funde-se ao erotismo esteta do decadentismo. É nesse local que se alojam as mansões, as criptas, os tetos abobadados, as tochas bruxuleantes, os enterrados vivos que retornam da travessia do rio Aqueronte não menos aflitos. O território vizinho, também de posse indiscutível, é o da ficção detetivesca, com seus enigmas e suas acrobacias mentais dedutivas, com crimes hediondos em ruas enevoadas pela bruma sinistra da morte, gargantas cortadas espirrando sangue, policiais fleumáticos atordoados e um detetive *flanêur* de muita verve, antepassado de Holmes e Poirot. Poe, o pássaro, também espraiou suas nigérrimas asas sobre os territórios da protoficção científica, da literatura fantástica e da crítica e teoria literária. Todavia, o território que descortino aqui é mais brasileiro, mais urbano e mais arquetipicamente nosso: é o Poe de *A vida*

---

10   Prefácio de *Tales of the Grotesque and Arabesque*, 1840.

como ela é. Nelson Rodrigues certa vez declarou que "o que dá ao homem um mínimo de unidade interior é a soma de suas obsessões". A obra de Poe também é a soma de suas obsessões, e este volume traz uma fração delas. Para os que já o conhecem, será como um retorno a casa. Para os que nunca o leram, será como descobrir um novo lar.

Esta expedição bandeirante busca desbastar a mata cerrada deste território inexplorado em busca dos aspectos rodrigueanos de Poe: a solidão do artista suburbano, subversivo na construção de uma literatura feita para chocar, mas de uma candura pueril e conservadora no íntimo. Vejo o Poe pós-Corvo, em uma casa desconfortável e fria em Nova York, tirando o pó do paletó para circular em saraus chatíssimos, cheios de esnobes que o toleravam, mas sem jamais compreendê-lo. O Poe romântico, da mulher tísica, da sogra avarenta, fraco para a bebida, alimentando iras e desafetos, atormentado e pacato na mesma medida. Vejo também o Poe irônico, mordaz, aquele cuja implacável contundência em suas críticas lhe rendeu o apelido de "Machadinha". O Poe que ria por último, que embutia pilhéria em sua prosa e mapeava com nítida perspicácia o teatro do patético que reconhecia na cena literária norte-americana no século XIX. E o que dizer do exagero que escorre em profusão até mesmo do parágrafo mais enxuto do autor? Quem vê escassez em Poe está refém de um equívoco. Tudo nele é opulência — até mesmo seus míseros são exuberantes. Aldous Huxley o acusou de, na riqueza excessiva de sua poesia, "usar um anel de diamantes em cada dedo". O que Huxley não percebeu é que eram todos anéis hologramas — fogos-fátuos ficcionais, falsos e humorísticos brilhantes. Era com muita seriedade que Poe fingia que se levava a sério. Porém, por trás da sisudez majestosa de sua prosa, os mais sensíveis detectam uma estrondosa gargalhada. Nesta missão para *desgoticizar* Poe, busco reconhecer e oferecer um aspecto novo em sua literatura, um quase imperceptível viés que está lá, mas que desaparece na paisagem monumental — como a fissura na fachada da casa de Usher. Sim, o Poe de *A vida como ela é*: traições, paixões, freudianos romances familiares e crimes, tantos crimes.

As críticas, as teorias, as biografias e as cartas podem revelar ao leitor quem foi Edgar Allan Poe e por quê, embora sempre caminhando à margem da centralidade do cânone, ele ainda é um dos autores mais lidos, comentados, estudados e adorados da história da literatura. Os acadêmicos puxarão de Jacques Derrida a Julio Cortázar; os literatos, de Charles Dickens a Charles Baudelaire; os psicanalistas lembrarão de Jacques Lacan — todos em busca de conexões, junções, pontos de intercessão que chancelem Poe como gênio, sábio, profeta ou o sepultem como medíocre, blefe, pastiche. Professores vão mostrar nas manchetes dos jornais sensacionalistas as lâminas profundas que ferem a suspensão da descrença de seus alunos quando leem os contos de Poe, e alunos perderão suas noites e seus ônibus tentando descobrir o que tanto os fascina naquele tal de Edgar. Os didáticos farão o que Poe detestaria que fizessem com sua obra, os biógrafos, o que Poe adoraria que fizessem com sua vida. Poetas tentarão emular seu estilo, tradutores tentarão reproduzir em suas línguas a maestria silábica e a prosa melódica de um autor a quem um de seus detratores apelidou depreciativamente de *the jingle man*.[11] Os fãs do horror tentarão cooptá-lo como mestre do gênero, os fãs de ficção científica farão o mesmo; dirão que ele inventou isso ou aquilo, que plagiou ou foi plagiado, que a vida o tratou mal, mas a posteridade o trata com carinho, ou que ele foi autêntico em vida para ser caricatura em morte. Na verdade, nada disso importa. Ao leitor importa apenas conhecer Poe da melhor e mais direta forma possível: segurando este livro como quem aperta a sua mão e lhe diz "muito prazer".

Na fantástica casa de espelhos onde nosso autor se encontra, não existem mais máscaras. O rosto de Poe nos fita em sua ancestral familiaridade e nunca houve um legado com tantos herdeiros.

Rio de Janeiro, 2017

---

[11] O poeta (e transcendentalista) Ralph Waldo Emerson, em comentário sobre as repetições do poema "O corvo".

*O poeta francês Charles Baudelaire
traduziu a obra de Edgar Allan Poe
e foi um de seus principais divulgadores na Europa.
Este texto foi publicado primeiramente
na Revue de Paris, março-abril de 1852.
A tradução para o português é do site Poe Brasil,
dedicado à vida e obra do autor norte-americano,
e que se encontra atualmente fora do ar.*

INTRODUÇÃO

O HOMEM
e
A OBRA

por
CHARLES BAUDELAIRE
1852

É um prazer bem grande e útil comparar os traços fisionômicos de um grande homem com suas obras. As biografias, as notas sobre os costumes, os hábitos, o físico dos artistas e dos escritores sempre suscitaram uma curiosidade bem legítima. Quem não procurou algumas vezes a acuidade do estilo e a nitidez das ideias de Erasmo, no recorte acentuado de seu perfil, o calor e o tumulto de suas obras na cabeça de Diderot e na de Mercier, onde um pouco de fanfarronada se mistura à bonomia; a ironia obstinada do sorriso persistente de Voltaire, sua careta de combate, o poder de comando e de profecia no olhar lançado para o horizonte, e a sólida figura de Joseph de Maistre, águia e boi ao mesmo tempo? Quem não se deu ao engenhoso trabalho de decifrar *A comédia humana* na fronte e no rosto potentes e complicados de Balzac?

Edgar Poe era de estatura um pouco abaixo da média, mas todo o seu corpo era solidamente constituído. Tinha pés e mãos pequenos. Antes de vir a ter sua compleição combalida, era capaz de maravilhosas proezas de força. Dir-se-ia que a Natureza, e creio que isso já foi muitas vezes observado, torna a vida bastante dura àqueles de quem deseja extrair grandes coisas. De aparência muitas vezes mesquinha, são talhados como atletas, tão bons para o prazer quanto para o sofrimento. Balzac, assistindo aos ensaios de *Les ressources de Quinola*, dirigindo-os e desempenhando ele próprio todos os papéis, corrigia provas de seus livros; ceava com os atores, e quando toda a gente fatigada ia dormir, entregava-se ele de novo vivamente ao trabalho. Todos sabem que ele praticou enormes excessos de insônia e de sobriedade. Poe, na mocidade, distinguira-se bastante em todos os exercícios de destreza e força; isto condizia um pouco com seu talento: cálculos e problemas. Certo dia apostou que partiria de um dos cais de Richmond, que subiria a nado aproximadamente onze quilômetros o rio James e voltaria a pé no mesmo dia. E o fez. Era um dia ardente de verão. Nem por isso passou lá tão mal.

Aspecto, gestos, marcha, posição da cabeça, tudo o assinalava, quando se achava ele nos seus bons dias, como um homem de alta distinção. Era marcado pela Natureza, como essas pessoas que, em um grupo, no café, na rua, atraem o olhar do observador e o preocupam. Se jamais a palavra "estranho", de que tanto se abusou nas descrições modernas, se aplicou bem a alguma coisa, foi certamente ao gênero de beleza de Poe. Suas feições não eram vultosas, mas bastante regulares, a tez de um moreno-claro, a fisionomia triste e distraída, e se bem que não a apresentasse, nem o tom da cólera, nem o da insolência tinham algo de penoso. Seus olhos, singularmente belos, à primeira vista pareciam de um cinzento sombrio; melhor examinados, porém, mostravam-se gelados por uma leve tonalidade violeta indefinível. Quanto à fronte, era majestosa, não que lembrasse as proporções ridículas que os maus artistas inventam, quando, para lisonjear o gênio, transformam-no em hidrocéfalo, mas dir-se-ia que uma força interior transbordante impele para diante os órgãos da perfeição e da construção. As partes às quais os craniologistas atribuem o sentido do pitoresco não estavam no entanto, ausentes, mas pareciam deslocadas, oprimidas, acotoveladas pela tirania soberba e usurpadora da comparação, da construção e da casualidade. Sobre essa fronte tronava também, em um orgulho calmo, o sentido da idealidade e do belo absoluto, o senso estético por excelência. Malgrado todas essas qualidades, aquela cabeça não apresentava um conjunto agradável e harmonioso. Vista de lado, feria e chamava a atenção pela expressão dominadora inquisitorial da fronte, mas o perfil revelava certas deficiências: havia uma imensa massa de crânio, adiante e atrás, e medíocre quantidade no meio; afinal uma enorme potência animal e intelectual, e uma falha no lugar da venerabilidade e das qualidades afetivas. Os ecos desesperados da melancolia, que atravessam as obras de Poe, têm um acento penetrante, é verdade, mas é preciso dizer também que é uma melancolia bem solitária e pouco simpática para o comum dos homens.

Tinha Poe os cabelos negros, semeados de alguns fios brancos, grosso bigode eriçado, que ele esquecia de pôr em ordem e alisar devidamente. Trajava com bom gosto, mas negligentemente, como um cavalheiro que tem bem outras coisas que fazer. Suas maneiras eram perfeitas, muito polidas e cheias de segurança.

Contudo, sua conversação merece menção especial. A primeira vez que interroguei um americano a esse respeito, respondeu-me ele, rindo muito: "Oh! Oh! Ele tinha uma conversa que não era lá muito consecutiva!". Depois de algumas explicações, compreendi que Poe dava vastas pernadas no mundo das ideias, como um matemático que fizesse uma demonstração diante de alunos já bem fortes em matemática, que ele monologava muito. Na verdade, era uma conversa essencialmente nutritiva. Não era um *beau parleur*, e, aliás, sua palavra, como seus escritos, tinha horror à convenção; mas um vasto saber, o conhecimento de várias línguas, sólidos estudos, ideias colhidas em vários países, faziam dessa palavra um ensinamento incomparável. Enfim, era um homem para ser frequentado pelas pessoas que medem sua amizade pelo ganho espiritual que podem auferir de uma convivência. No entanto, parece que Poe tenha sido pouco severo na escolha de seu auditório. Que seus auditores fossem capazes de compreender suas abstrações sutis, ou admirar as gloriosas concepções, que rasgavam continuamente com seus clarões o céu sombrio de seu cérebro, era coisa que não lhe causava preocupação.

Vou procurar dar uma ideia do caráter geral que domina suas obras. Poe se apresenta sob três aspectos: crítico, poeta e romancista; e mais, no romancista há um filósofo. Quando foi chamado para dirigir o *Southern Literary Messenger*, ficou estipulado que ganharia dois mil e quinhentos francos por ano. Em troca de tão medíocres honorários, deveria encarregar-se da leitura e escolha dos trechos destinados à composição do número do mês, além da redação da parte chamada editorial, isto é, da análise de todas as obras aparecidas e da apreciação de todos os fatos literários. Além disso, contribuiria muitas vezes com um conto ou uma poesia. Durante aproximadamente dois anos exerceu essa tarefa. Graças à sua ativa direção e à originalidade de sua crítica, o *Literary Messenger* atraiu dentro em pouco todas as atenções. Tenho, diante de mim, a coleção dos números desses dois anos. A parte editorial é considerável; os artigos são bastante longos. Muitas vezes, no mesmo número, encontra-se a resenha de um romance, de um livro de poesia, de um livro de medicina, de física ou de história. Todas são feitas com o maior cuidado, e denotam no autor um conhecimento das diversas literaturas e uma aptidão científica que recordam os escritores franceses do século XVIII. Parece que, durante seus precedentes tempos miseráveis, Edgar Poe havia posto seu tempo a juros e agitado uma grande quantidade de ideias. Há ali uma coleção notável de apreciações críticas dos principais autores ingleses e americanos, muitas vezes de memórias francesas. De onde partia uma ideia, qual era sua origem, seu objetivo, a que escola pertencia, qual era o método do autor, salutar ou perigoso, tudo isso era explicado de forma nítida, clara e rápida. Se Poe atraiu fortemente as atenções sobre si, arranjou também numerosos inimigos.

Bastante penetrado por suas convicções, fez guerra infatigável aos falsos raciocínios, às imitações bobas, aos barbarismos e a todos os delitos literários que se cometem diariamente nos jornais e nos livros. Desse lado, nada havia a reprochar-lhe. Pregava com o exemplo. Seu estilo é puro, adequado às ideias, dando a elas a expressão exata.

Poe é sempre correto. Fato bastante assinalável é que um homem de imaginação tão erradia e tão ambiciosa seja ao mesmo tempo tão amoroso das regras, e capaz de análises estudiosas e de pacientes pesquisas. Dir-se-ia uma antítese feita carne. A glória de crítico prejudicou bastante sua fortuna literária. Muitos se quiseram vingar. Não houve censuras que não lhe lançassem mais tarde em rosto, à medida que sua obra se avolumava. Toda a gente conhece essa longa e banal ladainha: imoralidade, falta de ternura, ausência de conclusões, extravagância, literatura inútil. A crítica francesa jamais perdoou Balzac, "o grande homem provinciano em Paris".

Como poeta, Poe é um homem à parte. Representa quase sozinho o movimento romântico do outro lado do oceano. É o primeiro americano que, propriamente falando, fez de seu estilo uma ferramenta. Sua poesia, profunda e gemente, é, não obstante, trabalhada, pura, correta e brilhante, como uma joia de cristal. Ele amava os ritmos complicados e, por mais complicados que fossem, neles encerrava uma harmonia profunda. Há um pequeno poema seu, intitulado "Os sinos", que é uma verdadeira curiosidade literária; traduzível, porém, não o é. "O corvo" lográu vasto êxito. Segundo afirmam Longfellow e Emerson, é uma maravilha. O assunto é quase nada, e é uma pura obra de arte. O tom é grave e quase sobrenatural, como os pensamentos da insônia; os versos caem um a um, como lágrimas monótonas. No "País dos Sonhos", tentou descrever a sucessão dos sonhos e das imagens fantásticas que assaltam a alma quando o olho corpóreo está cerrado. Outros poemas como "Ulalume" e "Annabel Lee" gozam de igual celebridade. Todavia, a bagagem poética de Poe é diminuta. Sua poesia, condensada e laboriosa, custava-lhe, sem dúvida, muito esforço, e ele necessitava muitas vezes de dinheiro para que se pudesse entregar a essa dor voluptuosa e infrutífera.

Como novelista e romancista, Poe é único em seu gênero, como Maturin, Balzac, Hoffmann, cada um no seu. Os variados trabalhos que espalhou em revistas foram reunidos em dois grupos, um, *Histórias extraordinárias*, o outro *Contos de Edgar A. Poe*, edição Wiley & Putnam.[1] Forma tudo um total de setenta e dois trabalhos mais ou menos. Há ali

---

[1] Baudelaire se refere respectivamente a *Tales of the Grotesque and Arabesque* (1839) e *Tales* (1845). Poe publicou ainda outros cinco livros em vida, entre prosa e, sobretudo, poesia. [Nota do Editor]

bufonadas violentas, puro grotesco, aspirações desenfreadas para o infinito e uma grande preocupação pelo magnetismo.

Nele é atraente toda entrada em assunto, sem violência, como um turbilhão. Sua solenidade surpreende e mantém o espírito alerta. Sente-se, desde o princípio, que se trata de algo grave. E lentamente, pouco a pouco, se desenrola uma história, cujo total interesse repousa sobre um imperceptível desvio do intelecto, sobre uma hipótese audaciosa, sobre uma dosagem imprudente da Natureza no amálgama das faculdades. O leitor, tomado de vertigem, é constrangido a seguir o autor em suas arrebatadoras deduções.

Nenhum homem jamais contou com maior magia as exceções da vida humana e da natureza; os ardores de curiosidade da convalescença; o morrer das estações sobrecarregadas de esplendores enervantes, os climas quentes, úmidos e brumosos, em que o vento do sul amolece e distende os nervos, como as cordas de um instrumento, em que os olhos se enchem de lágrimas que não vêm do coração; a alucinação deixando, a princípio, lugar à dúvida, para em breve se tornar convencida e razoadora como um livro; o absurdo se instalando na inteligência e governando-a com uma lógica espantosa; a histeria usurpando o lugar da vontade, a contradição estabelecida entre os nervos e o espírito, e o homem descontrolado, a ponto de exprimir a dor por meio do riso. Analisa o que há de mais fugitivo, sopesa o imponderável e descreve, com essa maneira minuciosa e científica, cujos efeitos são terríveis, todo esse imaginário que flutua em torno do homem nervoso e o impele para a ruína.

Geralmente, Poe suprime as coisas acessórias, ou pelo menos não lhes dá senão um valor mínimo. Graças a essa sobriedade cruel, a ideia geratriz se torna mais visível e o assunto se recorta ardentemente, sobre esses segundos planos nus. Quanto ao seu método de narração, é simples. Abusa do eu com uma cínica monotonia. Dir-se-ia que está tão certo de interessar, que pouco se preocupa em variar seus meios. Seus contos são quase sempre narrativas ou manuscritos do personagem principal. Quanto ao ardor com que trabalha muitas vezes no que é horrível, observei em muitos homens que isso se deve a uma imensa energia vital sem exercícios, por vezes a uma castidade obstinada e também a uma profunda sensibilidade recalcada. A volúpia sobrenatural, que o homem pode experimentar em ver correr seu próprio sangue, os movimentos bruscos e inúteis, os grandes gritos lançados ao ar quase involuntariamente são fenômenos análogos. A dor é um alívio para a dor, a ação repousa do repouso.

Nos contos de Poe jamais se encontra amor. Pelo menos, "Ligeia" e "Eleonora" não são propriamente falando, histórias de amor, sendo outra a ideia principal sobre a qual gira a obra. Talvez acreditasse ele que a prosa não é a linguagem à altura desse estranho e quase intraduzível sentimento; porque suas poesias, em compensação, estão fartamente saturadas de amor. A divina paixão nelas aparece magnificamente constelada, e sempre velada por uma irremediável melancolia. Em seus artigos, fala algumas vezes de amor como se fosse uma coisa cujo nome faz a pena estremecer. No "Domínio de Arnheim" afirmará que as quatro condições elementares da felicidade são: a vida ao ar livre, o amor de uma mulher, o desprendimento de qualquer ambição e a criação de um Belo novo. O que corrobora a ideia da sra. Frances Osgood referente ao respeito cavalheiresco de Poe pelas mulheres é que, malgrado seu prodigioso talento para o grotesco e para o horrível, não há em toda a obra dele uma única passagem que se refira à lubricidade ou mesmo aos prazeres sensuais. Seus retratos de mulheres são, por assim dizer, aureolados; brilham em meio a um vapor sobrenatural e são pintados à maneira enfática de um adorador. Quanto aos pequenos episódios romanescos, há motivo para espanto que uma criatura tão nervosa, cuja sede pelo Belo era talvez o traço principal, tenha por vezes, com ardor apaixonado, cultivado a galantaria, esta flor vulcânica e almiscarada, para a qual o cérebro fervente dos poetas é terreno predileto?

Em Poe não há choraminguices enervantes, mas por toda a parte incessantemente, o ardor infatigável pelo ideal. Como Balzac que morreu triste, talvez triste por não ser um puro sábio, tem sanhas de ciência. Escreveu um "Manual do Conquiliologista". Tem, como os conquistadores e os filósofos, uma aspiração arrebatadora para a unidade;

assimila as coisas morais às coisas físicas. Dir-se-ia que procura aplicar à literatura os processos da filosofia, e à filosofia o método da álgebra. Nessa incessante ascensão para o infinito, perde-se um pouco o fôlego. O ar fica rarefeito nessa literatura como em um laboratório. Contempla-se aí, sem cessar, a glorificação da vontade, aplicando-se à indução e à análise. Poe parece querer arrancar a palavra aos profetas e atribuir-se o monopólio da explicação racional. Assim, as paisagens que servem por vezes de fundo para suas ficções febris são pálidas como fantasmas. Poe, que não partilhava das paixões dos outros homens, desenha árvores e nuvens que se assemelham a sonhos de nuvens e de árvores, ou antes, que se assemelham aos seus estranhos personagens, agitadas, como eles, por um calafrio sobrenatural e galvânico.

Os personagens de Poe, ou melhor, o personagem de Poe, o homem de faculdades superagudas, o homem de nervos relaxados, o homem cuja vontade ardente e paciente lança um desafio às dificuldades, aquele cujo olhar está ajustado, com a rigidez de uma espada, sobre objetos que crescem, à medida que ele os contempla — é o próprio Poe. E suas mulheres, todas luminosas e doentes, morrendo de doenças estranhas e falando com uma voz que parece música, são ele ainda; ou pelo menos, por suas aspirações estranhas, por seu saber, por sua melancolia incurável, participam fortemente da natureza de seu criador. Quanto à sua mulher ideal, à sua Titânide, revela-se em diferentes retratos, esparsos em suas poesias pouco numerosas, retratos, ou antes, maneiras de sentir a beleza, que o temperamento do autor aproxima e confunde em uma unidade vaga mas sensível, e onde vive mais delicadamente talvez que em qualquer parte esse amor insaciável do Belo, que é seu grande título, isto é, a soma de seus títulos à afeição e ao respeito dos poetas.

Espectro da morte

O POÇO e O PÊNDULO

EDGAR ALLAN POE
1842

Impia tortorum longos hic turba furores
Sanguinis innocui, non satiata, aluit.
Sospite nunc patria, fracto nunc funeris antro,
Mors ubi dira fuit vita salusque patent.[1]

(Quadra composta para os portões de um mercado
a ser erguido no local do Clube dos Jacobinos, em Paris.)

Estava exaurido, mortalmente exaurido por aquela longa agonia; quando enfim me soltaram e permitiram que me sentasse, os sentidos me deixaram. A sentença — a temida sentença de morte — foi a última coisa que alcançou meus ouvidos. Após isso, o som de vozes

---

[1] "Neste local, a multidão furiosa e insaciável por muito tempo cultivou ódio ao sangue inocente. Agora que a nação está salva e a cripta da morte foi destruída, a vida e a saúde vão habitar onde antes pairara a temida morte."
[A partir desta nota, todas serão da tradutora, salvo indicação contrária.]

inquisitivas parecia se amalgamar em um zumbido lânguido e indeterminado. Transmitia à minha alma a ideia de *rotação* — talvez por estar associado na memória com o ruído de uma roda de moinho. Durou apenas um instante; depois, não ouvi mais nada. No entanto, por um momento, vi — e com que terrível exagero! Vi os lábios dos juízes trajados em vestes negras. Pareceram-me brancos; mais brancos do que a folha onde escrevo estas palavras; e grotescos de tão finos; finos com a intensidade de sua expressão de firmeza, de resolução inflexível, de desprezo austero pela tortura infligida aos homens. Notei que o decreto do que para mim era o Destino ainda vazava daqueles lábios. Contorciam-se pronunciando a locução fatal. Proferiam as sílabas de meu nome, e estremeci ao perceber que não ouvia som algum. Também vi, por alguns momentos de horror delirante, o suave e quase imperceptível adejar das negras tapeçarias que revestiam as paredes do aposento. Então meus olhos recaíram sobre sete velas altas, dispostas sobre a mesa. À primeira vista, disfarçavam-se de caridade e pareciam anjos alvos e esguios convocados para me salvar; de repente, fui assolado por uma abrupta náusea e senti cada fibra de meu corpo se eletrizar como se eu tivesse tocado o fio de uma bateria galvânica. As formas angelicais transformaram-se em espectros sem sentido, com cabeças flamejantes, e percebi que não poderiam me ajudar. Assim, como uma nota musical encorpada, a ideia do doce repouso que me aguardava no túmulo invadiu minha mente. Esse pensamento se aproximara de modo gentil e furtivo, e foi necessário algum tempo até que pudesse ser apreciado em sua totalidade, mas, justo quando meu espírito por fim se pôs a senti-lo e contemplá-lo, as figuras dos juízes desapareceram diante de meus olhos como mágica; as altas velas reduziram-se a nada, extinguindo suas chamas por completo, e sobreveio o negrume da escuridão; todas as sensações pareciam tragadas em uma louca descida da alma para o reino de Hades. O universo converteu-se em silêncio, quietude e noite.

Eu havia desmaiado, mas não posso dizer que tenha perdido a consciência por completo. Não tentarei definir ou descrever o que dela restou; porém, nem tudo estava perdido. No sono mais profundo — não!

No delírio — não! Em um desmaio — não! Na morte — não! Até mesmo no túmulo, *nem tudo* está perdido. Do contrário, o homem não seria imortal. Despertando do mais profundo dos sonos, rompemos a diáfana teia de *algum* sonho. Porém, logo em seguida (tão frágil, essa teia), não conseguimos mais lembrar do que sonhamos. Ao voltarmos à vida após um desmaio, experimentamos dois estágios: primeiro, um senso de existência mental ou espiritual; segundo, de existência física. Parece provável que, caso pudéssemos recordar as impressões captadas no primeiro estágio ao alcançarmos o segundo, as descobriríamos férteis em memórias do abismo insondável. E o que é esse abismo? Como podemos sequer distinguir suas sombras daquelas que nos esperam no sepulcro? Porém, se as impressões do que chamo de primeiro estágio não são lembradas voluntariamente, após um longo intervalo, não regressam à mente, à nossa revelia, maravilhando-nos com seu advento? Quem nunca desmaiou jamais pôde encontrar palácios estranhos e rostos absurdamente familiares em brasas ardentes; não contemplou infelizes visões pairando no ar, invisíveis para os demais; não refletiu sobre o perfume de uma flor desconhecida, não sentiu o significado fugidio de uma cadência musical atordoante captando a atenção de sua mente de maneira inédita.

Em meio aos esforços frequentes e concentrados para recordar, a empenhos sinceros para recuperar alguma lembrança do estado de aparente vácuo no qual mergulhara minha alma, houve momentos em que quase obtive êxito; momentos breves, muito breves, quando acessei lembranças que uma razão lúcida posterior assegurava só poderem estar vinculadas àquele estado de aparente inconsciência. Essas sombras da memória recriavam uma cena indistinta de figuras esguias que me suspendiam e conduziam em silêncio para baixo — para baixo, sempre para baixo — até que fui sufocado por uma vertigem aterrorizante, provocada pela sensação de que a descida era interminável. Recordo de um horror vago oprimindo meu peito, justamente por senti-lo oco: o coração emudecera em uma quietude anormal. Tive, então, a impressão de uma súbita imobilidade, como se os que me carregavam (que sinistra coorte!) tivessem ultrapassado, na descida, os limites do ilimitado e, por fim, estacado, vencidos por sua exaustiva labuta. Depois, recordo-me de uma sensação de letargia e umidade. E então, tudo é *loucura* — a loucura de uma memória que se ocupa de coisas proibidas.

De súbito, movimento e som regressaram à minha alma — o agito tumultuado do coração e, em meus ouvidos, o som de suas batidas. Então, um intervalo onde tudo é vácuo. Em seguida, som, movimento e toque — uma sensação de formigamento percorrendo o corpo. Logo depois, apenas uma mera consciência de estar vivo, sem nenhum raciocínio — um estado duradouro. De repente, *lucidez* acompanhada por um calafrio de horror e um esforço tenaz para compreender o que estava de fato acontecendo comigo. Uma ânsia profunda de perder os sentidos. Após isso, um impetuoso renascer da alma e um esforço bem-sucedido para me mover. E, por fim, a lembrança completa do julgamento, dos juízes, das tapeçarias negras, da sentença, do mal-estar, do desmaio. Enfim, um esquecimento absoluto dos acontecimentos posteriores; foi tudo o que o passar dos dias e os esforços mais vigorosos me permitiram vagamente lembrar.

Até então, ainda não abrira os olhos. Sentia que estava de costas, sem nada me prendendo. Estiquei a mão e percebi que ela descia pesadamente sobre uma superfície úmida e rija. Permaneci assim por vários minutos, enquanto me esforçava para imaginar onde estava e *o que* teria me acontecido. Desejava, mas não tinha coragem de abrir os olhos. Receava contemplar os objetos ao meu redor pela primeira vez. Não que temesse me deparar com uma cena horrível; meu medo era que não houvesse *nada* para ver. Por fim, com o coração tomado por um louco desespero, abri devagar os olhos. Meus piores receios foram confirmados. Estava imerso nas trevas de uma noite eterna. O ar me escapou. A intensidade da escuridão parecia me esmagar e sufocar. A atmosfera era de um confinamento intolerável. Permaneci imóvel, lutando para conservar a razão. Recordei-me dos procedimentos inquisitoriais e tentei, a partir deles, deduzir a condição real em que me encontrava. A sentença fora proferida; parecia-me que um intervalo bastante longo transcorrera desde então. No entanto, nem por um instante sequer, julguei estar realmente morto. Tal suposição, a despeito do que lemos em obras de ficção, é de todo incompatível com a existência verdadeira; mas onde estava e o que acontecera comigo? Sabia que os condenados à morte costumavam perecer em autos de fé; o último tinha ocorrido exatamente na noite de meu julgamento. Teria sido devolvido à minha masmorra para aguardar o próximo sacrifício que ainda demoraria muitos meses para acontecer? Logo vi que a hipótese estava fora de cogitação. As vítimas eram demandadas no mesmo instante. Ademais, minha masmorra, assim como todas as celas dos condenados em Toledo, tinha piso de pedra e não carecia de iluminação.

De repente, uma ideia pavorosa inundou meu coração com uma torrente de sangue pulsante e, por um breve momento, voltei a perder os sentidos. Ao recobrá-los, levantei-me depressa, sentindo um convulsivo tremor se apossar de cada fibra de meu corpo. Suspendi os braços, girando-os loucamente em todas as direções. Não senti nada, mas temia dar um só passo, com medo de ser impedido pelas paredes de um *túmulo*. O suor escorria de todos os poros e se acumulava em grossas gotas em minha testa. A agonia do suspense por fim se tornou intolerável, e avancei com muita cautela, mantendo os braços esticados e os olhos arregalados, na esperança de captar algum mísero raio de luz. Consegui assim dar vários passos, mas não havia nada além da escuridão e do vazio. Respirei com mais alívio. Ao que tudo indicava, meu destino não era, ao menos, o mais tenebroso dentre eles.

Enquanto continuava a seguir em frente com cuidado, uma miríade de vagos rumores acerca dos horrores de Toledo condensou-se em minha mente. Recordei-me que, nas masmorras, circulavam estranhos relatos — que sempre julgara como meras fábulas —, tão estranhos e macabros que só podiam ser contados aos sussurros. Teria acaso sido abandonado para morrer de inanição naquele mundo subterrâneo de trevas? Ou que destino, quiçá ainda mais temível, me aguardava? Não duvidava, conhecendo bem o caráter de meus juízes, de que o resultado era a morte — e uma morte mais amarga do que a costumeira. Ocupava-me imaginando como e quando ela se daria; era essa a minha única distração.

Por fim, minhas mãos estendidas encontraram uma obstrução sólida. Parecia ser uma parede de pedra — muito lisa, pegajosa e fria. Segui apoiando-me nela, avançando com cautelosa desconfiança, inspirada por algumas narrativas antigas. O processo, todavia, não me ofereceu meios de estimar as dimensões da masmorra; a parede parecia tão uniforme que era possível completar uma volta e retornar ao ponto inicial sem se dar conta. Busquei então o canivete que estava em meu bolso quando me conduziram para a câmara de inquisição; não estava mais lá, haviam trocado minha roupa por uma túnica rústica de sarja. Ocorrera-me a ideia de pressionar a lâmina em alguma minúscula fenda na parede para conseguir identificar o ponto de partida. Era, contudo, uma dificuldade trivial; embora parecesse, no desalinho de minha mente, insuperável em princípio. Rasguei uma parte da bainha da túnica e estendi a tira ao comprido no chão, formando um ângulo reto com a parede. Ao completar o circuito, tateando às escuras, seria improvável que não conseguisse localizar o pano no chão. Era, pelo menos, o que eu pensava; não contava com o tamanho da masmorra ou com minha própria fraqueza. O chão estava úmido e escorregadio. Prossegui cambaleante por algum tempo, até que tropecei e caí. Minha excessiva fadiga levou-me a permanecer prostrado no chão e logo o sono tomou conta de mim.

Ao despertar, esticando o braço, encontrei ao meu lado um pão e uma jarra com água. Exausto demais para refletir sobre tais circunstâncias, comi e bebi com vontade. Logo em seguida, retomei a expedição pela masmorra e, com muito esforço, regressei ao ponto onde depositara o tecido no chão. Até o momento do tombo que levei, havia contado cinquenta e dois passos e, retomando a caminhada, contara mais quarenta e oito até encontrar o pedaço de sarja. Totalizavam, então, cem passos; calculando um metro para cada dois passos, estimei que a masmorra tivesse cinquenta metros de circunferência. Deparara-me, entretanto, com vários ângulos na parede e, desse modo, não podia adivinhar o formato da cripta, pois não restava dúvida de que se tratava de uma cripta.

Minha pesquisa não possuía propósito algum e, decerto, não prometia esperança; mas uma vaga curiosidade levou-me a continuá-la. Afastando-me da parede, decidi cruzar a área do local. Primeiro caminhei com extrema cautela, pois o piso, embora de material aparentemente sólido, estava coberto por um visco traiçoeiro. Por fim, tomei coragem e avancei com passos firmes, tentando atravessar a distância da forma mais reta possível. Tinha dado dez ou doze passos quando a bainha rasgada da túnica se emaranhou em minhas pernas. Pisando sobre o tecido, levei um tombo violento e caí com o rosto no chão.

No atordoamento da queda, não me dei conta de imediato de uma circunstância um tanto quanto perturbadora que, nos instantes seguintes, chamaram minha atenção enquanto ainda estava prostrado no chão. Notei que meu queixo estava apoiado no chão da prisão, mas meus lábios e a parte superior de minha cabeça, embora parecessem em uma elevação menor do que o queixo, não encostavam em nada. Ao mesmo tempo, minha testa parecia umedecida por um vapor pegajoso e o cheiro característico de cogumelos podres alcançou minhas narinas. Estiquei o braço e estremeci ao descobrir que havia caído exatamente à beira de um poço circular, cuja dimensão, é claro, eu não tinha meios de aferir naquele momento. Tateando a alvenaria sob a margem, consegui deslocar um fragmento e o deixei cair no abismo. Por alguns segundos, escutei atentamente as reverberações que produzia ao se chocar nas laterais do poço enquanto caía; por fim, ouvi o ruído de queda na água, seguido por estrondosos ecos. No mesmo momento, atentei para um som que vinha de cima e que me pareceu o de uma porta sendo aberta depressa e depois rapidamente fechada, revelando uma nesga de luz que, por um brevíssimo instante, iluminou as trevas ao meu redor.

Pude ver com clareza a desgraça que havia sido preparada para mim e louvei o oportuno acidente que me fez escapar da morte. Mais um passo antes da queda, e o mundo não me veria mais. A morte da qual acabara de escapar era típica das que eu costumava considerar fantasiosas e frívolas nas histórias que contavam sobre a Inquisição. Havia, para as vítimas de sua tirania, a alternativa de optar por uma morte com as piores agonias físicas ou uma morte com seus piores horrores morais. Eu estava destinado à segunda. Devido ao longo sofrimento, meus nervos encontravam-se à flor da pele, a ponto de tremer com o som de minha própria voz, tornando-me, sob todos os aspectos, uma vítima perfeita para o tipo de tortura que me aguardava.

Com o corpo inteiro tremendo, cambaleei de volta às paredes, resoluto a perecer encostado nelas em vez de me arriscar no terror dos poços que, em minha imaginação, concebia estarem espalhados por toda a masmorra. Em outro estado de espírito, poderia ter arregimentado coragem para terminar de vez meu sofrimento, pulando em um desses abismos, mas havia me tornado o mais covarde dos covardes. Também não conseguia me esquecer do que lera a respeitos de tais poços — que a extinção *imediata* da vida não fazia parte de seus tenebrosos planos.

O espírito assim atribulado impediu que eu encontrasse o sono por longas horas; mas, finalmente, tornei a cochilar. Quando despertei, encontrei mais uma vez ao meu lado um pão e uma jarra de água. Uma sede ardente me consumia e esvaziei a jarra em um só gole. A água devia conter alguma droga; mal terminei de beber e fui tomado por uma sonolência irresistível. Um sono profundo desceu sobre mim — um sono de morte. Quanto tempo durou, não sei dizer; mas, quando tornei a abrir os olhos, pude enxergar tudo ao meu redor. Graças a um forte clarão de luz sulfúrica, cuja origem não pude determinar de prontidão, pude ver o tamanho e o aspecto de meu calabouço.

Em relação ao tamanho, enganara-me completamente. A circunferência completa das paredes não excedia vinte e cinco metros. Por alguns minutos, a descoberta causou-me uma preocupação inútil, deveras inútil. Afinal, o que poderia ser menos importante, sob as terríveis circunstâncias nas quais me encontrava, do que as dimensões do cárcere? Contudo, a alma nutria um interesse ferrenho por insignificâncias, e ocupei-me especulando onde havia me equivocado ao calcular a dimensão do local. Por fim, acabei descobrindo. Em minha primeira tentativa exploratória, contara cinquenta e dois passos, até o momento da queda; eu devia estar, naquele ponto, a um ou dois passos do pedaço de tecido no chão. Na verdade, quase completara uma volta completa na cripta. Então, adormeci e, ao despertar, devo ter andado na direção contrária, supondo assim que o circuito era duas vezes maior do que de fato era. A confusão mental em que me encontrava impediu que percebesse que havia começado a volta com a parede à esquerda e terminado com a parede à direita.

Eu também me enganara quanto ao formato do local. Tateando enquanto caminhava, me deparei com vários ângulos e, por isso, tive uma impressão de grande irregularidade — quão potente é o efeito da mais completa escuridão em alguém que desperta da letargia ou do sono! Os ângulos eram simplesmente algumas sutis reentrâncias, nichos intervalados. A prisão era quadrada. O que eu tomara por alvenaria agora me parecia ser ferro ou algum outro metal, em imensas placas, cujos encaixes e junções formavam as tais reentrâncias. A superfície deste recinto metálico era grosseiramente revestida com os artifícios horrendos e repulsivos, oriundos das superstições macabras dos monges. Figuras de demônios com aparência ameaçadora, formas esqueléticas e outras imagens ainda mais assustadoras espalhavam-se, desfigurando as paredes. Notei que as silhuetas dessas monstruosidades eram nítidas, mas as cores pareciam desbotadas, indefinidas, como se em decorrência da atmosfera úmida. Reparei também no chão, que era de pedra. No centro, abria-se o poço circular de cujas mandíbulas eu escapara — era o único em toda a prisão.

Enxerguei tudo isso com olhos turvos e muito esforço, pois meu estado havia se alterado bastante durante o sono. Jazia agora deitado de costas, com o corpo estendido, em uma espécie de estrutura de madeira. Eu estava firmemente atado a ela por uma tira comprida que parecia de couro. Perpassava meu corpo, atando os membros, deixando livres apenas a cabeça e o braço esquerdo, de modo que eu pudesse, com certo esforço, alcançar a comida em um prato de barro ao meu lado, no chão. Vi que, para meu horror, a jarra havia sido levada. Digo horror porque uma sede intolerável me consumia. Tal sede fora estimulada de propósito por meus torturadores: a comida que me serviram era uma carne extremamente condimentada.

Olhando para o alto, inspecionei o teto da masmorra. Ficava a uns dez ou doze metros acima de minha cabeça, construído de maneira semelhante às paredes que me ladeavam. Em um dos painéis, uma figura muito singular capturou minha atenção. Era um desenho do Tempo, como costuma ser representado, mas, em vez de uma foice, o que ele parecia trazer nas mãos, à primeira vista, assemelhava-se à imagem de um gigantesco pêndulo, como o que vemos nos relógios antigos. Havia algo, porém, na aparência desse objeto que me levou a examiná-lo com mais concentração. Enquanto o fitava, diretamente sobre minha cabeça (pois estava em cima de mim, exatamente nessa direção), imaginei vê-lo em movimento. Um instante depois, o que julguei imaginação provou ser realidade. O seu oscilar era breve e, é claro, lento. Observei por alguns minutos, sentindo um medo vago; porém, mais curioso do que qualquer outra coisa. Por fim, exausto de contemplar aquele vagaroso pendular, voltei meus olhos para os demais objetos da cela.

Um ruído sutil me distraiu e, olhando para o chão, vi que vários ratos enormes o atravessavam. Haviam saído do poço, que ficava à minha direita. Brotavam das profundezas aos borbotões, apressadamente, com olhos esfaimados, atraídos pelo cheiro da carne. Foi necessário muito esforço e cautela para espantá-los.

Deve ter se passado trinta minutos, talvez uma hora inteira (pois não era possível ter uma noção precisa do tempo), antes que eu olhasse para cima novamente. O que vi então me deixou confuso e perplexo. O oscilar do pêndulo aumentara em quase um metro e, por conseguinte, sua velocidade também estava maior. Contudo, o que mais me perturbou foi a impressão de que ele havia *descido*. Percebi então — com um horror evidente — que sua extremidade inferior era formada por uma lâmina fulgurante de aço em forma de arco, com uns trinta centímetros de comprimento de uma ponta a outra; as pontas estavam voltadas para cima e a parte de baixo parecia tão afiada quanto uma navalha. Também como uma navalha, parecia maciça e pesada, oriunda de uma sólida e larga estrutura que, afunilando-se ao longo do fio, era mais estreita na extremidade. Estava presa a uma pesada haste de metal e produzia um *som sibilante* enquanto oscilava no ar.

Eu já não mais duvidava do triste fim que a inventividade monástica em modalidades de tortura havia me reservado. Os agentes inquisitoriais decerto haviam tomado conhecimento de que eu descobrira o poço — *o poço* cujos horrores haviam sido destinados para um dissidente tão impávido quanto eu —, *o poço*, típico do inferno e considerado, pelos rumores, como a *Ultima Thule* de todos os castigos. Fora por um mero acidente que evitara o mergulho fatal naquele buraco; sabia que o fator surpresa ou uma armadilha que me conduzisse ao tormento constituíam um importante componente de toda a *grotesquerie* das mortes nas masmorras. Ao descobrirem que evitei a queda, já não cultivavam mais o plano demoníaco de me atirar no abismo; assim (na falta de outra alternativa), uma morte diferente e mais suave me esperava. Mais suave! Cheguei a esboçar um sorriso em meio à agonia, diante do emprego de tal palavra.

De que adianta relatar as longas, longas horas de pavor mais do que mortal, durante as quais só me restava contar as vibrações cada vez mais velozes da lâmina de aço! Ela descia em minha direção, centímetro por centímetro, com uma proximidade que só podia ser averiguada em intervalos que pareciam uma eternidade! Os dias se passaram — muitos dias, provavelmente — até que a lâmina por fim se aproximou tanto que já era possível sentir seu hálito acre bafejando em meu rosto. O odor pungente do aço penetrava em minhas narinas. Eu rezava — fatiguei os céus com rezas, suplicando que a lâmina do pêndulo descesse de uma vez. Tomado por um louco desespero, esforçava-me para erguer o pescoço e ir de encontro ao oscilar da tenebrosa cimitarra. Então, acalmei-me de repente e me pus a contemplar, com um sorriso, a morte cintilante — como uma criança diante de um brinquedo raro.

Adveio outro intervalo de total inconsciência; deve ter sido curto, pois, quando recobrei os sentidos, não observei descida perceptível no pêndulo. Ou talvez tenha sido mais longo; sabia que meus demoníacos torturadores monitoravam os desmaios que estava tendo, e era possível que interrompessem o oscilar quando estivesse desacordado. Ao recobrar a consciência, também me senti tomado por náusea e fraqueza inexprimíveis, como se resultantes de um longo período de inanição. Mesmo em meio às agonias do momento, a natureza humana ansiava por alimento. Com doloroso esforço, estiquei o braço esquerdo tanto quanto as amarras me permitiram e alcancei os restos que os ratos me deixaram. Assim que levei a comida aos lábios, um pensamento indistinto de alegria — de esperança — acendeu-se em minha mente. No entanto, que esperança *eu* poderia contemplar? Era, como disse, um pensamento vago — temos muitos que nunca se tornam concretos. Sentia que era de alegria, de esperança; mas sentia também que morrera antes mesmo de se formar por completo. Em vão, esforcei-me para recuperá-lo. O longo sofrimento ao qual estava exposto parecia ter aniquilado quase que por completo minhas costumeiras capacidades mentais. Havia me tornado um imbecil — um idiota.

A vibração do pêndulo estava alinhada em ângulo reto com meu corpo. Notei que a lâmina, em formato de lua crescente, fora projetada para atravessar o peito, na altura do coração. Rasgaria a sarja da túnica — completaria o movimento e repetiria a operação de novo e de novo. A despeito de seu oscilar assustadoramente cada vez mais amplo (eu calculava nove metros ou mais) e do sibilante vigor com que descia, suficiente para rachar as paredes de aço, ainda assim, rasgar de leve a túnica seria tudo o que, por vários minutos, seria capaz de fazer. Ao formular tal pensamento, detive-me nele. Não ousava ir além dessa reflexão. Concentrei-me nela com atenção insistente — como se, ao fazê-lo, pudesse interromper a descida da lâmina. Obriguei-me a refletir sobre o som que faria ao atravessar a roupa que usava — o arrepio peculiar que a fricção do tecido produziria em meus nervos. Concentrei-me nesses pensamentos frívolos até trincar os dentes, hirto de tensão.

A lâmina descia — em um ritmo constante, aproximando-se. Eu experimentava um prazer perverso em contrastar sua velocidade descendente com a lateral. Para a direita, para a esquerda em um amplo movimento — e o som que produzia parecia o grito lancinante de uma alma condenada ao inferno; descia rumo ao meu coração com o passo furtivo de um tigre! Eu alternava gargalhadas e urros, conforme uma ou outra ideia se tornava predominante em minha mente.

A lâmina descia — inapelável, incansável! Vibrava a poucos centímetros de meu peito! Eu lutava, em fúria violenta, para tentar libertar o braço esquerdo. Estava solto do cotovelo até a mão. Com grande esforço, podia alcançar o prato ao meu lado e levar a comida até a boca, mas nada além disso. Se pudesse arrebentar as tiras que me atavam acima do cotovelo, conseguiria segurar o pêndulo para interromper o movimento. Contudo, era mais fácil tentar impedir uma avalanche!

A lâmina descia — sempre incessante, sempre inevitável! Eu arfava e me debatia a cada vibração. Encolhia-me em convulsões a cada oscilar do pêndulo. Meus olhos acompanhavam o pendular, de um lado para o outro, com a avidez do desespero mais despropositado; eles se fechavam espasmodicamente na descida do pêndulo, embora a morte pudesse ser um alívio. Ah, um alívio inexprimível! Não obstante, todos os meus nervos estremeciam ao pensar que bastaria que a máquina descesse um pouco mais para precipitar o machado afiado e brilhante sobre meu peito. Era a *esperança* que estremecia meus nervos — que fazia o corpo inteiro encolher. Era a *esperança* — a esperança que triunfa em meio ao sofrimento — que sussurra nos ouvidos dos condenados à morte, até mesmo nas masmorras da Inquisição.

Percebi que bastariam mais dez ou doze oscilações para que a lâmina entrasse em contato com a roupa que usava e, com essa constatação, desceu sobre meu espírito a calma contida do desespero. Pela primeira vez em muitas horas — ou quiçá dias —, *refleti*. Ocorreu-me que a atadura, a tira de couro que me envolvia, era *inteiriça*. Não estava preso por cordas avulsas. O primeiro golpe da lâmina em qualquer parte da tira iria rompê-la, permitindo que eu me soltasse usando a mão esquerda. Mas como era temível, nesse caso, a proximidade da lâmina! O menor movimento para me desvencilhar poderia resultar em morte! Ademais, duvidava que os asseclas do torturador não tivessem previsto essa possibilidade, pensando em alguma maneira de evitá-la. Seria possível que a faixa cruzasse meu peito na direção do pêndulo? Receando ver frustrada a última esperança, ergui a cabeça apenas o suficiente para conseguir enxergar bem o peito. A faixa envolvia meus membros e o tronco em todas as direções — *menos na região onde a lâmina poderia entrar em contato com ela.*

Eu mal repousara a cabeça novamente, quando adejou em minha mente o que posso descrever apenas como a parte que faltava para completar a ideia de salvação que mencionei antes; a ideia que me ocorrera pela metade, de maneira indeterminada, quando levei a comida aos lábios febris. Finalmente, pude vislumbrar o pensamento completo — débil, não de todo são, não de todo definido, mas, ainda assim, completo. Comecei de imediato, com a energia nervosa do desespero, a tentar sua execução.

Durante muitas horas, a vizinhança imediata da estrutura de madeira onde eu estava deitado estivera lotada de ratos. Eram ferozes, destemidos e vorazes — fitavam-me com seus olhos vermelhos, como se aguardassem apenas que eu quedasse imóvel para me fazer de presa. "Com que tipo de alimento", pensei, "eles estavam acostumados no poço?"

Haviam devorado, a despeito de todos os esforços que fiz para espantá-los, quase todo o conteúdo do prato. Eu me habituara a oscilar a mão sobre o objeto; por fim, a monotonia inconsciente do movimento deixou de produzir efeito. Em sua voracidade, os ratos cravaram repetidas vezes suas presas afiadas em meus dedos. Esfreguei o que sobrara da carne, oleosa e apimentada, em todas as partes que pude alcançar da faixa que me atava; então, erguendo a mão do chão, prendi a respiração e fiquei absolutamente imóvel.

No início, os animais esfaimados ficaram surpresos e assustados com a mudança — com a interrupção do movimento. Recuaram, alarmados; muitos regressaram ao poço. No entanto, isso durou apenas um instante. Eu não contara em vão com sua voracidade. Constatando que eu permanecia imóvel, um ou dois mais ousados subiram no estrado de madeira, farejando a faixa. Isso pareceu o sinal para que todos os demais avançassem. Saíram em novos grupos do poço. Agarravam-se à madeira — escalando-a, pulavam aos montes sobre meu corpo. O movimento cadenciado do pêndulo não parecia perturbá-los. Evitando as oscilações, ocupavam-se com a faixa besuntada.

Apertavam-se — amontoavam-se sobre mim em uma multidão sempre crescente. Contorciam-se em minha garganta; seus lábios frios buscavam os meus. Estava quase sufocado por sua pressão em meu corpo; uma repulsa inominável crescia em meu peito e enregelava, com opressiva viscosidade, meu coração. Mais um minuto e o esforço chegaria ao fim. Senti, perceptivelmente, o afrouxar da faixa. Julgava que já deveria estar rasgada em mais de um local. Com uma determinação sobre-humana, permaneci *imóvel*.

Eu não me equivocara em meus cálculos nem suportara em vão. Constatei, afinal, que estava *livre*. A faixa pendia de meu corpo, roída em pedaços. Contudo, o golpe do pêndulo já pairava sobre o peito. Cortara a sarja da túnica. Rasgara o forro interno. Atingira-me mais duas vezes, e uma dor lancinante espalhou-se por meus nervos. Porém, chegara o momento de escapar. Um gesto de mão foi o bastante para espantar meus redentores, que fugiram em tumultuosa pressa. Com um movimento firme — cauteloso e lento —, encolhi-me e deslizei para o lado, livrando-me das amarras e escapando da cimitarra. Por ora, pelo menos, *estava livre*.

Livre — mas ainda nas garras da Inquisição! Mal havia descido do leito de horror e pisado no chão de pedra da masmorra, e o movimento da diabólica máquina cessou. Foi erguida, por uma força invisível, até o teto. Essa foi uma lição que armazenei no fundo de meu coração. Cada movimento meu estava sendo, sem dúvida, vigiado. Livre — mas acabara de escapar da morte em uma modalidade de sofrimento para ser entregue a outra muito pior. Pensando nisso, volvi alucinadamente os olhos para as paredes de ferro que me enclausuravam. Algo estranho — uma mudança que, de início, não pude perceber com clareza — havia ocorrido naquele local. Por vários minutos de lânguida e trêmula abstração, ocupei-me com conjecturas vãs e desconexas. Durante tal período, descobri enfim a origem da luz sulfúrica que iluminava a cela. Vinha de uma fissura, de um pouco mais de um centímetro de largura, e se estendia em volta da prisão na base das paredes — que pareciam, e eram, completamente separadas do chão. Tentei, em vão, olhar por aquela abertura.

Quando estava me levantando após minha inútil tentativa, compreendi o mistério da alteração do cômodo. Havia observado que, embora as silhuetas das figuras nas paredes fossem nítidas, as cores pareciam embaçadas e indefinidas. Essas cores haviam adquirido, ou estavam adquirindo por um momento, um brilho surpreendente e intenso que conferia às figuras espectrais e diabólicas um aspecto que teria apavorado até mesmo nervos mais firmes do que os meus. Olhos demoníacos, com uma vivacidade feroz e sinistra, fitavam-me por toda a parte, em uma miríade de direções; antes invisíveis, agora brilhavam com o fulgor lúgubre de uma chama da qual não podia convencer minha imaginação ser falsa.

Falsa! Respirava sentindo em minhas narinas o vapor do ferro aquecido! Um odor sufocante invadia a câmara! Um brilho cada vez mais intenso irrompia dos olhos que fitavam a agonia em que me encontrava! Um vermelho ainda mais vivo espalhava-se nas reproduções horrendas de sangue. Ofegante, lutava para conseguir respirar! Não havia mais dúvida quanto ao objetivo de meus torturadores — ah! Homens incansáveis! Ah! Homens diabólicos! Encolhendo-me, afastei-me do metal incandescente para o meio da cela. Diante da destruição incendiária que se aproximava, a ideia do frescor do poço surgiu em minha alma como um bálsamo. Corri até sua borda mortal. Esforcei-me para enxergar o abismo. A chama incandescente que provinha do teto iluminara suas profundezas. Ainda assim, por um momento desvairado, meu espírito recusava-se a absorver o que eu via. Por fim, a compreensão se impôs — invadiu com violência a alma —, gravou-se a ferro e a fogo em meu vacilante raciocínio. Ah! Faltou-me a voz! — horror! — ah! Qualquer horror, menos este! Com um grito agudo, corri da margem do poço e, enterrando o rosto nas mãos, verti lágrimas amargas.

O calor aumentou rapidamente e, mais uma vez, olhei para cima, estremecendo como se tomado por um calafrio febril. Uma nova mudança se operara na cela — agora, em seu *formato*. Assim como antes, foi sem sucesso que tentei estimar ou compreender o que estava acontecendo. Entretanto, a dúvida não perdurou por muito tempo. A vingança dos inquisidores havia sido apressada por minhas duas fugas, e não era mais possível enfrentar o Rei dos Terrores. O local, antes, era quadrado. Percebi, então, que dois dos seus ângulos de ferro haviam se tornado agudos — e os outros dois, por conseguinte, obtusos. A tenebrosa diferença em pouco tempo se intensificou, com um som abafado e um rumor de gemidos. Rapidamente, a cela mudou de formato, tornando-se um losango. Todavia, a alteração não cessou — eu não esperava nem desejava que cessasse. Eu poderia ter grudado as paredes incandescentes contra o peito, como uma vestimenta de paz eterna. "A morte", concluí, "qualquer morte, menos o poço!" Tolo! Como não poderia ter atinado antes que era *para o poço* que o ferro em brasas ao meu redor me impelia? Como resistir ao seu calor? E, mesmo resistindo, como suportar sua pressão? E o losango diminuía de largura, mais e mais, com uma rapidez que não deixava tempo para contemplação. O centro, evidentemente seu ponto mais amplo, aproximava-se da abertura do poço. Eu recuava, mas as paredes me pressionavam, indefeso, para mais e mais perto. Por fim, não havia senão um espaço mínimo para apoiar meu corpo queimado e contorcido no solo firme da prisão. Parei de lutar, mas a agonia que sentia na alma encontrou vazão em um grito final de desespero, vibrante e duradouro. Sentindo que cambaleava à beira do abismo, desviei os olhos...

Chegou então aos meus ouvidos um alarido dissonante de vozes humanas! O som vigoroso de muitas trombetas! Um ruído grave, como de mil trovões! As paredes flamejantes desabaram! Um braço estendido segurou o meu justamente quando meu corpo estava prestes a cair, desacordado, dentro do abismo. Era o general Lasalle. O exército francês invadira Toledo. A Inquisição estava nas mãos dos inimigos.[2]

---

2 O general Colbert, conde de Lasalle, entrou em Toledo em 1808, colocando um fim temporário à Inquisição, que começara em 1478. Os julgamentos voltaram a acontecer alguns anos depois, mas foram definitivamente abolidos em 1834.

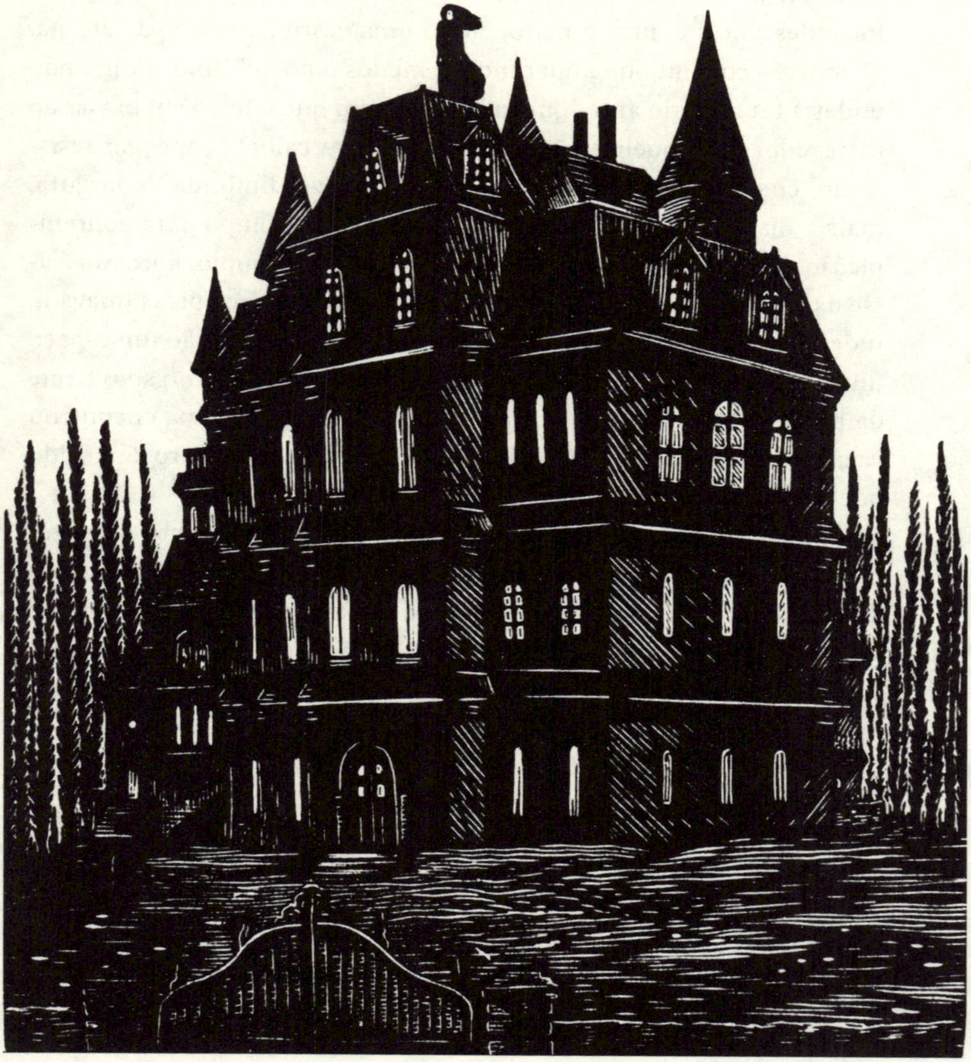

◆ ESPECTRO DA MORTE ▶

A QUEDA
da
CASA DE USHER

EDGAR ALLAN POE
— 1839 —

Son coeur est un luth suspendu;
Sitôt qu'on le touche il résonne.[1]
— De Béranger —

Ao longo de um letárgico, sombrio e silencioso dia de outono, em que as nuvens pairavam baixas e opressoras no céu, percorri sozinho, a cavalo, uma área particularmente desolada da região e, então, envolta nas sombras crepusculares que se avizinhavam, avistei ao longe a melancólica casa de Usher. Não sei explicar — mas à primeira vista da construção um insuportável sentimento de angústia invadiu minha alma. Digo insuportável, pois tal impressão não encontrava consolo em nenhum sentimento prazeroso — porque poético — com que a mente amiúde

---

1   "Seu coração é um suspenso alaúde/ Tão logo tocado, ressoa."

acolhe até mesmo as mais cruéis imagens de desolação e terror. Contemplei o panorama que tinha diante de mim — a casa em si e a paisagem simples ao seu redor, suas paredes soturnas, suas janelas com vãos que pareciam olhos, seus juncos esparsos, seus esbranquiçados troncos de árvores anêmicas — com o espírito conturbado, com uma sensação que não posso comparar a nenhuma outra senão ao despertar que interrompe um sonho de ópio — o amargo regresso à vida cotidiana, o medonho cair do véu. Fui tomado por um frio na alma, uma vertigem, uma náusea profunda — um desânimo mental irredimível, que nenhum estímulo da imaginação poderia instigar ao sublime. Parei para refletir: o quê, o que me perturbava tanto ao contemplar a casa de Usher? Era um mistério inexplicável; sequer conseguia lutar contra os devaneios sombrios que me assolavam ao ponderá-lo. Fui obrigado a me contentar com a conclusão insatisfatória de que embora, sem dúvida, *existam* combinações de objetos naturais prosaicos capazes de nos afetar dessa forma, não obstante a análise desse poder jaz muito além de nossa compreensão. Era possível, refleti, que tão somente um arranjo diferente dos componentes da cena, dos detalhes da imagem, bastasse para modificar ou, quiçá, anular sua capacidade de gerar uma impressão pesarosa; incentivado por essa ideia, conduzi meu cavalo até a beira íngreme do lago escuro e lúgubre de superfície mortiça, contíguo à casa, e olhei para baixo — tomado por calafrio ainda mais pungente do que o anterior —, deparando-me com as imagens invertidas dos juncos acinzentados, dos arremedos das árvores e das janelas que pareciam olhos vazios.

No entanto, era nessa mansão sombria que eu agora me propunha a passar algumas semanas. Seu proprietário, Roderick Usher, fora um de meus melhores amigos na infância, mas muitos anos haviam se passado desde nosso último encontro. Todavia, uma carta me alcançara em um canto remoto do país — carta escrita por ele —, e, em virtude de sua natureza urgente, merecia nada menos do que a resposta em pessoa. O manuscrito revelava a agitação nervosa de seu remetente. Ele narrava uma enfermidade física aguda, um transtorno mental que o oprimia, e expressava o desejo sincero de me ver, na qualidade de seu melhor e, na realidade, único amigo, no intuito de tentar aliviar, com o gozo de minha companhia, a doença. Foi a maneira como tudo isso, e muito mais, foi dito — o aparente *sentimento sincero* que acompanhava esse pedido — que me impossibilitou qualquer tipo de hesitação; assim, obedeci de imediato ao que ainda considero um chamado enormemente extravagante.

Embora na infância foramos bem próximos, eu pouco sabia sobre meu amigo. Sua reserva sempre era excessiva e costumeira. Estava ciente, porém, de que a linhagem familiar antiga à qual pertencia destacara-se por um temperamento sensível peculiar, que se manifestava ao longo dos anos em diversos empreendimentos artísticos excepcionais e em repetidos gestos de caridade generosos, ainda que discretos, bem como por uma devoção passional às complexidades, talvez até mais do que às belezas ortodoxas e facilmente reconhecíveis, da ciência musical. Tomara conhecimento também do notável fato de que os Usher, a despeito de sua antiguidade, não gerara ramificação duradoura; em outras palavras, a família inteira permanecia em uma única linha direta de descendência e, salvo poucas variações insignificantes e temporárias, sempre fora assim. Foi essa deficiência, ponderei, enquanto refletia acerca da perfeita harmonia entre o caráter da casa e aquele imputado à família e especulava sobre uma possível influência que um, no decorrer dos séculos, poderia ter exercido no outro, foi essa deficiência, talvez, de progênie colateral e a consequente transmissão invariável de pai para filho, do patrimônio ao nome, que, por fim, acabou por gerar tamanha identificação de um com o outro, a ponto de fundir o nome original da propriedade na denominação antiquada e ambígua de "casa de Usher" — denominação que parecia abarcar, na mente dos aldeões que a empregavam, tanto a família quanto a mansão.

Como disse, o único efeito de meu ingênuo experimento de contemplar a paisagem invertida no lago foi a intensificação de minha primeira impressão singular. Sem dúvida, a consciência do crescimento sensível da superstição — por que não tratar como tal? — que eu sentia serviu sobretudo para acentuá-la. Essa, sei bem, é a lei paradoxal de todos os sentimentos alicerçados no terror. E talvez tenha sido apenas por esse motivo que, quando tornei a erguer os olhos da imagem no lago para a casa em si, minha mente foi tomada por estranho devaneio — tão ridículo que só o menciono para ilustrar a pungência das sensações que me oprimiam. Eu dera tamanha força à minha imaginação que chegara de fato a crer que a mansão e todo o entorno estavam envoltos em uma atmosfera bastante peculiar — atmosfera que não guardava afinidade alguma com o ar celestial, mas que exalava fétida das árvores decompostas, das paredes cinzentas e do lago silencioso —, um vapor pestilento e místico, denso, inerte, quase imperceptível e plúmbeo.

Espantando de meu espírito o que *deveria* ser uma ilusão, perscrutei com renovada minúcia o aspecto real da construção. Sua característica principal parecia ser a excessiva antiguidade. A descoloração que o tempo lhe impusera era extrema. Minúsculos fungos revestiam todo o exterior, pendendo das calhas em um emaranhado diáfano como teias de aranha. Não obstante, não havia sinais anômalos de dilapidação. A alvenaria permanecia intacta e parecia haver uma fantástica incoerência entre o perfeito estado de assentamento das partes e a desintegração individual das pedras. Isso me fez recordar a inteireza enganosa de antigos trabalhos em madeira, que apodrecem esquecidos em porões, sem sofrer o desgaste do ar externo. Porém, além dessa indicação de considerável desgaste, o material apresentava poucos sinais de instabilidade. Talvez o olhar de um observador mais atento em seu escrutínio pudesse distinguir uma fissura quase imperceptível que se precipitava do telhado da mansão, descendo em zigue-zague pela parede até perder-se nas águas turvas do lago.

Observando tais detalhes, cavalguei até a curta estrada que dava acesso à casa. Um criado de prontidão recolheu meu cavalo e atravessei o arco gótico do vestíbulo. Outro membro da criadagem, em passos furtivos, conduziu-me em silêncio por várias passagens escuras e intrincadas até o aposento onde estava seu patrão. Muito do que vi pelo caminho contribuiu, não sei dizer ao certo como, para intensificar as vagas sensações já mencionadas. Embora os objetos ao meu redor — os entalhes no teto, as tapeçarias sombrias nas paredes, o negrume de ébano dos pisos e os fantasmagóricos troféus heráldicos que chacoalhavam na cadência de meus passos — não passassem de elementos que eu estava acostumado desde a infância, ou eram semelhantes a eles; embora eu hesitasse em não reconhecer o quão familiar tudo aquilo me parecia, não podia deixar de notar que as fantasias que tais imagens banais instigavam eram de origem desconhecida. Em uma das escadarias, encontrei o médico da família. Em seu rosto, julguei perceber um amálgama de astúcia embusteira e perplexidade. Cumprimentou-me sobressaltado e seguiu seu caminho. O criado abriu a porta e conduziu-me ao patrão.

O aposento no qual me encontrava era amplo e suntuoso. As janelas compridas, estreitas, pontiagudas e tão distantes do chão escuro de carvalho que era impossível alcançá-las pelo interior. Uma débil luz carmesim vazava pela treliça das janelas, suficiente para tornar visíveis os objetos mais proeminentes ao redor; os olhos, porém, lutavam em vão para alcançar os ângulos mais remotos do cômodo, ou os cantos do teto abobadado e decorado com entalhes. Tapeçarias escuras ornavam as paredes. A mobília era profusa, desconfortável, antiquada e apresentava sinais de desgaste. Havia diversos livros e instrumentos musicais espalhados pelo ambiente, que não conseguiam acrescentar vitalidade à cena. Senti que respirava uma atmosfera de pesar. Uma tristeza austera, profunda e irredimível pairava no local, invadindo por completo seus recantos.

Ao me ver, Usher levantou-se do sofá onde estava deitado e saudou-me de maneira calorosa com o que me pareceu, à primeira vista, uma cordialidade exagerada — um empenho forçado, típico de um homem do mundo entediado. No entanto, bastou contemplar sua fisionomia para convencer-me de que era sincero. Sentamo-nos e, por alguns instantes, antes que ele falasse algo, observei-o com um misto de pena e reverência. Decerto homem algum mudara de forma tão tenebrosa, em um período tão breve, quanto Roderick Usher! Era com muita dificuldade que eu conseguia conciliar a aparência do ser pálido à minha frente com a de meu velho amigo de infância. Entretanto, o rosto dele sempre fora notável. A pele tinha aspecto cadavérico: os olhos extraordinariamente grandes, líquidos e luminosos; os lábios eram finos e pálidos, mas ostentavam uma curva de incomparável beleza; o nariz de um delicado modelo hebraico, mas com narinas de tamanho pouco comum em indivíduos dessa ascendência; um queixo delineado que traía, em sua falta de proeminência, uma ausência de energia moral; o cabelo macio e tênue como uma teia de aranha; esses traços, aliados a uma expansão exagerada sobre a região das têmporas, compunha uma feição difícil de ser esquecida. E agora, na mera exacerbação de seu caráter predominante e na expressão que causavam, operara-se tamanha mudança que cheguei a duvidar da identidade de meu anfitrião. A palidez sinistra da pele e o fulgor miraculoso dos olhos, acima de tudo, me assustaram, provocando até mesmo terror. O cabelo sedoso crescera sem ser aparado e, em sua textura fina de teia, parecia mais flutuar do que cair ao redor do rosto, impossibilitando-me de, mesmo com esforço, associar sua aparência arabesca com a de um ser humano.

Em seus modos, meu amigo logo me chamou a atenção por sua incoerência — uma inconsistência — que rapidamente descobri fruto de uma série de esforços débeis e fúteis para superar uma ansiedade habitual, uma agitação nervosa excessiva. Preparara-me para algo dessa natureza, não somente pela carta, mas pelas lembranças de seus modos quando menino, bem como pelas conclusões deduzidas a partir de seu peculiar estado físico e temperamento. Seus gestos eram ora vivazes, ora morosos. A voz oscilava de repente de uma indecisão trêmula (quando pareciam lhe faltar seus instintos mais animalescos) para uma concisão enérgica — aquela dicção abrupta, carregada, arrastada e oca; a elocução pesada, equilibrada e modulada à perfeição de forma gutural, que pode ser observada nos embriagados errantes e nos irrecuperáveis comedores de ópio durante seus períodos de maior agitação.

Foi assim que falou do objetivo de minha visita, de seu desejo sincero de me ver e do consolo que esperava que minha companhia pudesse proporcioná-lo. Também compartilhou, por um longo tempo, o que julgava ser a natureza de sua doença. Tratava-se, dissera ele, de um mal de família para o qual buscava desesperadamente a cura — uma aflição dos nervos que, precipitou-se a acrescentar, haveria de passar em breve. A doença manifestava-se em uma gama de sensações anômalas. Algumas, conforme ele as detalhava, provocaram meu interesse e minha curiosidade; embora, talvez, o conteúdo e o tom da narrativa tenham contribuído para tal efeito. Sofrera bastante com uma acuidade mórbida dos sentidos. Até mesmo a comida mais insípida lhe era insuportável; só podia usar trajes de uma determinada textura; o odor das flores lhe sufocava; a mais tênue das luzes torturava seus olhos; e os sons, salvo o dos instrumentos de corda, inspiravam-lhe horror.

Encontrei-o refém de um terror colossal.

— Hei de perecer — disse ele — *devo* perecer desta loucura deplorável. Será desta forma, e nenhuma outra, que encontrarei a perdição. Temo os acontecimentos futuros, não por si próprios, mas por suas consequências. Estremeço só de pensar no que um incidente, até mesmo o mais banal deles, pode provocar em minha intolerável perturbação de espírito. O perigo em si não me amedronta, exceto em seu efeito absoluto: o terror. Nesta enervante e lamentável condição, sinto que mais cedo ou mais tarde chegará o momento em que vou abandonar a vida e a razão, em uma luta com este fantasma soturno, o medo.

Também descobri, em intervalos e por meio de sugestões fragmentadas e confusas, outra característica excêntrica de sua condição mental. Deixara-se influenciar por certas impressões supersticiosas acerca da própria casa, de onde, por muitos anos, não ousara sair — graças a uma influência cuja força espúria me foi transmitida em termos demasiado obscuros para ser repetida aqui, uma influência provocada por algumas peculiaridades na forma e na substância da mansão familiar que, por força de um longo sofrimento, disse ele, tomara conta de seu espírito — um efeito que a *composição* das paredes, dos torreões cinzentos e do lago turvo onde a mansão se refletia havia, por fim, incutido no ânimo de sua existência.

No entanto, ele admitiu, embora hesitante, que muito da peculiar prostração que tanto o afligia tinha uma origem mais natural e sem dúvida mais palpável: a grave e crônica doença — na verdade, a morte iminente — de uma irmã muito querida, sua única companhia há muitos anos, o único e último parente que lhe restava.

— A morte dela — disse, já tão desenganado e frágil, com um amargor que não posso esquecer — me tornaria o último da antiga linhagem dos Usher. Enquanto Roderick falava, lady Madeline (assim se chamava a irmã) atravessou vagarosa por um canto remoto do aposento e, sem notar minha presença, desapareceu. Contemplei-a com uma perplexidade não desprovida de pavor; contudo, não consegui compreender a raiz de meus sentimentos. Uma sensação de estupor me oprimira enquanto meus olhos acompanharam os passos se distanciando. Quando por fim se retirou e fechou a porta, busquei depressa por instinto o semblante de seu irmão, mas ele enterrara o rosto nas mãos e pude notar tão somente que uma palidez ainda mais acentuada se espalhara por seus dedos emaciados, por onde escorriam lágrimas dolentes.

A doença de lady Madeline há muito intrigava os médicos. Apatia tenaz, definhamento gradual e uma espécie de catatonia que se manifestava em episódios frequentes, ainda que breves, compunham o estranho diagnóstico. Até então ela havia suportado a pressão da doença e não caíra de cama; mas ao anoitecer de minha chegada a casa, sucumbiu (como me contou seu irmão à noite, com inexprimível agitação) ao poder de prostração típico de sua enfermidade; soube também que a visão fugaz que tivera dela provavelmente seria a última — que não veria mais lady Madeline, ao menos, não com vida.

Nos dias subsequentes, nem eu, nem Usher mencionamos o nome dela e, durante esse período, dediquei-me com sincero afinco a aliviar a melancolia de meu amigo. Pintamos e lemos juntos e escutei, como em um sonho, as desenfreadas improvisações de seu violão. Porém, à medida que uma crescente camaradagem nos aproximava e me acolhia sem reservas nos confins de seu íntimo, mais eu percebia, com certa tristeza, o quão inglórias eram minhas tentativas de alegrar uma mente cuja escuridão, como uma virtude inata, derramava-se sobre todos os objetos do universo moral e físico, em uma incessante irradiação de pesar.

Trarei sempre em minha memória as muitas horas solenes que passei a sós com o senhor da casa de Usher. Contudo, não sou capaz de reproduzir em palavras a natureza precisa dos estudos e das ocupações em que ele me envolveu ou conduziu. Um idealismo destemperado e frenético tingia tudo ao redor com um brilho sulfúrico. Seus longos e improvisados lamentos fúnebres hão de soar eternamente em meus ouvidos. Recordo, entre outras, da última valsa de Von Weber, na qual ele imprimiu perversão e amplificação extravagantes. Das pinturas sobre as quais debruçava sua elaborada fantasia, e que, a cada toque de pincel, tornavam-se mais e mais vagas, me dando calafrios ainda mais intensos por não entender sua origem — dessas pinturas (embora ainda as tenha vívidas na memória), esforçaria-me em vão para extrair mais do que a pequena porção que pudesse estar no compasso de simples palavras escritas. Em virtude de sua extrema simplicidade, da penúria de seus desenhos, ele capturava a atenção de quem as contemplava, intimidando-o. Se alguma vez um mortal pintou uma ideia, esse mortal foi Roderick Usher. Ao menos para mim, nas circunstâncias que me circundavam na ocasião, emanavam das abstrações que o artista hipocondríaco lançava em suas telas uma intensidade de temor intolerável, que jamais senti nem mesmo diante dos devaneios, sem dúvida fulgurantes, embora muito concretos, de Fuseli.

Uma das fantasmagóricas criações mentais de meu amigo, por não se limitar de forma tão rígida ao espírito da abstração, pode ser convertida, ainda que parcamente, em palavras. Um pequeno quadro representava o interior de uma câmara ou túnel muito longo e retangular, com paredes baixas, lisas, brancas, sem interrupções ou adereços. Alguns componentes do desenho serviam para transmitir a ideia de que o local retratado se encontrava em uma profundidade extrema da superfície da terra. Não era possível distinguir qualquer saída em nenhuma parte de sua vasta extensão, bem como não se via tocha alguma ou qualquer outra fonte artificial de luz; contudo, raios fulgurantes inundavam toda a cena, banhando a imagem em um esplendor macabro e inoportuno.

Mencionei, há pouco, o mórbido comprometimento do nervo auditório que tornava qualquer música intolerável ao meu amigo, com a exceção de determinados efeitos produzidos pelos instrumentos de corda. É possível que os limites estreitos que assim o confinaram ao violão tenham dado origem, em grande medida, ao caráter fantástico de suas interpretações. Não encontrei, no entanto, uma explicação semelhante para a ardente *facilidade* com que realizava seus *improvisos*.

Tanto as notas quanto as palavras de seus tresloucados desvarios (pois ele, não raro, se fazia acompanhar com improvisações verbais rimadas) pareciam resultar da intensa contenção e concentração mental às quais já me referi como evidentes apenas em momentos específicos de profunda excitação. Recordo-me perfeitamente de uma dessas rapsódias. Talvez tenha me impressionado mais com ela, tal como me foi apresentada, porque, em sua natureza implícita ou mística, julguei perceber, pela primeira vez, uma total consciência da parte de Usher da fragilidade de sua razão. Os versos, intitulados "O palácio assombrado", eram mais ou menos, se não precisamente, assim:

I

Em nosso mais verde vale
Habitado por anjos do bem
Um palácio imponente —
Fulgurante — despontava no além.
No domínio do rei Pensamento
Distinguia-se das demais casas
E os serafins jamais acharam aleuto
Ou melhor pouso para suas asas.

II

Gloriosos estandartes amarelos e dourados
Flutuavam ao vento lá fora
(Isso, tudo isso, nos tempos finados
Nos dias passados de outrora)
E quando o ar suave bailava
Na doçura de um dia divinal
Ao longo dos muros exalava
Um perfume angelical.

III

Pelo vale feliz passeando
Por duas janelas, lado a lado
Viajantes viam vultos dançando

Ao som de um alaúde afinado,
Em volta do senhor da história
(Porfirogênito!)
Que em harmoniosa glória
Em seu trono estava sentado.

IV

Pérolas e rubis adornavam
A porta do palácio, magistral
Por onde a luzir flutuavam
Em cantoria perenal
Uma tropa de Ecos a louvar
Em vozes de rara beleza
A sabedoria sem par
De sua sagaz realeza.

V

Mas espíritos maus, em pesar trajados
Invadiram do rei a morada
(Ah, que role o pranto, pois ele não verá
Mais nenhuma alvorada!)
E em seu palácio agora
Dentro e fora devastado
O fulgor florescente de outrora
Queda-se ali, sepultado.

VI

Hoje quem por lá passar
Verá pelas janelas de luz carmim
Silhuetas loucas a bailar
Ao som de uma melodia ruim;
E como um sombrio rio veloz
Pela porta pálida se espalha
Uma turba horrenda, atroz
Que não mais sorri — gargalha.

Lembro-me de que as sugestões oriundas dessa balada nos conduziram a ponderações em que uma opinião de Usher ficou evidente, a qual menciono não por ser inédita (pois outros já assim pensaram),[2] mas pela convicção tenaz com a qual ele a defendia. Tal opinião, em linhas gerais, era acerca da senciência das plantas. Todavia, em seu tumultuado divagar, essa ideia assumiu um caráter mais ousado e venturou-se no reino da desorganização mental. Não tenho palavras para expressar a totalidade e o sincero *abandono* de sua persuasão. A crença tinha ligação (como já sugeri) com as pedras cinzentas de sua morada ancestral. A senciência se dera, assim acreditava, no método de colocação das pedras — na ordem em que haviam sido dispostas, bem como nos fungos que por cima delas se espalharam e nas árvores apodrecidas que se erguiam ao seu redor — sobretudo, na resistência longeva desse arranjo e em seu espelhamento nas águas paradas do lago. A prova — a prova de senciência — podia ser vista, segundo ele (e senti um calafrio ao ouvi-lo falar) na condensação gradual mas inevitável de uma atmosfera singular sobre o lago e as paredes da mansão. O resultado era perceptível, acrescentou ele, na silenciosa, embora inconveniente e tenebrosa, influência que, ao longo dos séculos, moldara os destinos de sua família e *o* transformara no indivíduo que eu agora contemplava — no que ele era. Tais opiniões prescindem comentários e eu não os farei.

Nossos livros — os livros que, por muitos anos, constituíram grande parte da existência intelectual do enfermo — estavam, como se pode supor, em sintonia com tal caráter fantasmagórico. Mergulhamos em títulos como *Ververt et Chartreuse*, de Gresset; *Belfagor: O arquidiabo*, de Maquiavel; *O céu e o inferno*, de Swedenborg; *Subteranean Voyage of Nicholas Klimm*, de Holberg; *Chiromancy*, de Robert Fludd, Jean D'Indaginé e De la Chambre; *Journey into the Blue Distance*, de Tieck; e *A cidade do sol*, de Campanella. Nosso volume favorito era uma edição in-octavo do *Directorium Inquisitorium*, do dominicano Eymeric de Girona; e haviam passagens de Pompônio Mela sobre

---

2   Watson, dr. Percival, Spallanzani e, sobretudo, o bispo de Landaff.
    — Ver "Chemical Essays", vol. v. [Nota do autor, de agora em diante NA.]

antigos sátiros africanos e egípcios sobre as quais Usher se debruçava por horas a fio, perdido em devaneios. Seu maior deleite, contudo, estava em folhear um volume raríssimo e curioso em edição in-quarto gótica — o manual de uma igreja esquecida — o *Vigiliæ Mortuorum secundum Chorum Ecclesiæ Maguntinæ*.

Não pude deixar de ponderar sobre o estranho ritual dessa obra e em sua provável influência no hipocondríaco quando, certa noite, tendo me informado abruptamente que lady Madeline perecera, ele comunicou sua intenção de preservar o cadáver da irmã por duas semanas (antes do enterro propriamente dito) em uma das inúmeras câmaras subterrâneas da mansão. Não me senti, no entanto, na liberdade de contestar o motivo atribuído para justificar tal procedimento incomum. Roderick se decidira por essa resolução, assim me explicara, por força da natureza incomum da enfermidade da falecida, para evitar perguntas inoportunas e ávidas dos médicos que a trataram e por causa da localidade remota e exposta do cemitério da família. Confesso que, ao recordar o semblante sinistro do sujeito que encontrei na escadaria no dia em que cheguei à mansão, não desejei me opor ao que julguei ser uma precaução inofensiva e de modo algum anormal.

A pedido de Usher, auxiliei-o pessoalmente nos preparativos para o sepultamento temporário. Uma vez acondicionado no ataúde, carregamos o corpo para o local de repouso. A cripta onde o colocamos (e que estivera há tanto tempo fechada que nossas tochas, quase apagadas naquele ambiente opressivo, pouco nos permitiram perscrutá-la) era pequena, úmida e não permitia qualquer entrada de luz; jazia subterrânea, muito profundamente, logo abaixo da parte da construção onde se localizavam meus aposentos. Parecia ter servido, em remotas épocas feudais, aos piores propósitos de um calabouço e, em tempos recentes, como um depósito para armazenar pólvora ou outra substância de alta combustão, visto que parte do piso e o interior do longo arco por onde alcançamos o local haviam sido cuidadosamente revestidos com cobre. Uma porta, de ferro maciço, contava com proteção semelhante. Seu peso monumental provocava um rangido estridente quando as dobradiças eram movidas.

Tendo depositado nosso lúgubre fardo sobre cavaletes nessa câmara de horror, afastamos um pouco a tampa ainda solta do caixão e contemplamos o rosto da morta. Pela primeira vez, uma semelhança impressionante entre os irmãos chamou-me a atenção; e Usher, parecendo adivinhar meus pensamentos, murmurou algumas palavras explicando-me que ele e a falecida eram gêmeos e que uma proverbial sintonia inexplicável sempre existira entre os dois. Nossos olhares, no entanto, não se detiveram por muito tempo na falecida — pois era impossível fitá-la sem sentir pavor. A doença que a sepultara ainda na flor da idade tivera o mau gosto de deixar, como é comum nas moléstias de natureza cataléptica, um tênue rubor na face e no colo, bem como um sorriso perene nos lábios, tão terrível na morte. Encaixamos a tampa de volta, fechando-a com parafusos e, trancando a porta de aço, regressamos com o coração pesado para os aposentos superiores da mansão que, em suas sombras, pareciam pouco mais iluminados do que a cripta.

Após amargos dias de luto, uma mudança perceptível alterou os contornos da desordem mental de meu amigo. Seu comportamento habitual desapareceu. Suas costumeiras ocupações eram negligenciadas ou esquecidas. Ele vagava pelos cômodos com passos frenéticos, dissonantes e vagos. A palidez em sua face adquirira, se é que era possível, um tom ainda mais tenebroso — mas o brilho dos olhos havia se extinguido. A ocasional rouquidão de outrora também sumira e um timbre trêmulo, como se tocado por um terror abissal, passou a caracterizar seu tom de voz. Houve ocasiões em que cheguei a pensar que a incessante agitação de sua mente pudesse ter origem no fardo de um opressivo segredo que ele não tinha coragem de compartilhar. Em outros momentos, fui obrigado a atribuir tudo isso aos inexplicáveis caprichos da loucura, pois o flagrava contemplando o nada por longas horas, em uma atitude de profunda atenção, como se ouvisse um som imaginário. Não é de se admirar que o estado de Usher me aterrorizasse — que me contaminasse. Sentia recair sobre mim, gradualmente mas inescapável, a influência macabra de suas fantásticas, porém impressionantes, superstições.

Ao recolher-me bem tarde, no sétimo ou oitavo dia após o sepultamento de lady Madeline no calabouço, experimentei a força total desses sentimentos. O sono se recusava a me visitar, enquanto via as horas se esvairem uma após a outra. Lutava para aplacar racionalmente o nervosismo que me dominava. Esforçava-me para crer que muito, se não tudo, do que sentia fora causado pela influência atordoante da sombria mobília do cômodo — das tapeçarias escuras e gastas que, avivadas pelas rajadas de uma tempestade iminente, sacodiam-se inquietas nas paredes de um lado para o outro, roçando nos adornos de meu leito. No entanto, os esforços que empreguei foram inúteis. Um tremor incontrolável aos poucos possuiu meu corpo e, por fim, pousou em meu peito um íncubo decerto atraído pelo pânico desmotivado que eu sentia. Espantando-o com um arquejo, lutei para erguer-me sobre os travesseiros e examinando com fervor a escuridão profunda que me circundava, decidi atentar — não sei o porquê, talvez por intuição — para os sons discretos e indefinidos que provinham, nos intervalos da tempestade, eu não sabia de onde. Tomado por um sentimento intenso de horror, inexplicável, mas nem por isso menos intolerável, vesti-me às pressas (pois sentia que não conseguiria mais dormir naquela noite) e procurei despertar do lamentável estado em que me encontrava caminhando em largos e céleres passos de um lado ao outro no quarto.

Tinha completado poucas voltas quando o som de leves passadas na escadaria contígua chamaram-me a atenção. Logo reconheci os passos de Usher. Em seguida, ele bateu de leve em minha porta e entrou, trazendo uma lamparina. O rosto dele exibia, como de costume, uma lividez cadavérica; mas, além disso, havia uma espécie de euforia maníaca em seu olhar e uma *histeria* contida no comportamento. Sua aparição me causou temor — mas qualquer coisa era preferível à solidão que lutara tanto para dispersar, de modo que acolhi sua presença com alívio.

— Você não viu? — perguntou abruptamente após olhar ao redor por alguns instantes em silêncio. — Não viu, então? Pois espere! Logo verá. — Assim dizendo, protegeu a lamparina, precipitou-se em direção a uma das janelas e escancarou-a para a tempestade.

A fúria impetuosa da rajada de vento quase nos levantou do chão. Era de fato uma noite tumultuosa, mas de sóbria beleza, única em seu terror e fascínio. Um redemoinho parecia estar ganhando força na vizinhança, a julgar pelas frequentes e violentas alterações na direção do vento; e a extrema densidade das nuvens (que chegavam a encostar nos torreões da mansão, de tão baixas) não impediu que percebêssemos a vívida velocidade com que deslizavam, umas contra as outras, sem desaparecer no horizonte. Dizia que nem mesmo sua extraordinária densidade impedia que notássemos isso; no entanto, não podíamos ver a lua ou as estrelas, sequer o fulgor de um relâmpago no céu. Porém, as superfícies de gigantescas massas de vapor agitado, bem como todos os objetos terrestres ao nosso redor, cintilavam com o brilho medonho da emanação gasosa, de luminosidade discreta, mas bastante perceptível, que envolvia a mansão.

— Você não deve... não pode ver isso! — falei, trêmulo, a Usher enquanto o conduzia com mansa violência, da janela para uma poltrona. — Essas aparições que o perturbam são apenas fenômenos elétricos comuns ou talvez provenham do miasma fétido do lago. Vamos fechar a janela; o ar está gelado e pode ser perigoso para sua saúde. Eis um de seus romances favoritos. Eu leio e você escuta; assim passaremos juntos esta noite pavorosa.

O antigo volume que eu apanhara era o *Mad Trist*, de Sir Launcelot Canning, mas eu o chamara de favorito de Usher mais de pilhéria do que com seriedade, pois, na verdade, não havia quase nada em sua prolixidade vulgar e pouco imaginativa para provocar interesse no idealismo nobre e espiritual de meu amigo. Era, porém, o único livro por perto; e eu nutria uma vaga esperança de que pudesse trazer algum alento para a euforia que agitava o hipocondríaco (pois a história dos transtornos mentais registra muitas anomalias semelhantes), mesmo com o tolo conteúdo que me dispunha a ler em voz alta. A julgar pela febril vivacidade com que ele ouvia, ou parecia ouvir, a história, poderia ter me congratulado pelo sucesso da tarefa.

Chegara ao conhecido trecho da história em que Ethelred, o herói de *Trist*, após buscar em vão uma entrada pacífica na morada do eremita, resolve invadi-la à força. Eis as palavras exatas da narrativa:

> E Ethelred, que tinha um coração valente e ganhara ainda mais vigor graças ao vinho que tomara, desistira de ponderar com o eremita que, de fato, era um homem mau e obstinado; sentindo a chuva descer pelos ombros e temendo a tempestade vindoura, erguera a maça e, golpeando a porta, abrira espaço suficiente para sua mão envolta pela manopla; com vigorosos empurrões, rachou, despedaçou, pondo tudo abaixo, e o barulho seco e oco da madeira reverberou por toda a floresta.

Ao fim dessa sentença, sobressaltei-me e, por um momento, pausei; tive a impressão (embora tenha de imediato concluído que fora enganado por meu agitado estado de nervos) — a impressão de que, vindo de algum canto remoto da mansão, chegara aos meus ouvidos, em um ruído quase imperceptível, o que me parecia ser, com exatidão, o eco (ainda que abafado e impreciso) do exato som de destruição descrito em detalhes por Sir Launcelot. Fora, sem dúvida, a coincidência em si que me chamara a atenção; pois, entre o ruído nos caixilhos da janela e os sons característicos da tempestade que rufava lá fora, o som decerto não tinha nada para me causar medo ou interesse. Continuei a leitura:

> Contudo, o intrépido Ethelred, adentrando pela porta, avançou tomado de ira e surpreendeu-se ao não detectar nem sinal do malvado eremita; porém, em seu lugar, um dragão escamoso de admirável porte, com a língua em labaredas, montava guarda diante de um palácio de ouro e piso de prata; e, na parede, lia-se inscrito em um reluzente escudo de bronze:
>
> *Quem até aqui chegou conquistou seu direito*
> *Se matar o dragão, terá este escudo no peito.*
>
> E Ethelred levantou a maça, descendo-a pesada na cabeça do dragão, que tombou à sua frente, exalando um hálito pestilento ao emitir um guincho tão horripilante que o homem precisou tapar os ouvidos com as mãos para proteger-se do tenebroso som, estridente como jamais ouvira antes.

Neste momento, fiz outra pausa abrupta, tomado por um profundo espanto, pois não havia dúvida alguma de que, desta vez, eu de fato ouvira (embora não pudesse precisar de que direção) um som abafado e aparentemente longínquo, mas forte e demorado, semelhante a um grito ou rangido estranho — uma reprodução exata do que fantasiara ser o guincho estridente e sobrenatural do dragão, tal como descrito pelo romancista.

Embora oprimido, como decerto estava, perante essa segunda e ainda mais extraordinária coincidência, por uma miríade de sensações conflitantes, nas quais predominavam assombro e terror absoluto, ainda tive suficiente presença de espírito para evitar despertar, com alguma observação, os sensíveis nervos de Roderick. Não tinha certeza de que ele notara os sons em questão; embora, certamente, uma curiosa alteração tivesse ocorrido, nos minutos precedentes, em seu comportamento. Ele, que estava diante de mim, aos poucos trouxera a poltrona para meu lado, de modo a ficar de frente para a porta do aposento; assim, podia perceber apenas de soslaio seu semblante, embora visse que os lábios dele tremiam, como se em um murmúrio inaudível. A cabeça pendia sobre o peito — mas eu sabia que não estava dormindo, pois percebera de relance que seus olhos grandes e fixos permaneciam abertos. Os movimentos de seu corpo também traíam a impressão de sono, pois ele o sacudia de um lado para o outro, em um balanço suave, mas constante e uniforme. Certificando-me de tudo isso, retomei a narrativa de Sir Launcelot, que prosseguia assim:

> E o herói, tendo escapado da terrível fúria do dragão, recordando do escudo de bronze e do fim do feitiço que nele pairara, removeu a carcaça de seu caminho e aproximou-se corajoso do pavimento de prata do castelo onde o escudo jazia na parede; este, porém, não aguardou a chegada dele, caindo aos seus pés sobre o piso de prata, com ressonante e assombroso estrondo.

Mal pronunciara tais palavras, quando — como se um escudo de bronze tivesse de fato despencado naquele momento em um piso de prata — distingui uma reverberação oca, metálica e gritante, ainda que um tanto abafada. Atemorizado, levantei-me em um susto; mas Usher continuou seu estranho movimento pendular, sem dar indícios de temor. Corri até a poltrona onde ele estava sentado. Mantinha os olhos fixos na porta e o rosto fora tomado por uma pétrea rigidez. No entanto, quando apoiei a mão em seu ombro, seu corpo todo estremeceu; um sorriso doentio tremulou nos lábios; notei que se exprimia em murmúrios apressados e incoerentes, como se alheio à minha presença. Curvando-me para chegar mais perto dele, por fim compreendi o macabro significado de suas palavras:

— Não escuta? Sim, escuto, já escutei *outras vezes*. Há tanto... tanto... tanto tempo... muitos minutos, horas, há dias que escuto... mas não ousei... Ah, tenha piedade de mim, pobre desgraçado que sou! Não tive coragem, não tive *coragem* de falar! *Nós a trancamos viva no caixão!* Não disse que tenho os sentidos apurados? Digo-lhe que ouvi seus primeiros movimentos no esquife. Ouvi... há vários, vários dias... Mesmo assim, não tive coragem! *Não ousei falar!* E agora, esta noite, Ethelred... Ha, ha! O arrombamento da porta do eremita, o uivo de morte do dragão, o estrondo do escudo tombado! Na verdade, o caixão sendo aberto, as dobradiças da porta de aço do calabouço rangendo, seu desespero para se libertar da prisão! Ah, para onde poderei fugir? Não estará logo aqui conosco? Não se aproxima em passos ligeiros para censurar-me por minha pressa? Não são os passos dela que ouço agora na escada? Este som pesado e horrível não seria seu coração pulsante? Louco! — gritou erguendo-se da poltrona, e bradou estas palavras como se a alma se desprendesse pela boca. — *Louco! Saiba que ela agora está aqui à porta!*

Como se a energia sobre-humana dessa fala trouxesse consigo a potência de um encantamento, a imensa porta decrépita para a qual ele apontava começou a abrir bem devagar, naquele exato momento, sua vetusta bocarra de ébano. Era consequência de uma rajada tempestuosa de vento — mas, parada à porta agora aberta, *de fato* estava o vulto eminente e amortalhado de lady Madeline Usher. Havia sangue nas vestes brancas e sinais de luta desesperada em toda sua emaciada figura. Por um instante, permaneceu trêmula, oscilando na soleira da porta; então, com um lamento pungente, caiu pesada sobre o irmão e, em sua violenta e derradeira agonia de morte, derrubou-o no chão já morto, vítima dos terrores que antecipara.

Fugi aterrorizado daquele cômodo e daquela casa. A tempestade ainda desaguava sua ira lá fora quando cruzei o arco da mansão. De súbito, uma luz intensa banhou meu caminho e me virei para ver de onde um clarão tão insólito poderia ter vindo, pois a imensa casa estava coberta de sombras. O brilho era da lua cheia, tingida de vermelho-sangue, luzindo radiante pela fissura quase imperceptível, a qual já mencionei, que descia do teto da mansão, em zigue-zague, até seus alicerces. Diante de meus olhos, a fissura se alargou rapidamente — penetrada por um tufão violento — e pude ver a lua irrompendo repentinamente. Minha cabeça girava enquanto via as imponentes paredes desabarem; ouviu-se um rumor de gritos tumultuados, como a voz de mil quedas d'água, e o lago profundo e gélido aos meus pés engoliu, pesado e silencioso, as ruínas da *casa de Usher*.

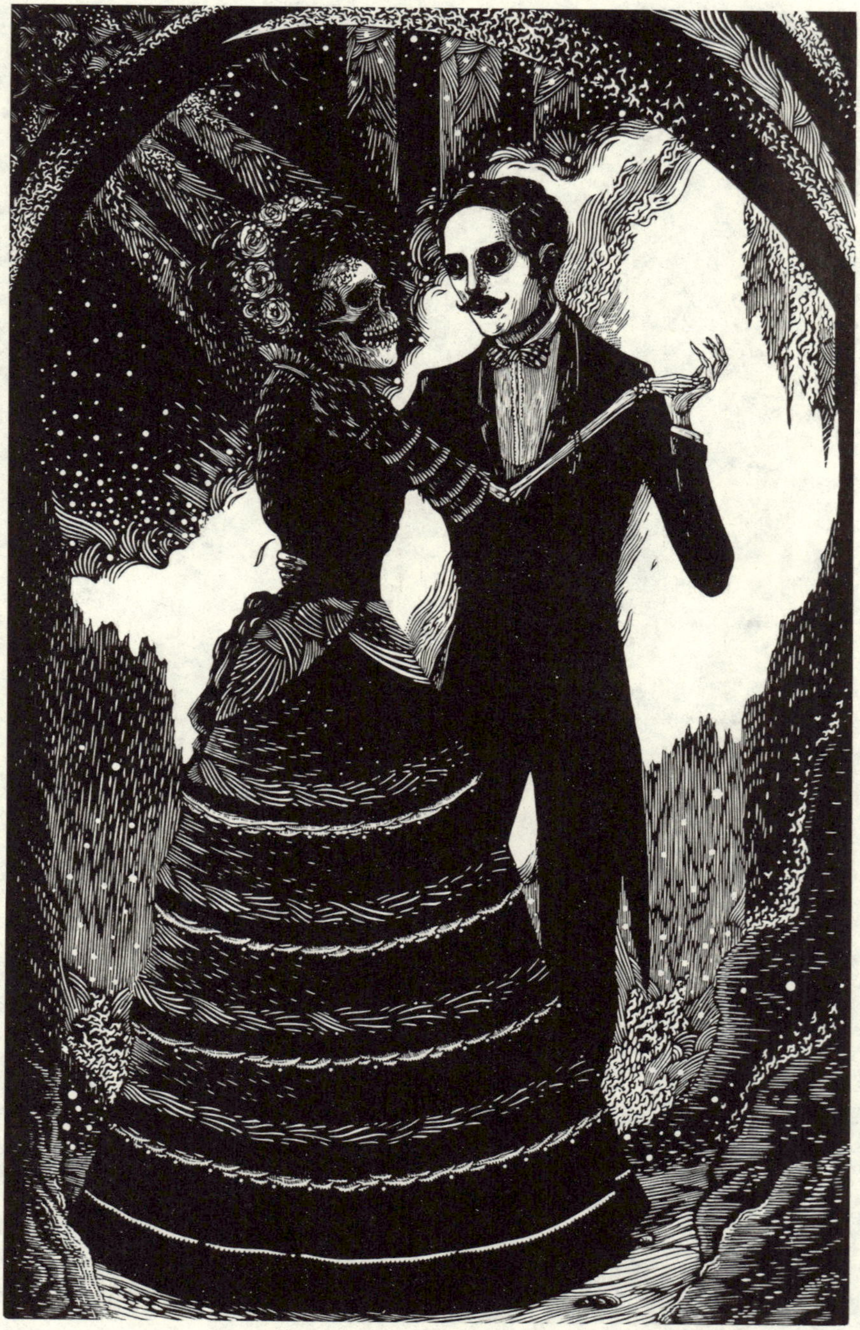

◀ ESPECTRO DA MORTE ▶

O BAILE
da
MORTE VERMELHA

EDGAR ALLAN POE
1842

A Morte Vermelha há muito devastava o país. Nenhuma praga jamais fora tão fatal ou tétrica. Tinha no sangue seu avatar e seu selo — o horror escarlate do sangue. Provocava dores agudas, tonturas repentinas e, por fim, uma profusa hemorragia. As manchas vermelhas no corpo e sobretudo no rosto de suas vítimas eram os estandartes da peste, que assim os alijava de ajuda e compaixão alheias. O ataque, a evolução e o fim da doença duravam apenas meia hora.

    O príncipe Próspero, contudo, seguia feliz, destemido e sagaz. Quando metade da população de seus domínios pereceu, ele convocou à sua presença mil amigos sadios e despreocupados entre os cavalheiros e as damas da corte, e com eles se retirou, em profunda reclusão, para uma de suas abadias encasteladas. Tratava-se de uma construção imensa e magnífica, fruto do gosto excêntrico, porém ilustre, do próprio príncipe. Uma alta muralha espessa a circundava com portões de ferro. Os cortesãos, após terem entrado, trouxeram consigo fornalhas, martelos maciços e soldaram os cadeados. Decidiram não deixar meios de entrada ou saída para impedir súbitos impulsos de desespero ou insensatez nos que lá dentro se encontravam. A abadia foi amplamente guarnecida com provisões. Com tais precauções, os nobres poderiam desafiar o contágio. O mundo externo que tomasse conta de si mesmo. Enquanto isso, era loucura lamentar ou até mesmo refletir a respeito do assunto. O príncipe providenciara todas as comodidades para o lazer de seus convivas. Havia bufões, *improvisatori*, bailarinos, músicos; havia Beleza e vinho. Tudo isso e também segurança dentro dos limites da abadia. Lá fora, a Morte Vermelha.

Ao fim do quinto ou sexto mês de reclusão, enquanto a epidemia avançava violentamente do lado externo, o príncipe Próspero regalou seus mil convidados com um baile de máscaras de extraordinária magnificência.

Era um espetáculo deslumbrante, esse baile de máscaras. Contudo, primeiro, deixem-me descrever os cômodos onde o evento foi realizado. Havia sete — um conjunto imperial de aposentos. Em muitos palácios, entretanto, tais suítes compõem um panorama longo e reto, com portas deslizantes que se recolhem por inteiro em ambos os lados, de modo a deixar desimpedida a comunicação de um aposento para o outro. Aqui, no entanto, a composição era bem diferente; como convinha à tendência do duque de apreciar tudo que era *incomum*. Os apartamentos eram dispostos de maneira tão irregular que, estando em um, mal se podia divisar o próximo. A cada vinte ou trinta metros, uma curva brusca revelava um novo efeito. No meio de cada parede, à esquerda e à direita, uma janela gótica alta e estreita dava para um corredor fechado que seguia as curvas da suíte. Essas janelas eram compostas por vitrais cujas cores variavam de acordo com o matiz predominante da decoração do aposento para onde se abriam. A da extremidade leste, por exemplo, era azul — e suas janelas exibiam um vívido azul. O segundo aposento possuía ornamentos e tapeçarias roxas, e suas vidraças eram roxas. O terceiro era todo verde, assim como os caixilhos de suas janelas. O quarto era mobiliado e iluminado em tons laranja; o quinto, branco; o sexto, violeta. O sétimo apartamento era envolto em tapeçarias de veludo negro que desciam do teto cobrindo todas as paredes, caindo em pesadas dobras sobre um carpete do mesmo tecido e cor. Este, no entanto, era o único cômodo onde a cor das janelas não acompanhava a decoração. Os vidros eram escarlates — um vermelho intenso como sangue. Em nenhum dos sete aposentos havia qualquer lustre ou candelabro entre a profusão de ornamentos dourados que se espalhavam por sua extensão ou pendiam do teto. Não havia tipo algum de iluminação, oriunda de lâmpadas ou velas, em nenhum cômodo. Porém, nos corredores que interligavam as salas, em disposição oposta à das janelas, erguia-se um pesado tripé com um braseiro de fogo que resguardava seus raios pelos vitrais e iluminava fartamente os cômodos. Surgia, assim, uma miríade de vultos vibrantes e fantásticos. Porém, no aposento negro a oeste, o efeito das chamas banhando os tecidos escuros filtrados pelos vidros vermelhos como sangue era extremamente aterrorizante e produzia, naqueles que o contemplavam, tamanha expressão de pavor que poucos entre os convivas tinham coragem de entrar ali.

Era também neste cômodo que pairava, em oposição à parede oeste, um imenso relógio de ébano. O pêndulo oscilava com um som lento, pesado e monótono; e quando o ponteiro dos minutos completava sua volta, prestes a marcar a hora, os pulmões metálicos do mecanismo produziam um som claro, alto, profundo e de intensa musicalidade, mas de timbre e ênfase tão peculiares que, a cada hora decorrida, os músicos da orquestra sentiam-se compelidos a interromper sua apresentação por um momento para escutá-lo; assim, os valsistas por força estacavam em seus passos, e pairava entre os alegres convivas um breve desconforto; enquanto soavam as badaladas do relógio, podia-se notar que os mais atordoados empalideciam e os mais velhos e pacatos deslizavam as mãos sobre a testa, aparentemente pensativos ou confusos em seus devaneios. Todavia, quando cessavam por completo os ecos, ouvia-se um ligeiro riso entre os convidados; os músicos se entreolhavam sorrindo, como se achando graça de seu tolo nervosismo, prometendo entre eles, em voz baixa, que o próximo badalar do relógio não haveria de lhes causar o mesmo mal-estar; mas, ao fim de sessenta minutos (que abocanhavam três mil e seiscentos segundos do Tempo, sempre voraz), o relógio tornava a soar e repetia-se entre os presentes o mesmo desconforto, levando-os, mais uma vez, ao atordoamento ou à reflexão.

Contudo, apesar disso, tratava-se de um baile alegre e magnífico. Os gostos do duque eram peculiares. Ele possuía um olhar primoroso para cores e efeitos. Desconsiderava modismos em termos de decoração. Suas ideias eram ousadas, intrépidas e, em suas criações, brilhava um fulgor selvagem. Alguns poderiam considerá-lo louco. Seus seguidores sentiam que não era esse o caso. Era preciso ouvi-lo, vê-lo e tocá-lo para ter *certeza* disso.

Os adornos móveis dos sete cômodos haviam sido, em grande parte, escolhidos por ele especialmente para o grande baile; também fora seu gosto que imprimira personalidade aos mascarados. Eram decerto grotescos. Havia uma profusão de resplendor, euforia e sustos — muito do que se veria depois em *Hernani*. Figuras arabescas com membros e adereços trocados. Loucuras delirantes somente concebidas por mentes insensatas. Havia muita beleza, folguedo e bizarrice, um toque tenebroso e muito do que poderia provocar repulsa. Deslizava de um lado para o outro, pelos sete aposentos, uma multidão de sonhos. E estes — os sonhos — contorciam-se dentro e fora dos cômodos, matizados por suas cores, parecendo ecoar em seus passos a louca música da orquestra. E, logo, soava o relógio de ébano no salão de veludo. Por um momento, tudo parava, tudo caía em silêncio, salvo o badalar do relógio. Os sonhos paralisavam, pétreos. Entretanto, os ecos morriam — duravam apenas um instante — e um riso leve, abafado, passeava entre eles enquanto se moviam. E a música mais uma vez soava, reavivando os sonhos, que prosseguiam mais alegres do que nunca, matizados pelas janelas multicoloridas que filtravam os raios das chamas nos tripés. Porém, ao aposento mais a oeste dos sete, nenhum dos mascarados agora se aventurava; pois a noite desvanecia; e fluía uma luz rubra pelas vidraças cor de sangue; e a escuridão das tapeçarias sombrias provocava temor; e aquele que colocava os pés no negro carpete ouvia escapar do relógio de ébano um abafado estrondo mais solene e enfático do que os que alcançavam os ouvidos daqueles que gozavam alegrias mais remotas nos outros salões.

Tais cômodos estavam lotados e neles pulsava febrilmente o coração da vida. E o baile seguia vivaz, até que por fim o relógio soou a meia-noite. A música cessou, como já contei, interrompendo também a evolução dos que valsavam; repetiu-se a mesma interrupção incômoda de antes. Agora, porém, eram doze badaladas a soar no relógio e parecia que, em virtude do tempo que transcorria mais demorado, os convivas mais pensativos acrescentaram maior energia às suas meditações. E foi talvez assim, do mesmo modo, antes que silenciassem os ecos das derradeiras badaladas, que muitos participantes na multidão do baile, vendo-se desocupados por um instante, atinaram para a presença de uma figura mascarada que, até então, não tinha chamado a atenção de ninguém. E o rumor provocado por essa nova presença, espalhando-se em sussurros pelo baile, fez surgir entre os convidados um burburinho, um murmúrio de desaprovação, surpresa — e, por fim, terror, horror e repulsa.

Em uma congregação de aparições tal qual a que pintei, poderia-se supor que nenhuma fantasia incomum seria capaz de causar tamanha sensação. De fato, naquela noite, a licença aos mascarados era quase ilimitada; mas a figura em questão havia superado o próprio Herodes e ultrapassado as fronteiras até mesmo do indefinido decoro do príncipe. Há acordes no coração dos mais inconsequentes que não podem ser tocados sem emoção. Inclusive para aqueles que já se entregaram à perdição, para quem vida e morte são tratados com a mesma pilhéria, existem assuntos que não admitem brincadeira. De fato, todos os presentes pareciam sentir que não havia, nem na fantasia, nem no comportamento do estranho, graça ou bom senso. A figura era alta e esquelética, trajando da cabeça aos pés as vestes da morte. A máscara que cobria seu rosto fora criada para imitar com tamanho apuro a feição de um cadáver enrijecido que nem mesmo um exame minucioso a reconheceria como falsa. E, no entanto, tudo isso poderia ter sido suportado, quiçá até admirado, pelos desvairados foliões ao seu redor. Contudo, o mascarado tinha ido longe demais, reproduzindo justamente a figura da Morte Vermelha. Seu traje estava coberto de *sangue* — e sua testa ampla, bem como todo o rosto, estavam salpicados com o horror escarlate.

Quando o olhar do príncipe Próspero caiu sobre tal imagem espectral (que avançava lenta e solenemente entre os valsistas, como se para desempenhar seu *papel* com ainda mais propriedade), viram-no se agitar, primeiro com um violento espasmo de terror ou desgosto; depois, com uma ira que lhe tingiu a face.

— Quem se atreve? — perguntou em voz rouca para os cortesãos que o rodeavam. — Quem se atreve a nos insultar com este escárnio blasfemo? Segurem-no e removam sua máscara para sabermos quem será enforcado nas muralhas quando o sol nascer!

O príncipe Próspero se encontrava no cômodo leste, ou azul, quando proferiu tais palavras. Elas soaram pelos sete aposentos em um timbre alto e claro — pois o príncipe era um homem forte e robusto, e a música cessara com um gesto de sua mão.

Era no cômodo azul onde estava o príncipe, com um grupo de pálidos cortesãos ao seu lado. De início, quando sua voz soou, o círculo mais próximo dele ameaçou avançar na direção do estranho que, naquele momento, também estava por perto, mas logo em seguida o misterioso mascarado, com passos firmes e imponentes, aproximou-se do nobre. Porém, em virtude da indizível perplexidade que o mascarado provocara com a ousadia de seu traje nos demais convidados, ninguém fez menção de segurá-lo; de modo que, desimpedido, passou bem perto do príncipe e — uma vez que o numeroso grupo, como se tomado por um impulso único, esgueirou-se do centro dos aposentos para as paredes — prosseguiu sem ser detido, com o mesmo andar solene e seguro com o qual se distinguira dos demais, do salão azul para o roxo, do roxo para o verde, do verde para o laranja, do laranja para o branco e deste para o violeta, antes que houvesse qualquer tentativa de impedi-lo. Foi então, porém, que o príncipe Próspero, ensandecido de ira e vergonha diante de sua momentânea covardia, avançou às pressas pelos seis salões, sem que ninguém o seguisse, pois estavam todos paralisados por um terror mortal.

O príncipe, tendo desembainhado sua adaga, erguera-a em punho e se aproximara, com célere impetuosidade, a poucos passos do mascarado que se afastava, quando este, tendo alcançado a extremidade do salão de veludo, virou-se de repente e confrontou seu perseguidor. Ouviu-se um grito agudo — e a adaga caiu, luzidia, sobre o carpete sombrio onde, no instante seguinte, sucumbia morto o príncipe Próspero. Então, movida pela coragem insana do desespero, uma multidão de foliões invadiu o salão negro e, rendendo o mascarado, que permanecia ereto e imóvel à sombra do relógio de ébano, arquejou em horror inexprimível ao descobrir que a mortalha e a máscara que buscavam arrancar com tamanha violência não abrigava em seu interior nenhuma forma tangível.

E, então, a presença da Morte Vermelha foi reconhecida. Ela penetrara furtiva entre eles como um ladrão no meio da noite. Os foliões tombaram, um por um, nos salões de baile respingados de sangue, caindo na posição em que foram ceifados, crispados de desespero. A vida do relógio de ébano esgotou-se com os últimos convivas. As chamas do tripé extinguiram-se. E a Escuridão, a Decadência e a Morte Vermelha instauravam seu reinado sem limites sobre tudo.

Narradores homicidas

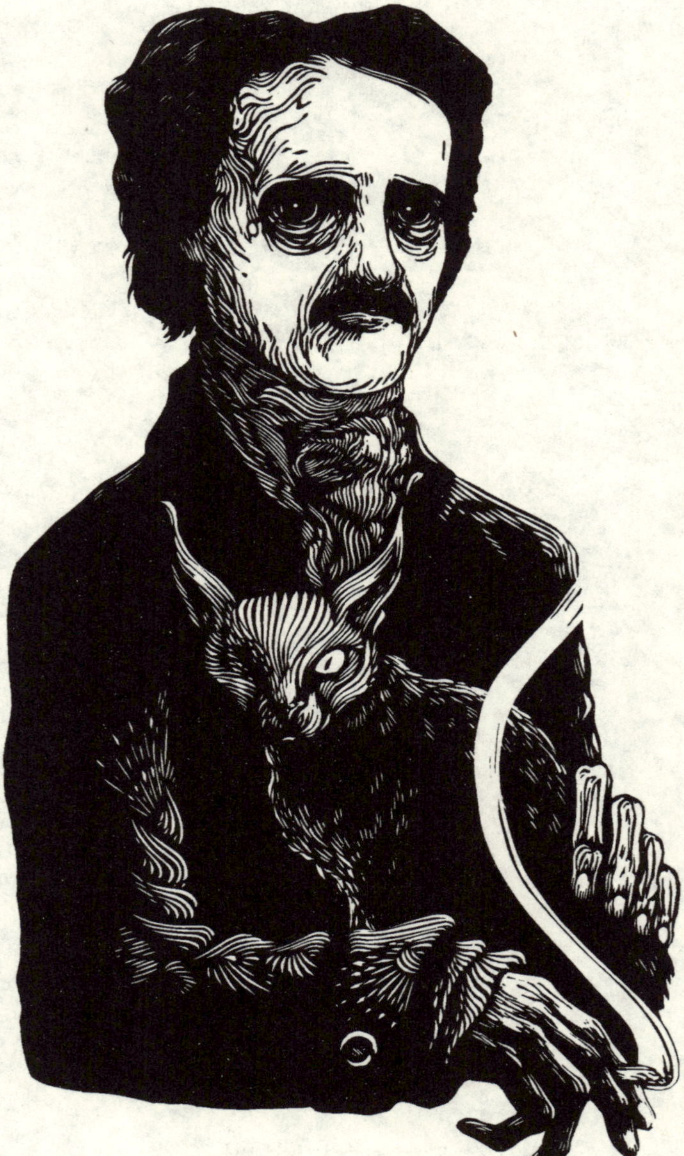

O GATO PRETO

EDGAR ALLAN POE
1843

Para a narrativa fantástica, embora prosaica, que estou prestes a relatar, não espero ou peço crédito. Eu seria louco se de fato esperasse por isso, sendo uma história cujas evidências são rejeitadas por meus próprios sentidos. Contudo, não sou louco — e, com toda a certeza, não foi um sonho. Mas amanhã estarei morto, e hoje preciso remover este fardo de minha alma. Meu intento imediato é expor perante o mundo, de maneira direta, sucinta e sem especulações, uma série de meros acontecimentos domésticos. Tais acontecimentos, em suas consequências, me aterrorizaram, me torturaram, me destruíram. No entanto, não tentarei explaná-los. Para mim, apresentaram-se como total Horror — para muitos, hão de parecer mais *barrocos* do que terríveis. É possível que, doravante, algum espírito mais sábio possa reduzir minha ilusão ao lugar-comum — algum sábio de natureza mais calma, mais lógica e menos excitável do que a minha, que perceberá, nas circunstâncias que detalharei com assombro, nada além de uma sucessão insuspeita de causas e efeitos bastante naturais.

Desde criança, sou conhecido por meu temperamento dócil e humano. A ternura de meu coração era conspícua a ponto de tornar-me motivo de escárnio por parte de meus companheiros. Era especialmente afeiçoado aos bichos, e meus pais sempre me agradaram com uma grande variedade de animais de estimação. Passava a maior parte do tempo com eles e nada me alegrava mais do que alimentá-los e acariciá-los. Esse traço de personalidade cresceu junto comigo e, na idade adulta, constituía uma de minhas principais fontes de contentamento. Para aqueles que já nutriram afeição por um cão fiel e sagaz, não preciso me dar ao trabalho de explicar a natureza ou a intensidade da gratificação que obtemos de tal vínculo. Há algo de altruísta e abnegado no amor de um animal que toca o coração daquele que pôde testar amiúde a amizade precária e a fidelidade leviana dos *Homens*.

Casei-me cedo e foi com alegria que descobri em minha esposa uma inclinação semelhante. Observando a afeição que eu tinha pelos animais domésticos, ela não hesitou em providenciar os mais adoráveis. Tivemos pássaros, um peixe-dourado, um cão, coelhos, um mico e *um gato*.

Este último era um animal de porte e beleza sem par, todo negro e de uma sagacidade impressionante. Ao comentar sobre sua inteligência, minha mulher — que, no fundo, era um pouco influenciada pela superstição — aludia repetidas vezes à antiga crendice popular, segundo a qual todos os gatos pretos eram bruxas disfarçadas. Não que ela acreditasse nisso *de verdade* — menciono o fato apenas por ter me ocorrido à lembrança.

Plutão,[1] o gato, era meu animal de estimação favorito, meu melhor companheiro. Só eu o alimentava e ele me seguia por toda parte. Era com dificuldade que o impedia de me seguir pelas ruas quando saía de casa.

---

[1] Plutão, para os romanos, correspondia ao deus Hades na mitologia grega.
Conta-se que na divisão feita com seus dois irmãos, Júpiter (Zeus) e Netuno (Poseidon), Plutão assumiu o submundo, reinando sobre os mortos.
Seu nome em grego (Hades) evoca sua característica de se fazer invisível (Aidos).

Nossa amizade conservou-se assim por vários anos, durante os quais meu temperamento e minha personalidade — por obra do Demônio da Intemperança — experimentaram uma mudança radical (ruborizo ao confessar) para pior. A cada dia, tornava-me mais inconstante, mais irritável, mais insensível aos sentimentos alheios. Dirigia-me à minha esposa com uma linguagem intempestiva. Por fim, acabei fazendo uso de violência física contra ela. Os animais, é claro, sentiram as alterações em meu humor. Eu não apenas os negligenciava, como passei a maltratá-los. No entanto, conseguia manter estima suficiente por Plutão para não o atormentar, como fazia sem escrúpulos com os coelhos, o mico ou até mesmo o cão, quando, por acidente ou afeição, eles se punham em meu caminho. Porém, a doença tomou conta de mim — pois o álcool é uma doença! — e, por fim, até mesmo Plutão (que já estava ficando velho e, portanto, um pouco impertinente), até mesmo ele passou a sofrer os efeitos do meu mau gênio.

Certa noite, ao chegar em casa muito embriagado após uma de minhas incursões noturnas pela cidade, cismei que o gato me evitava. Eu o segurei à força e, assustado com tanta violência vinda de mim, ele feriu minha mão com uma leve mordida. Na mesma hora, fui possuído por uma fúria demoníaca. Mal podia me reconhecer. Minha alma parecia ter escapado e uma maldade mais do que diabólica, alimentada pelo gim, eletrizava cada fibra de meu corpo. Tirei um canivete do bolso do casaco, abri-o, agarrei o pobre animal pelo pescoço e, deliberadamente, removi um de seus olhos! Sinto-me ruborizar, sinto-me febril e estremeço ao relatar tamanha atrocidade execrável.

Quando recuperei a razão na manhã seguinte — tendo depurado em sono o veneno dos excessos noturnos —, experimentei uma mescla de horror e remorso pelo crime do qual era culpado; mas foi, na melhor das hipóteses, um sentimento débil e ambíguo, e minha alma permanecia impermeável. Mais uma vez, mergulhei em excessos e logo afoguei no vinho a lembrança de meu feito.

Entrementes, o gato foi se recuperando aos poucos. A órbita do olho removido, é bem verdade, exibia uma aparência tenebrosa, mas ele não mais parecia sofrer dor alguma. Vagava pela casa como de costume, porém, como se poderia imaginar, fugia em terror absoluto quando eu me aproximava dele. Preservava ainda uma porção suficiente de meu antigo coração para lamentar a evidente ojeriza de uma criatura que outrora me amara tanto. Entretanto, tal sentimento logo deu lugar à irritação. E então, em minha queda derradeira e irrevogável, apossou-se de mim o espírito da perversidade. A filosofia ignora tal espírito. Contudo, com a mesma certeza com que creio em minha alma, acredito que a perversidade seja um dos impulsos primitivos do coração humano — uma de suas faculdades primárias indivisíveis, ou sentimentos, que fornecem direção ao caráter do Homem. Quem, centenas de vezes, não se viu cometendo um ato vil ou estúpido pelo simples motivo de saber que lhe é *proibido*? Não temos uma inclinação perpétua, a despeito de nosso juízo, para violar a *Lei* apenas por compreendê-la como tal? O espírito da perversidade, eu dizia, trouxe-me a derrocada final. Foi esse anseio insondável da alma *em se conspurcar* — de oferecer violência à própria natureza, de maltratar por maltratar — que me impeliu a continuar e, por fim, consumar o dano que já infligira a um animal que jamais me causara mal algum. Em uma manhã, a sangue-frio, passei uma corda ao redor de seu pescoço e o pendurei no galho de uma árvore; enforquei-o com as lágrimas correndo por meu rosto e sentindo a pontada do remorso mais pungente em meu coração; enforquei-o *porque* sabia que havia me amado e *porque* sentia que não me dera motivo algum para lhe causar mal; enforquei-o por saber que, ao fazê-lo, estava cometendo um pecado — um pecado mortal que, se possível, colocaria em risco minha alma eterna, alijando-a para além da misericórdia infinita do Deus Mais Piedoso e Mais Terrível.

Durante a noite, no dia em que cometi tal ato cruel, fui despertado de meu sono por um grito acusando incêndio. As cortinas de meu quarto estavam pegando fogo. A casa inteira ardia em chamas. Foi com grande dificuldade que minha esposa, meu criado e eu conseguimos escapar do fogaréu. A destruição foi absoluta. Toda a riqueza mundana que eu possuía foi devorada pelo fogo e fui obrigado a resignar-me diante do desespero.

Não vou ceder à fraqueza de buscar estabelecer uma relação de causa e efeito entre o desastre e a atrocidade. No entanto, estou detalhando uma cadeia de fatos — e não quero deixar solto nenhum elo possível. No dia posterior ao incêndio, visitei as ruínas. As paredes, com uma única exceção, haviam desmoronado. Restou apenas uma parede interna, não muito espessa, que se erguia no meio da casa, contra a qual repousava a cabeceira de minha cama. Seu reboco resistira, em grande medida, à ação do incêndio — fato que atribuí à sua aplicação recente. Em torno dessa parede, reunira-se uma expressiva multidão e várias pessoas pareciam examinar uma região específica com muita atenção e interesse. Exclamações como "Estranho!", "Singular!" e outras semelhantes despertaram minha curiosidade. Aproximei-me e vi, como se entalhado em *baixo relevo* na superfície branca, a figura de um enorme *gato*. A imagem era de uma precisão extraordinária. Havia uma corda em volta do pescoço do animal.

Quando fitei aquela aparição — decerto fantasmagórica —, experimentei grande surpresa e horror. No entanto, por fim, fui acudido pela razão. O gato, relembrei, havia sido enforcado em um jardim contiguo à casa. Ao alarme de incêndio, o jardim fora de pronto invadido pela multidão e alguém deveria ter removido o animal da árvore, atirando-o em meu quarto pela janela aberta. Isso deve ter sido feito no intuito de me despertar do sono. A queda das demais paredes comprimira a vítima de minha crueldade na massa do emboço recém-feito; a cal, com as chamas do incêndio e a *amônia* da carcaça do animal, fora responsável pelo relevo que eu agora contemplava.

Embora tenha sem demora apelado para a razão, bem como para a consciência, a fim de justificar o fato surpreendente que acabo de detalhar, não pude evitar que causasse profunda impressão em minha mente. Por meses a fio, não consegui me livrar do fantasma do gato; e, durante esse ínterim, tornei a experimentar um sentimento impreciso que parecia, mas não era, remorso. Cheguei de fato a lamentar a perda do animal e a buscar ao meu redor, nos redutos torpes que passara a frequentar com assiduidade, outro bicho de estimação da mesma espécie, com aparência semelhante, que pudesse substituí-lo.

Certa noite, entorpecido em um antro de incontestável infâmia, atinei para uma silhueta preta, repousada sobre a tampa de um dos imensos barris de gim ou de rum, que compunham praticamente toda a mobília do local. Contemplei, concentrado, a superfície do barril por alguns minutos e surpreendi-me ao constatar que não percebera a sombra antes. Aproximei-me e a toquei com a mão. Era um gato preto — um felino imenso — tão grande quanto Plutão e parecido com ele em todos os aspectos, com uma única exceção. Ao contrário de meu antigo animal, que não possuía um único pelo branco no corpo, o gato exibia uma extensa mancha branca, indefinida, que lhe cobria todo o peito.

Tão logo foi tocado, ele se levantou, ronronando alto, e pôs-se a se esfregar em minha mão, mostrando-se satisfeito com a atenção. Pareceu-me ser exatamente o animal que estava procurando. Ofereci-me para comprá-lo do proprietário do local; ele, no entanto, alegou não ser o dono — nada sabia ao seu respeito nem nunca o vira antes.

Continuei a afagá-lo e, quando estava prestes a ir embora, o animal manifestou desejo de acompanhar-me. Aceitei que me seguisse; curvava-me, de quando em vez, para acariciá-lo. Ao chegarmos em casa, ele logo se mostrou à vontade no novo espaço, tornando-se de imediato o favorito de minha mulher.

Quanto a mim, não tardou para que eu percebesse em meu íntimo uma crescente aversão ao animal. Era o oposto do que eu previa; mas não sabia como ou por que sua evidente afeição me enojava e irritava. Aos poucos, o nojo e a irritação deram lugar à amargura do ódio. Eu o evitava. Uma certa vergonha e a lembrança de meu ato de crueldade me impediam de machucá-lo fisicamente. Por algumas semanas, não lhe bati ou maltratei; mas, pouco a pouco — de maneira bem gradual —, passei a fitá-lo com indizível ojeriza e a fugir de sua odiosa presença como quem evita um ar pestilento.

O que agravou, sem dúvida, meu ódio pelo animal foi a descoberta, na manhã seguinte, de que, como Plutão, ele também havia perdido um dos olhos. Tal circunstância tornou-o ainda mais caro à minha mulher, que, como já mencionei, possuía um temperamento assaz humano, o qual, outrora, representara um traço de meu caráter, bem como a fonte de muitos de meus mais simples e puros deleites.

Minha aversão ao gato, no entanto, parecia crescer em escala proporcional à sua predileção por mim. Ele seguia meus passos com uma tenacidade que o leitor dificilmente poderá compreender. Quando me sentava, aninhava-se sob minha cadeira ou pulava em meu colo, cobrindo-me com suas repulsivas carícias. Se me levantava para andar, metia-se entre meus pés quase me fazendo tropeçar ou, cravando as garras longas e afiadas em minha roupa, subia por meu corpo até alcançar o peito. Nessas ocasiões, embora desejasse destruí-lo com um golpe, ainda conseguia me conter, em parte pela memória do crime que cometi anteriormente, mas, sobretudo — deixe-me confessar de uma vez —, pelo *pavor* absoluto que o animal me inspirava.

Não temia exatamente um dano físico; contudo, não saberia definir esse medo de outra maneira. É com muita vergonha que admito — sim, mesmo agora, condenado nesta cela, é com muita vergonha que admito — que o terror e o horror que o animal me inspirava haviam sido exacerbados por um dos devaneios mais triviais que se possa conceber. Minha esposa chamara-me a atenção, mais de uma vez, para o aspecto da mancha branca do animal, à qual já me referi e que constituía a única diferença visível entre a misteriosa criatura e o gato que eu destruíra. O leitor há de recordar que tal mancha, embora extensa, era originalmente indefinida; mas, aos poucos — de modo quase imperceptível, com o qual minha mente lutou por muito tempo para rejeitar como fantasioso —, ela foi ganhando um contorno cada vez mais nítido. Era então a representação de um objeto que tremo ao nomear — e, por esse motivo, acima de todos os demais, eu abominava, temia e teria me livrado do monstro se *tivesse tido coragem*; era agora, como ia dizendo, a imagem de algo horrendo, macabro: a imagem de uma forca! Ah, lúgubre e tenebroso instrumento do Horror e do Crime, da Agonia e da Morte!

Eu agora estava desgraçado para além de qualquer tragédia humana. E que *um animal estúpido*, cujo semelhante eu destruíra com tamanho desprezo, que *um animal estúpido* fosse capaz de impingir a *mim*

— a mim, homem, feito à semelhança do Deus Altíssimo — um sofrimento tão insuportável! Ai de mim! Passei a desconhecer, fosse dia ou noite, a benção do repouso! Durante o dia, a criatura não me deixava um instante sozinho; à noite, despertava de hora em hora de sonhos de inexprimível pavor para me deparar com aquele *demônio* baforando seu hálito quente em meu rosto, o corpo volumoso — um pesadelo encarnado do qual não podia me desvencilhar — pairando como um peso eterno sobre meu *coração*!

Soterrado pela pressão de tais tormentos, o resquício de bondade que havia em mim sucumbiu. Pensamentos malignos tornaram-se meus únicos companheiros íntimos — as ideias mais tenebrosas e soturnas. A instabilidade de meu habitual temperamento acentuou-se em um ódio generalizado de tudo e por todos; enquanto isso, minha resignada esposa era a principal e mais paciente vítima dos ataques súbitos, frequentes e incontroláveis de uma fúria à qual eu então me abandonava cegamente.

Certo dia, ela me acompanhou, por ocasião de um afazer doméstico, até o porão da velha casa onde fomos obrigados a morar em virtude de nossa pobreza. O gato me seguiu, descendo pelos íngremes degraus e, quase me fazendo cair de cabeça, exasperou-me às raias da loucura. Erguendo um machado e esquecendo, em minha ira, o pavor pueril que até então me cerceara, preparei um golpe que, é claro, teria sido fatal caso eu tivesse acertado o alvo. Porém, a mão de minha mulher o impediu. Instigado, pela interferência, a uma ira ainda mais demoníaca, desvencilhei-me do toque dela e enterrei o machado em seu crânio. Ela caiu morta na hora, sem emitir um único gemido.

Após cometer o hediondo assassinato, engajei-me de imediato, com total deliberação, na tarefa de ocultar o cadáver. Sabia que seria impossível removê-lo da casa, fosse de dia ou de noite, sem correr o risco de ser observado pelos vizinhos. Diversas ideias me ocorreram. Em determinado momento, pensei em esquartejar o corpo em diminutos fragmentos e depois destruí-los no fogo. Depois, ponderei se deveria cavar uma cova no assoalho do porão. Mais adiante, cogitei arremessá-lo no poço do jardim. Ocorreu-me também embalá-lo em uma caixa, como se fosse uma mercadoria, com todos os arranjos habituais, e arrumar um carregador para retirá-lo da casa. Por fim, optei pela solução que me pareceu melhor do que qualquer uma das anteriores. Decidi emparedá-lo no porão — como, segundo relatos, faziam os monges com as suas vítimas na Idade Média.

O local era bem adaptado para tal propósito. As paredes não eram muito sólidas e haviam sido recentemente emboçadas com um grosso reboco que não estava ainda de todo firme em virtude da umidade do local. Ademais, em uma das paredes, havia uma reentrância, projetada como uma falsa chaminé ou lareira, que fora preenchida para se igualar ao restante do porão. Logo constatei que podia desalojar os tijolos naquele lugar, acomodar o cadáver e vedar a parede novamente, de modo que observador algum jamais poderia desconfiar de que havia algo suspeito ali.

Meus cálculos não me enganaram. Com a ajuda de um pé de cabra, removi com facilidade os tijolos e, após ter depositado com muito cuidado o cadáver contra a parede interna, imobilizei-o nessa posição enquanto reerguia, sem grande dificuldade, a estrutura tal como estivera antes. Após localizar argamassa, areia e fibras com extremada precaução, preparei um reboco semelhante ao antigo e apliquei-o com muito cuidado sobre a nova estrutura. Ao concluir o trabalho, fiquei satisfeito com o bom resultado. A parede não traía qualquer indício suspeito. Recolhi a sujeira do chão com atenção minuciosa. Olhei ao redor, triunfante, e disse a mim mesmo: "Aqui, pelo menos, meu trabalho não terá sido em vão".

O próximo passo foi procurar a criatura que havia causado tamanha desgraça; estava firmemente decidido a matá-lo de uma vez por todas. Se o tivesse encontrado naquele momento, o destino do animal não teria sido outro; mas, ao que parecia, o engenhoso bicho alarmara-se com a violência de minha raiva e evitava se expor em minha presença, estando eu naquele estado de espírito. É impossível descrever ou imaginar o alívio profundo e regozijante que a ausência da detestável criatura provocou em mim. Ele não apareceu durante a noite — e dessa forma, pela primeira vez desde que o gato fora morar conosco, tive um sono tranquilo; sim, *dormi* bem, mesmo com o fardo do crime pesando em minha alma!

O segundo e o terceiro dias se passaram sem que meu algoz regressasse a casa. Pude, mais uma vez, respirar aliviado a liberdade. O monstro, aterrorizado, fora embora para sempre! Nunca mais o veria novamente! Minha felicidade era absoluta! A culpa por meu ato sombrio sequer me perturbava. Foram feitas algumas investigações, mas respondi de pronto a todas as perguntas. Conduziram até mesmo uma busca — mas, é claro, nada foi descoberto. A alegria futura parecia-me garantida.

No quarto dia após o assassinato, um grupo de policiais apareceu de surpresa em minha casa a fim de executar uma rigorosa investigação no local. No entanto, estava tão seguro acerca da inescrutabilidade do esconderijo que não me senti nem um pouco acuado. Os policiais solicitaram que eu os acompanhasse em sua busca. Canto ou nicho algum escapou de seu escrutínio. Por fim, pela terceira ou quarta vez, desceram ao porão. Mantive-me estoico. Meu coração batia com a tranquilidade dos que repousam inocentes. Atravessei o porão, de um lado para o outro. Cruzando os braços, perambulei por toda sua extensão. Os policiais, mais do que satisfeitos, já estavam prontos para partir. Contudo, a euforia em meu peito era muito forte para ser contida. Ansiava por dizer apenas uma palavra, à guisa de triunfo, para certificar-me de que estavam convencidos de minha inocência.

— Cavalheiros — disse-lhes, por fim, enquanto subiam as escadas — estou feliz por ter aplacado suas suspeitas. Desejo-lhes saúde e um pouco mais de cortesia. À propósito, esta... esta é uma casa muito bem construída. — Na ânsia desarrazoada de comentar uma amenidade, eu mal sabia o que estava dizendo. — *Extremamente* bem construída, se me permitem dizer. Estas paredes... Já estão de saída, cavalheiros?... Estas paredes foram assentadas com muita solidez. — E, nesse momento, tomado pelo frenesi da bravata, golpeei com a bengala que trazia na mão o local exato onde, oculto sob os tijolos, jazia o cadáver de minha estimada mulher.

Que Deus me livre e guarde das presas do Demônio! Mal silenciara o eco dos meus golpes, reverberou uma voz vinda do túmulo! Um grito, primeiro abafado, entrecortado como o choro de uma criança, que, logo depois, cresceu em um som ensurdecedor e contínuo, anormal e inumano — um urro — um lamento pungente, que mesclava horror e triunfo, do tipo que só poderia ter vindo do inferno, escapando da garganta dos amaldiçoados em sua agonia e dos demônios que exultavam na danação.

É tolice relatar os pensamentos que me tomaram naquele momento. Desfalecendo, cambaleei até a parede oposta. Por um momento, os policiais parados na escada mantiveram-se imóveis, tomados por terror e espanto. Logo em seguida, doze braços fortes arrancavam os tijolos. A parede veio abaixo. O corpo, já em avançado estado de decomposição e coberto de sangue coagulado, pairava ereto diante de seus espectadores. Sobre a cabeça do cadáver, com a boca aberta em um ricto escarlate e um único olho flamejante, sentava-se a criatura hedionda cuja artimanha me compelira ao crime e cuja voz delatora haveria de me condenar à forca. Eu emparedara o demônio dentro do túmulo!

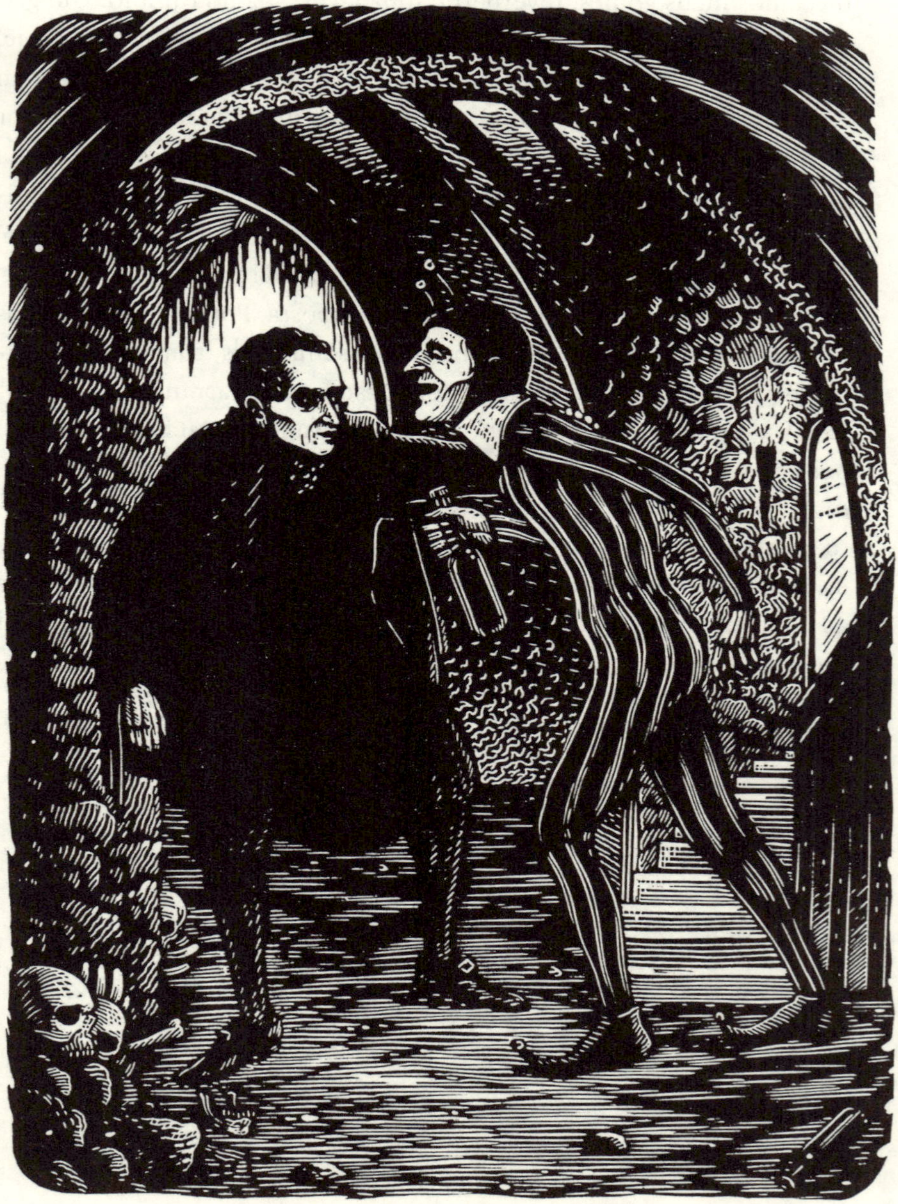

NARRADORES HOMICIDAS

O BARRIL
de
AMONTILLADO

EDGAR ALLAN POE
1846

Suportei o melhor que pude as incontáveis injúrias de Fortunato, mas quando ele se pôs a me insultar, jurei vingança. Você, que tão bem conhece a natureza de minha alma, decerto não vai supor que anunciei a ameaça em voz alta. Haveria de me vingar *um dia*; era uma decisão certa e definida — mas a própria certeza que a alicerçava excluía a hipótese de riscos. Não haveria apenas de puni-lo, mas iria puni-lo com impunidade. Um mal não pode ser reparado quando a revanche destrói o agente reparador. O mesmo ocorre quando o vingador fracassa em se apresentar como tal àquele que o maltratou.

Quero deixar claro que, nem por palavras ou atos, dei motivos para Fortunato duvidar de minha boa vontade. Continuei, como de costume, a sorrir para ele, que jamais percebeu que *agora* eu sorria imaginando sua destruição.

Ele tinha um ponto fraco, o Fortunato, embora, sob os demais aspectos, fosse um homem a ser respeitado e até mesmo temido.

Orgulhava-se por ser um *connoisseur* de vinhos. Poucos italianos possuem o espírito legítimo de um especialista. Na maioria das vezes, adotam um entusiasmo para atender as demandas de tempo ou de oportunidade a fim de tapear *milionários* britânicos e austríacos. Em matéria de pinturas e joias, Fortunato, assim como seus compatriotas, era um engodo; mas, em se tratando de vinhos antigos, possuía um conhecimento autêntico. Nesse sentido, não éramos muito diferentes — eu também era versado nas antigas safras italianas e as adquiria em generosa quantidade sempre que possível.

Devia ser por volta do crepúsculo, em uma tarde de suprema loucura durante o carnaval, que encontrei meu amigo. Abordou-me com excessiva efusividade, pois já tinha bebido em demasia. Estava fantasiado de arlequim. Usava um traje justo e listrado e trazia, em sua cabeça, um chapéu cônico com guizos. Fiquei tão contente em vê-lo que pensei que nunca mais pararia de apertar sua mão.

— Meu caro Fortunato, que sorte encontrá-lo. E que aparência extraordinária tem hoje. Acontece que recebi um barril do que dizem ser amontillado, mas tenho lá minhas dúvidas — falei.

— Como? — perguntou ele. — Um barril de amontillado? Impossível! E em plena época de carnaval!

— Estava desconfiado, mas fui tolo o bastante para pagar o preço de um amontillado autêntico sem ter consultado o senhor antes sobre o assunto. Não consegui encontrar-lhe e tive medo de perder o que me pareceu um bom negócio.

— Amontillado!

— Tenho lá as minhas dúvidas.

— Amontillado!

— E quero esclarecê-las.

— Amontillado!

— Como você está ocupado, estou indo ver Luchesi. Ele tem um discernimento ímpar sobre essas coisas. Vai me dizer...

— Luchesi não sabe distinguir um amontillado de um xerez.

— E, mesmo assim, alguns imbecis insistem que o conhecimento dele só rivaliza com o seu.

— Está bem, vamos juntos.
— Para onde?
— Até sua adega.
— Meu amigo, de modo algum. Não posso me aproveitar de sua generosidade. Vejo que tem um compromisso. Luchesi...
— Não tenho compromisso algum, vamos.
— Meu caro, não. Não é nem pelo compromisso em si, mas pelo resfriado grave que percebo que lhe aflige. Minha adega é de uma umidade insuportável. Está toda impregnada de salitre.
— Vamos assim mesmo. O resfriado não é grave. Amontillado! Você foi vítima de uma fraude. E quanto a Luchesi, ele não consegue distinguir xerez de amontillado.

Assim dizendo, Fortunato tomou meu braço; colocando uma máscara de seda negra e puxando-me para junto de sua capa, apressou-nos em direção à minha residência.

Não havia criado algum em casa; todos debandaram em busca da diversão que tal época festiva oferecia. Eu lhes havia dito que não regressaria até a manhã seguinte e dera ordens expressas para não saírem de casa. As ordens foram suficientes, como eu bem sabia, para garantir que todos desaparecessem de imediato, assim que eu virasse as costas.

Peguei dos candeeiros duas tochas e, entregando uma para Fortunato, conduzi-o por uma sucessão de aposentos até o arco que dava acesso à adega. Desci por uma escadaria longa e sinuosa, rogando que ele me seguisse com cautela. Chegamos, por fim, aos pés da escada e estacamos juntos no solo úmido das catacumbas de minha família, os Montresor.

O andar de meu amigo era cambaleante, e os guizos em seu chapéu tilintavam a cada passo.

— O barril — disse ele.
— Está logo ali em frente — respondi. — Mas observe como reluzem as teias de aranha nas paredes da caverna.

Ele se voltou para mim e fitou-me com olhos embaçados que traíam, em líquida opacidade, sua embriaguez.

— Salitre? — indagou ele, por fim.

— Salitre — assenti. — Há quanto tempo você está com essa tosse?

— Cof! Cof! Cof! — Cof! Cof! Cof! — Cof! Cof! Cof! — Cof! Cof! Cof! — Cof! Cof! Cof!

Meu pobre amigo não conseguiu me responder por vários minutos.

— Não é nada — falou, enfim.

— Venha — disse eu, decidido. —Vamos voltar; sua saúde é preciosa. Você é rico, respeitado, admirado, amado; você é feliz, como um dia já fui. Um homem que fará falta. Por mim, está tudo bem. Vamos voltar; você vai adoecer e não posso ser responsável por isso. Além do mais, tem Luchesi...

— Basta — retrucou ele. — Essa tosse não é nada, não vai me matar. Não vou morrer por causa de uma tosse.

— Certo, certo — respondi — e, de fato, não tinha a intenção de alarmá-lo à toa. Mas você deve se valer de todos os cuidados. Um gole desse medoc vai nos proteger da umidade.

Eu abri então o medoc, que ali descansava em uma longa fileira de garrafas.

— Beba — ofereci, estendendo-lhe o vinho.

Ele levou a bebida aos lábios com uma expressão lasciva de deleite. Pausou e fez um gesto amigável em minha direção, fazendo tilintar os guizos em sua cabeça.

— Um brinde aos mortos que repousam à nossa volta.

— Um brinde à sua vida, que há de ser longa.

Ele tomou meu braço mais uma vez e seguimos.

— Sua adega é enorme.

— Os Montresor eram uma família grande e numerosa.

— Esqueci-me de seu brasão.

— Um pé dourado em um campo azul-celeste; o pé está esmagando uma serpente erguida que crava as presas no calcanhar.

— E o lema?

— *Nemo me impune lacessit.*[1]

---

[1] Em latim no original: "Ninguém me insulta impunemente".

— Ótimo! — exclamou ele.

O vinho faiscou em seus olhos e os guizos tilintaram. Minha própria imaginação abrandou-se com o medoc. Cruzamos longas passagens cobertas com esqueletos empilhados, barris e pipas misturados nos mais recônditos confins das catacumbas. Fizemos nova parada e, desta vez, tive a ousadia de segurar Fortunato pelo braço, logo acima do cotovelo.

— O salitre! Veja, está mais forte. Paira como musgo aqui na adega. Estamos sob o leito do rio. As gotas de umidade escorrem pelos ossos. Venha, vamos voltar antes que seja tarde. Sua tosse...

— Não é nada, vamos em frente. Mas, antes, outro gole do medoc.

Abri um garrafão de De Grave e o ofereci. Ele o esvaziou de uma só vez. Seus olhos ardiam em um intenso fulgor. Então, gargalhou e jogou a garrafa para cima, com um gesto que não compreendi.

Fitei-o surpreso. Ele repetiu o movimento grotesco.

— Não compreende? — indagou.

— Não — respondi.

— Então não é da irmandade.

— Como?

— Não é da maçonaria.

— Sou, sou — declarei. — Sou, sim.

— Você? Maçom? Impossível!

— Maçom — insisti.

— Um sinal — pediu ele. — Um sinal.

— Aqui está — respondi, retirando das dobras de minha capa uma espátula de aço.

— Você está brincando! — exclamou, recuando alguns passos. — Vamos ao amontillado.

— Vamos — concordei, guardando a ferramenta dentro da capa e oferecendo-lhe o braço. Ele se apoiou com todo o peso em mim. Continuamos o percurso em busca do vinho. Passamos por uma série de arcos baixos, descemos, prosseguimos caminhando, descemos mais um pouco e chegamos, por fim, a uma cripta profunda, onde a podridão do ar fez com que nossas tochas brilhassem sem queimar.

Na extremidade mais longínqua da cripta, havia outra, menos espaçosa. Em suas paredes perfilavam-se restos humanos, empilhados até o teto, à maneira das grandes catacumbas de Paris. Três faces dessa cripta interior ainda estavam ornamentadas dessa forma. Na quarta, os ossos haviam sido arrancados e jaziam espalhados no chão, formando uma pilha considerável. Na parede exposta pela remoção dos ossos, encontramos uma cripta ainda mais recôndita, com aproximadamente um metro e vinte de profundidade, um metro de largura e quase dois de altura. Não parecia ter sido construída com utilidade alguma, apenas para compor um intervalo entre os dois pilares colossais que sustentavam o teto das catacumbas, e era vedada por uma de suas paredes circundantes de granito sólido.

Foi vã a tentativa de Fortunato, erguendo sua tocha quase apagada, de tentar vasculhar a profundidade do nicho. A chama débil não nos permitia enxergar seu fim.

— Vamos seguir adiante — falei. — O amontillado está aí dentro. Quanto a Luchesi...

— Ele é um ignorante — interrompeu meu amigo, avançando em passos trôpegos enquanto eu o seguia logo atrás. Fortunato, tendo percebido que alcançara a extremidade do nicho e notando que uma rocha o impedia de continuar, estacou em beócia estupefação. Bastou-me um instante para acorrentá-lo à parede de granito. Em sua superfície, havia duas alças de ferro em posição horizontal, distantes aproximadamente sessenta centímetros uma da outra. De uma delas, pendia uma corrente curta; da outra, um cadeado. Em questão de segundos, passei a corrente pela cintura dele e prendi o cadeado. Ele ficou muito surpreso para resistir. Recolhendo a chave, saí do nicho.

— Passe a mão na parede — disse eu. — É impossível não sentir o salitre. De fato, é *muito* úmido. Mais uma vez, *suplico* para que retorne. Não quer? Então, devo deixá-lo. No entanto, antes, vou conceder-lhe todas as cortesias que estiverem ao meu alcance.

— O amontillado! — exclamou ele, que ainda não se recuperara de sua perplexidade.

— De fato — respondi. — O amontillado.

Com essas palavras, pus-me a revirar a pilha de ossos que mencionei há pouco. Deitando-as de lado, logo alcancei um suprimento de pedras e cimento. Com esses materiais e o auxílio da espátula, comecei a emparedar a entrada do nicho.

Mal completara a primeira fileira de tijolos quando descobri que a embriaguez de Fortunato havia, em grande parte, se dissipado. O primeiro indício foi um grito gutural e plangente, vindo das profundezas do nicho. "*Não!*" era o choro do bêbado. Então, fez-se um longo e obstinado silêncio. Assentei a segunda fileira, depois a terceira e a quarta; foi então que ouvi as vibrações furiosas da corrente. O barulho prosseguiu por vários minutos, durante os quais interrompi a tarefa e sentei-me sobre os ossos, a fim de ouvi-lo com mais satisfação. Quando o som, por fim, cessou, apanhei a espátula e terminei, sem novas paradas, a quinta, a sexta e a sétima fileiras. A parede estava quase atingindo o nível de meu peito. Fiz mais uma pausa e, erguendo a tocha por cima da parede, lancei uma claridade precária na figura lá dentro enclausurada.

Uma sucessão de gritos lancinantes, brotando de repente da garganta dele, pareceu empurrar-me com violência para trás. Por um momento, hesitei, trêmulo. Desembainhando a espada, pus-me a desferir golpes a esmo no nicho; mas logo restabeleci a calma. Pousei a mão sobre o sólido material das catacumbas e me senti satisfeito. Aproximei-me da parede mais uma vez e respondi aos gritos que de lá provinham. Dupliquei-os em ecos, auxiliei-os e sobrepujei-os em volume e potência. Logo, o clamante ficou em silêncio.

Já se aproximava da meia-noite, e minha tarefa chegava ao fim. Completara a oitava, a nova e a décima fileiras. Terminara uma parte da última, a décima primeira; faltava apenas uma única pedra a ser encaixada e cimentada. Custei a erguê-la por causa de seu peso; ajustei-a parcialmente em sua posição. Então, uma gargalhada abafada, vinda de dentro do nicho, arrepiou-me dos pés à cabeça. Foi sucedida por uma voz de lamúria que quase não pude reconhecer como sendo do nobre Fortunato. Ela disse:

— Ha! Ha! Ha! He! He! Uma ótima piada, de fato; uma excelente pilhéria. Vamos rir bastante nos lembrando disso no *palazzo*! He! He! He! Enquanto tomamos nosso vinho! He! He! He!

— O amontillado! — exclamei.

— He! He! He! He! He! He! Sim, o amontillado. Mas não está ficando tarde? Será que não estão nos esperando, a senhora Fortunato e os demais? É melhor irmos embora.

— Sim — respondi. — Vamos embora.

— *Pelo amor de Deus, Montresor!*

— Sim — repeti. — Pelo amor de Deus!

Esperei em vão que ele me respondesse. Impaciente, chamei:

— Fortunato!

Nenhuma resposta. Voltei a chamá-lo:

— Fortunato!

Silêncio. Empurrei minha tocha pela abertura restante e deixei-a cair lá dentro. O tilintar dos guizos foi a única resposta. Senti um aperto no peito; decerto, causado pela umidade das catacumbas. Apressei-me para concluir a tarefa. Empurrei a derradeira pedra na posição definitiva e a cobri com cimento. Por cima da parede recém-erguida, repus a muralha de ossos. Por meio século, nenhum mortal as perturbou. *In pace requiescat!*[2]

---

2   Em latim no original: "Descanse em paz!".

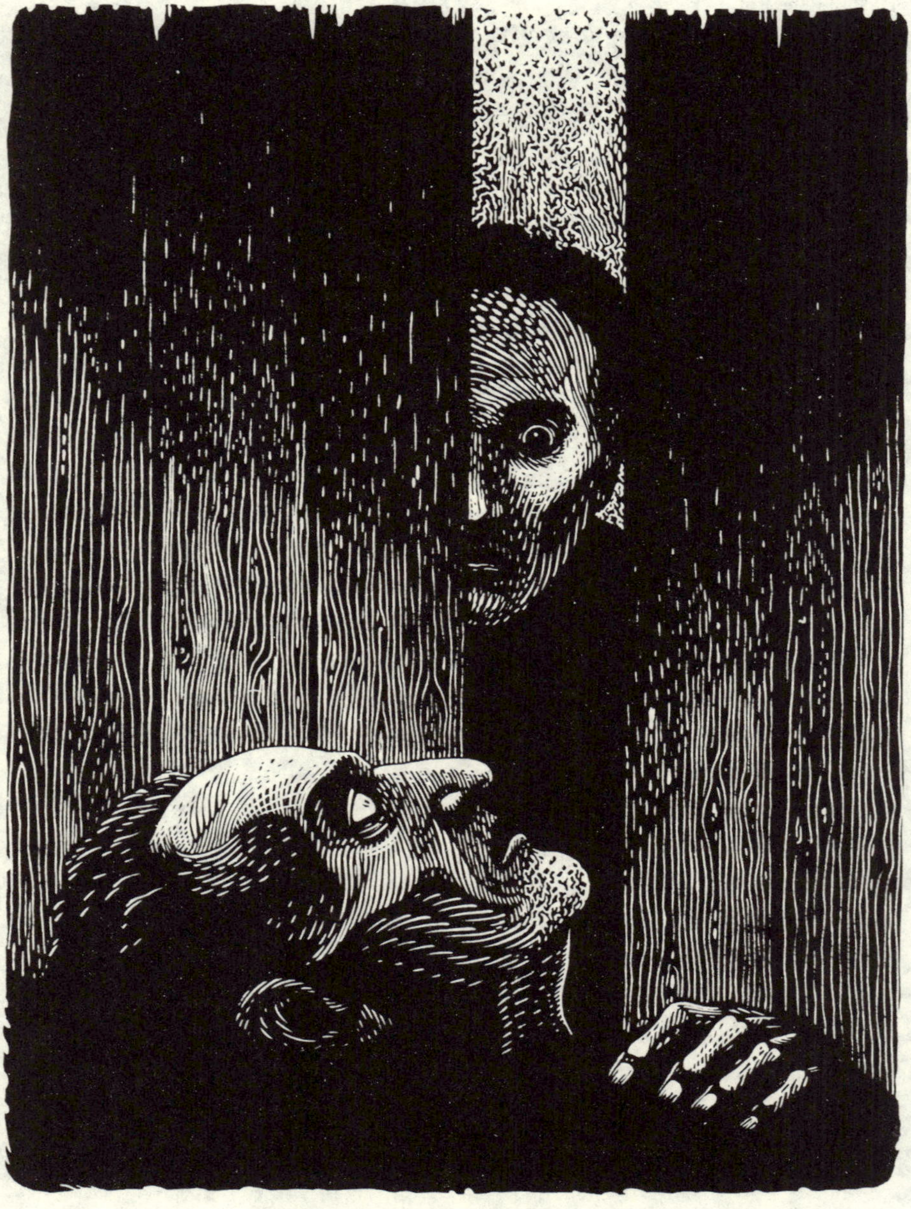

O CORAÇÃO DELATOR

EDGAR ALLAN POE
1843

Verdade! Nervoso — muito, terrivelmente nervoso fui e sou; mas por que *dirá* que sou louco? A doença apurou meus sentidos, não os destruiu, não os amorteceu. Acima de tudo, tornou aguda minha audição. Ouço qualquer coisa, no céu e na terra. Já ouvi muito no inferno. Como, então, posso estar louco? Escute! Observe como posso lhe contar minha história — de modo são — com muita calma.

É impossível precisar quando a ideia surgiu em minha mente; mas, uma vez concebida, passou a assombrar-me dia e noite. Não havia motivo. Não havia rancor. Eu amava o velho. Ele nunca me fizera mal. Jamais me insultara. Eu não tinha interesse em seu dinheiro. Acho que foi o olho! Sim, foi isso! Um de seus olhos lembrava o de um abutre — de um azul pálido, como se embaçado por um filtro. Sempre que aquele olhar pousava sobre mim, enregelava-me o sangue; então, aos poucos, de modo bem gradual, convenci-me de que deveria matá-lo e, dessa forma, livrar-me daquele olho para sempre.

No entanto, está é a questão. Você me acha louco. Loucos não sabem de nada. Você deveria ter *me* visto. Deveria ter visto como procedi com sabedoria — com que cautela, com que precaução, com que dissimulação me pus a trabalhar! Jamais fui tão gentil com o velho quanto durante a semana que antecedeu o crime. E todas as madrugadas, por volta da meia-noite, destrancava a porta dele e a abria — oh, tão gentilmente! Depois de abri-la o suficiente para passar minha cabeça, colocava lá dentro um lampião, por completo vedado, sem iluminação alguma, e apenas então me retirava. Ah, você teria rido se visse como eu era astuto! Movia-me devagar, bem, bem devagar para não perturbar o sono do velho. Levava uma hora para passar minha cabeça pela abertura, de modo que pudesse vê-lo deitado na cama. Ora, um louco teria sido tão prudente? Então, quando já tinha enfiado a cabeça inteira no aposento, abria o lampião com cuidado, com muitíssimo cuidado, com cuidado (pois as dobradiças rangiam), eu abria o suficiente para que apenas um único raio de luz iluminasse o olho de abutre. E assim procedi por sete longas madrugadas — sempre à meia-noite —, mas seus olhos estavam sempre fechados; era impossível executar minha tarefa, pois não era o velho quem me incomodava, e, sim, seu Olho Maligno. E a cada manhã, quando nascia o dia, eu adentrava confiante no quarto e conversava com ele sem reservas, chamando-o pelo nome em um tom carinhoso, perguntando como havia passado a noite. Assim, como vê, ele teria de ser um velho deveras sagaz para desconfiar que todas as noites, à meia-noite, eu o vigiava em seu sono.

Na oitava noite, redobrei minha cautela ao abrir a porta. O ponteiro de minutos de um relógio movia-se mais depressa do que eu movia a mão. Nunca antes daquela noite eu *sentira* a dimensão de meus poderes, de minha sagacidade. Mal podia conter a sensação de triunfo. Pensar que lá estava eu, abrindo a porta, milímetro por milímetro, sem que ele desconfiasse, nem em sonhos, de minhas ações e meus pensamentos. Tal constatação me fez deixar escapar um riso abafado; talvez ele tenha escutado, pois mexeu-se de repente na cama, como se levasse um susto. Você pode pensar que recuei — mas não. O aposento estava mergulhado na mais profunda escuridão (pois as venezianas estavam cerradas por medo de ladrões), então eu sabia que ele não podia distinguir a abertura da porta, de modo que prossegui empurrando firme, bem firme.

Depois de colocar a cabeça para dentro, estava prestes a abrir o lampião quando meu polegar deslizou no fecho de metal e o velho ergueu-se na cama, gritando: "Quem está aí?".

Permaneci imóvel e não respondi nada. Durante uma hora inteira, não movi um músculo e, nesse ínterim, não o ouvi se deitar. Ele continuou sentado na cama, escutando — como eu havia feito, noite após noite, ouvindo os relógios funestos na parede.

Foi então que ouvi um gemido suave e logo soube que era um gemido de terror. Não era um som de dor ou de lamento — ah, não! Era um ruído cavernoso e sufocado, oriundo das profundezas da alma quando tomada pelo espanto. Eu conhecia bem aquele som. Durante muitas noites, sempre à meia-noite, quando todo mundo dormia, ele brotava de meu próprio peito, aprofundando, com seu pavoroso eco, os terrores que me distraíam. Digo que o conheço bem. Sei o que o velho sentiu, e tive compaixão por ele, embora um riso pairasse em meu coração. Sabia que estava acordado desde o primeiro barulho, quando se mexera na cama. Seus medos, desde então, estavam apenas crescendo. Ele tentara tomá-los por infundados, mas não conseguira. Estivera falando para si mesmo: "Deve ser apenas o vento na chaminé, apenas um rato atravessando o assoalho" ou "Deve ter sido um grilo, que emitiu um único canto". Sim, deve ter tentado se confortar com tais suposições: mas foram todas em vão. *Todas em vão*; porque a Morte, ao aproximar-se, deitara sobre ele sua negra sombra, envolvendo a vítima por completo. E fora a influência lúgubre dessa sombra insuspeita que o levara a sentir — embora não a visse ou ouvisse — a *sentir* a presença de minha cabeça dentro do quarto.

Quando já havia esperado bastante tempo, com muita paciência, sem que tivesse escutado o velho se deitando, decidi deixar vazar uma nesga muito, muito estreita de luz no lampião. Assim o fiz — você não pode imaginar o quão furtivamente — até que, por fim, um único raio, como teia de aranha, escapou pela abertura e incidiu sobre o olho de abutre.

Estava aberto — bem aberto — e fui tomado por uma fúria ao avistá-lo. Pude vê-lo com perfeita distinção: de um azul mortiço, com um horrendo véu a nublá-lo, que produzia calafrios em meus ossos; nenhuma outra parte do rosto ou do corpo do velho me era visível, pois eu direcionara o raio, como se por instinto, para iluminar com exatidão o maldito lugar.

Já não lhe falei que o que você confunde com loucura é tão somente uma exacerbação dos sentidos? Pois digo que, naquele momento, meus ouvidos identificaram um som embotado, como o que um relógio produz quando envolto em algodão. Também conhecia bem *esse* som. Era o pulsar do coração do velho. Ele aumentou minha fúria como o bater de tambores estimula a coragem dos soldados.

Contudo, ainda assim, controlei-me e permaneci imóvel. Mal respirava. Segurava o lampião sem vacilar. Tentei manter o raio de luz sobre o olho, utilizando-me de toda a firmeza. Enquanto isso, o pulsar infernal do coração se intensificava. Batia mais e mais rápido, mais alto a cada segundo. O pânico do velho *deve* ter sido extremo! O som aumentava, como falei, a cada segundo! Compreende? Já disse que sou nervoso, e sou mesmo. E naquela hora nefasta da noite, no silêncio tenebroso daquela velha casa, um ruído assim tão medonho provocou-me um terror incontrolável. No entanto, eu me contive e permaneci imóvel. Porém, o som das batidas aumentava, mais e mais alto! Julgava que o coração dele fosse explodir. Então, uma nova ansiedade tomou conta de mim — temi que o som pudesse ser ouvido por um vizinho! A hora do velho havia chegado! Com um brado potente, aumentei a luz do lampião e pulei para dentro do quarto. Ele gritou uma vez — apenas uma vez. Em um instante, puxei-o para o chão e fiz cair a pesada cama sobre seu corpo. Então sorri, contente ao notar minha tarefa enfim concluída. Todavia, durante vários minutos, o coração continuou a bater, produzindo um som abafado. Isso, entretanto, não me incomodou; era impossível ouvi-lo através da parede. Por fim, as batidas cessaram. O velho estava morto. Suspendi a cama e examinei o cadáver. Não havia sinal de batimentos cardíacos. Sim, estava morto, completamente morto. Pousei a mão sobre seu coração e aguardei alguns instantes. Nenhum batimento cardíaco. Completamente morto. Seu olho nunca mais me incomodaria.

Se ainda me julga louco, há de mudar de opinião quando eu descrever as precauções ajuizadas que tomei para ocultar o cadáver. A noite extinguia-se, e trabalhei depressa, mas em silêncio. Primeiro, desmembrei o corpo. Decepei a cabeça, os braços e as pernas.

Depois, removi três tábuas do assoalho do quarto e ocultei as partes entre as vigas. Em seguida, substituí as pranchas com tanta habilidade e astúcia que olho humano algum — nem mesmo o *dele* — poderia detectar algo fora do lugar. Não havia nada para ser limpo, nenhum tipo de mancha, nenhuma nódoa de sangue. Tomara muito cuidado para evitá-las. Uma tina absorvera tudo. Ha! Ha!

Quando encerrei essas tarefas, já eram quatro da manhã, mas a mesma escuridão da meia-noite persistia. No momento em que o sino fez soar a hora, ouvi batidas na porta da frente. Desci para abri-la com o coração tranquilo — afinal, o que tinha a temer *agora*? Três homens entraram e se apresentaram, educadíssimos, como oficiais de polícia. Um vizinho ouvira um grito durante a noite, suspeitava-se de um crime, a informação chegara até a delegacia, e eles (os policiais) haviam sido convocados para investigar o local.

Sorri — pois *o que* poderia temer? Recebi de bom grado os cavalheiros. O grito, expliquei, fora meu, proferido em um sonho. Comentei que o velho estava viajando pelo interior. Acompanhei os visitantes por toda a casa. Instiguei-os a vasculhar tudo — a vasculhar *bem*. Por fim, conduzi-os até os aposentos do velho. Mostrei os bens dele, todos em segurança, intocados. No entusiasmo de minha confiança, trouxe cadeiras para o quarto e os convidei a descansar um pouco, enquanto eu, na louca audácia de meu crime perfeito, posicionei minha própria cadeira no exato local onde depusera o corpo da vítima.

Os policiais estavam satisfeitos. Meu *comportamento* os convencera. Eu estava completamente à vontade. Eles se sentaram e, enquanto os respondia com ânimo, conversavam entre si. Porém, não muito depois, senti que empalidecia e comecei a desejar que fossem embora. Minha cabeça doía e julguei escutar um zumbido em meus ouvidos, mas eles permaneciam sentados, conversando. O zumbido foi ficando mais distinto — prosseguia, tornando-se cada vez mais perceptível. Tentei sufocá-lo com uma torrente frouxa de palavras, mas continuava ganhando definição — até que, por fim, percebi que o barulho *não* estava alojado em meus ouvidos.

Sem dúvida, empalideci *ainda mais* — mas continuei falando sem parar, com um tom alguns decibéis mais alto. O som, porém, só aumentava. O que eu poderia fazer? Era um som *abafado e ligeiro — semelhante ao de um relógio envolto em algodão*. Eu estava sem fôlego, mas os policiais não pareciam escutar. Segui falando ainda mais depressa, com mais veemência; e o barulho ia aumentando, em uma cadência constante. Levantei-me e pus-me a debater sobre trivialidades, falando alto e gesticulando de maneira extravagante, mas o barulho aumentava mais e mais. Por que não iam embora? Comecei a andar pelo quarto, de um canto ao outro, com passadas firmes, como se as observações deles tivessem me despertado uma cólera — e o barulho aumentava cada vez mais. Meu Deus! O que eu *poderia* fazer? Espumei! Bradei! Xinguei! Girei a cadeira onde estava sentado e a arrastei pelo assoalho, mas o barulho predominava sobre os demais sons, subindo, sempre subindo. Ficando mais, e mais, *e mais alto*! E ainda assim, os policiais conversavam alegremente, sorrindo. Seria possível que não estivessem escutando? Meu Deus do céu! Não! Não! Eles ouviram! Estavam desconfiados! *Sabiam* de tudo! Estavam debochando de meu horror! Foi o que pensei na ocasião e ainda penso hoje. Mas qualquer coisa era melhor do que aquela agonia! Era possível tolerar tudo, menos aquele escárnio! Eu não podia mais suportar os sorrisos hipócritas! Não podia mais aguentar aqueles sorrisos! Era questão de gritar ou morrer! E então — mais uma vez — ouça! Mais e mais alto! Mais e mais alto! *Mais e mais alto!*

— Desgraçados! — gritei. — Não precisam dissimular mais! Eu confesso o crime! Removam as tábuas! Aqui! Aqui! São as batidas deste coração horrendo!

Detetive
Dupin

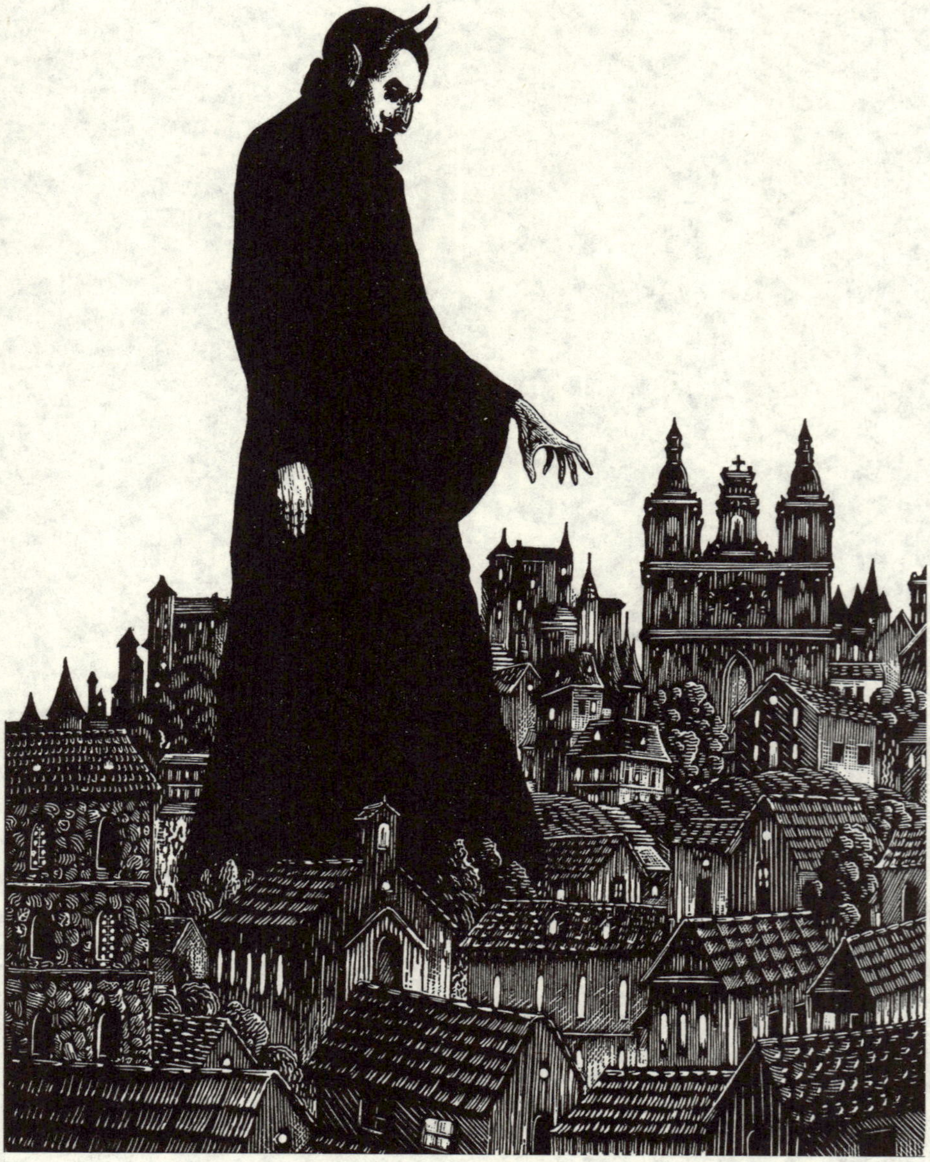

◂ DETETIVE DUPIN ▸

OS ASSASSINATOS
na
RUA MORGUE

EDGAR ALLAN POE
1841

*Que canções cantavam as sereias ou que nome Aquiles adotou
quando se escondeu entre as mulheres são mistérios que,
embora intrigantes, não estão além de todas as conjecturas.*
— Sir Thomas Browne —

As faculdades mentais referidas como analíticas são, por si só, pouco suscetíveis de análise. Nós as apreciamos somente em seus efeitos. Sabemos que, entre outras coisas, elas constituem, para quem as possui em grau extraordinário, uma fonte do mais vívido prazer. Assim como o homem forte exulta sua capacidade física, deleitando-se com atividades nas quais possa exercitar os músculos, o analista aprecia com entusiasmo as atividades morais capazes de *desembaraçar* a mente. Ele se regozija até mesmo das ocupações mais triviais que facultam o uso de seu talento. Aprecia enigmas, charadas, hieróglifos, exibindo em sua solução para cada um deles um grau de *perspicácia* que parece sobrenatural aos que possuem uma compreensão mais elementar do mundo. Suas conclusões, alcançadas pela alma e essência do método, apresentam, na verdade, um aspecto muito mais intuitivo.

A faculdade da resolução é, possivelmente, bastante fortalecida pelo estudo da matemática, sobretudo em seu ramo mais elevado que, de maneira injusta e apenas por causa de suas operações retrógradas, recebeu o nome de análise. Contudo, calcular não é o mesmo que analisar. Um enxadrista, por exemplo, calcula sem análise. Acontece que o xadrez, nos efeitos que produz no caráter mental, é altamente incompreendido. Não estou escrevendo um tratado, apenas prefaciando uma narrativa bastante peculiar com observações aleatórias; e aproveitarei a ocasião para afirmar que os poderes supremos do intelecto reflexivo são empregados de maneira mais indubitável e útil no despretensioso jogo de damas do que na frivolidade elaborada do xadrez. Neste último, onde as peças têm movimentos diferentes e *bizarros*, com valores variados e variáveis, o que é apenas complexo se confunde (um erro comum) com o profundo. A *atenção* é absolutamente essencial. Qualquer descuido dá ensejo à distração, provocando um deslize ou uma derrota. Uma vez que os movimentos possíveis não são apenas infinitos como intricados, as chances de distração são multiplicadas; e, em nove casos entre dez, o vencedor é o jogador mais concentrado, e não o mais inteligente. No jogo de damas, ao contrário, onde os movimentos são únicos e possuem pouca variação, as probabilidades de descuido são menores e, com o uso estrito da atenção sendo comparativamente menos importante, obtém mais vantagens o jogador que possui *inteligência* superior. Para ser menos abstrato — vamos imaginar um jogo de damas que tenha suas peças reduzidas a quatro reis e onde, é claro, não se pode esperar distração alguma. É óbvio que aqui a vitória pode ser decidida (estando os jogadores em igualdade de condições) apenas por um movimento muito raro, resultado de considerável esforço intelectual. Privado de recursos simples, o analista lança-se no espírito de seu oponente, identificando-se com ele, e diversas vezes vislumbra os métodos (muitas vezes de absurda simplicidade) pelos quais pode induzi-lo ao erro ou ao cálculo precipitado.

O uíste foi há muito notado por sua influência sobre o que se chama poder de cálculo, e sabe-se que homens de intelecto elevadíssimo extraem dele inenarrável prazer, considerando o xadrez frívolo. Sem dúvida, jogo algum exercita tanto a faculdade analítica. O melhor enxadrista do mundo *talvez* possa ser um pouco mais do que um bom jogador de xadrez, ao passo que a proficiência no uíste garante uma capacidade de sucesso em empreendimentos mais importantes, nos quais o embate das mentes é crucial. Quando digo proficiência, refiro-me à perfeição no jogo que inclui uma compreensão de *todas* as fontes de onde se pode extrair uma vantagem legítima. Essas não são apenas múltiplas, mas multiformes e jazem amiúde em recantos secretos do pensamento, inacessíveis à compreensão comum. Observar com atenção é lembrar com distinção; e, nesse sentido, o concentrado enxadrista vai ser dar muito bem no uíste, em que as regras de Hoyle (elas próprias baseadas no mero mecanismo do jogo) são suficientes e, em geral, compreensíveis. Assim, ter boa memória e agir conforme as regras são fatores comumente considerados como essenciais em um bom jogador. Porém, é nos assuntos que extrapolam os limites das regras que a habilidade do analista sobressai. Ele faz, em silêncio, uma horda de observações e deduções. É possível que seus companheiros também as façam, e a diferença na quantidade de informações obtidas encontra-se mais na qualidade da observação do que na validade da dedução. O conhecimento necessário está no *que* observar. Nosso jogador não se mantém de modo algum confinado; e também, porque o jogo é seu objetivo, não rejeita as deduções oriundas do ambiente externo. Ele examina a expressão de seu parceiro, comparando-a cuidadosamente com a de seus oponentes. Leva em consideração o modo como estão dispostas as cartas em cada mão, muitas vezes contando trunfo por trunfo, carta de honra por carta de honra, pelos olhares lançados por aqueles que as detêm. Observa cada variação facial à medida que o jogo avança, reunindo estofo de pensamento a partir das diferenças que percebe nas expressões de certeza, surpresa, triunfo ou desgosto. Pelo modo como um jogador recolhe uma vaza, ele julga se é capaz de fazer outra no mesmo naipe. Reconhece o que é blefe pelo modo como o jogador deita as cartas. Uma palavra casual ou inadvertida; a queda ou o revelar de uma carta, provocando ansiedade ou desdém para ocultá-la; a contagem das vazas, com a ordem de seu arranjo; o constrangimento, a hesitação, a avidez ou o sobressalto — tudo isso oferece à sua percepção aparentemente intuitiva indicações da real situação. Terminadas as primeiras duas ou terceiras rodadas, ele está em posse completa dos conteúdos de cada mão e, daí em diante, deita as cartas com uma precisão de propósito tão absoluta como se o resto do grupo estivesse com os jogos descobertos.

O poder analítico não deve ser confundido com simples perspicácia, pois, enquanto o analista é necessariamente perspicaz, o perspicaz muitas vezes se mostra incapaz de fazer uma análise. O poder construtivo ou combinatório pelo qual a engenhosidade costuma se manifestar, e para o qual os frenologistas (de forma equivocada, creio eu) atribuíram um órgão separado, supondo ser uma faculdade primitiva, tem sido com frequência reconhecido em indivíduos cujo intelecto beira a imbecilidade, fato que atraiu a observação de diversos autores e moralistas. Entre perspicácia e capacidade analítica, existe uma diferença muito maior, de fato, do que entre fantasia e imaginação, porém de caráter estritamente análogo. Por fim, percebemos que o perspicaz é sempre fantasioso, ao passo que o *verdadeiro* imaginativo será sempre analítico.

A narrativa que se segue parecerá ao leitor uma espécie de comentário sobre as proposições que acabo de tecer.

Morando em Paris durante a primavera e uma parte do verão de 18—, vim a conhecer um certo *monsieur* C. Auguste Dupin. Este jovem cavalheiro vinha de uma família excelente — na verdade, um clã ilustre —, mas, por força de uma variedade de adversidades, vira-se reduzido a tamanha pobreza que a energia de seu caráter sucumbiu e ele desistiu de reerguer-se perante o mundo, bem como engajar-se na recuperação da fortuna. Por cortesia de seus credores, ainda possuía uma pequena fração do patrimônio de outrora e, da renda que disso sobrevinha, conseguira, graças a uma rigorosa economia, assegurar suas necessidades de sobrevivência, dispensando os supérfluos. Os livros eram de fato seu único luxo e, em Paris, conseguia obtê-los com facilidade.

Nosso primeiro encontro foi em uma livraria obscura na rua Montmartre, onde o acaso de estarmos os dois em busca de um mesmo volume muito raro e extraordinário nos aproximou. Passamos a nos ver amiúde, estando eu bastante interessado em sua história familiar, a qual me detalhava com toda a candura de que um francês é capaz quando o assunto é a própria pessoa. Também muito me admirava com a vasta extensão de suas leituras; e, sobretudo, sentia a alma despertar no âmago pelo fervor ardente e o vívido frescor de sua imaginação. Buscando em Paris os objetivos que almejava na época, sentia que a companhia de um homem como ele seria um tesouro inestimável; e revelava-lhe tal sentimento com toda franqueza. Por fim, combinamos de morar juntos durante minha permanência na cidade e, uma vez que as circunstâncias mundanas em que me encontrava eram menos restritas do que as dele, pude alugar e decorar o lugar em um estilo que atendia à melancolia fantástica de nosso temperamento, uma grotesca mansão alquebrada pelo tempo, há muito abandonada por conta de superstições que não quisemos apurar, equilibrando-se parcamente em uma área reservada e desolada do Faubourg St. Germain.

Se a rotina de nossa vida neste local viesse a ser conhecida pelo mundo, teríamos sido tachados de loucos — embora, talvez, loucos inofensivos. Nossa reclusão era total. Não admitíamos visitas. De fato, a localidade do refúgio foi mantida em segredo, e meus antigos companheiros nada sabiam a respeito dela; quanto a Dupin, há muito deixara de conhecer e ser conhecido em Paris. Eu era a testemunha solitária de sua existência, e ele, da minha.

Era uma extravagância da parte de meu amigo (que outro termo posso usar?) ser enamorado pela Noite; e a essa bizarrice, assim como a todas as outras, aderi sem protestar, entregando-me aos seus loucos caprichos com total *abandono*. A divindade noturna não podia permanecer conosco o tempo todo, mas era possível emular sua presença. Aos primeiros raios da manhã, fechávamos todas as estropiadas venezianas da casa, acendendo um par de círios que, exalando um intenso perfume, filtravam apenas os raios mais débeis e sinistros. Com o auxílio dos círios, ocupávamos nossas almas com sonhos — lendo, escrevendo, conversando, até que o relógio acusasse o advento da escuridão real. Então, saíamos às ruas, de braços dados, dando continuidade aos assuntos do dia ou perambulando a esmo e à toa até alta madrugada; buscando, entre as doidas luzes e sombras da populosa cidade, essa imensidão da euforia mental que a contemplação silenciosa pode oferecer.

Em tais ocasiões, não podia deixar de perceber e admirar em Dupin (embora, levando em consideração sua imaginação prodigiosa, não pudesse ser diferente) uma capacidade analítica bastante peculiar. Era com afã que também parecia deliciar-se com esse exercício — ou em sua exibição — e não hesitava em confessar o quanto aquilo lhe dava prazer. Gabava-se dizendo, com uma risadinha abafada, que, para ele, a maioria dos homens trazia janelas no peito, e parecia-lhe prazeroso evidenciar tais afirmações oferecendo-me provas diretas e bastante impressionantes de seu íntimo conhecimento a respeito de minha própria intimidade. Nesses momentos, a postura de Dupin era fria e abstrata, os olhos pareciam vazios de expressão e a voz, normalmente um tenor encorpado, erguia-se em um timbre trêmulo que poderia parecer petulante, não fosse a intencionalidade e a distinção de sua fala. Observando-o nesse estado, eu muitas vezes ponderava acerca da velha filosofia da alma bipartida e entretinha-me com a fantasia de que havia dois Dupins — o criativo e o investigador.

Que não se suponha, segundo o que acabo de dizer, que esteja detalhando um mistério ou escrevendo um romance. O que descrevi sobre o francês é tão somente o resultado de uma inteligência estimulada em excesso ou até mesmo, quem sabe, doentia. No entanto, acerca da natureza de seus comentários nas ocasiões em questão, um exemplo servirá para transmitir melhor a ideia.

Estávamos passeando certa noite em uma rua comprida e imunda, nas vizinhanças do Palais Royal. Estando ambos, aparentemente, ocupados com seus pensamentos, nenhum de nós pronunciara sequer uma sílaba por pelo menos quinze minutos. De repente, meu amigo rompeu o silêncio com estas palavras:

— Ele é um sujeito muito pequeno, é verdade, e serviria mais para o Théâtre des Variétés.

— Não tenho a menor dúvida — respondi distraidamente, sem me dar conta de imediato (tão absorto que estava em minhas reflexões) da maneira extraordinária pela qual ele havia entrado em meus pensamentos. Logo em seguida, percebi o que havia acontecido e fiquei perplexo.

— Dupin — falei, muito sério — isso está além de minha compreensão. Não hesito em dizer que fico impressionado e mal posso acreditar em meus sentidos. Como é possível que você saiba que eu estava pensando em...? — Fiz aqui uma pausa para ter certeza absoluta de que ele realmente sabia de quem se tratava.

— Em Chantilly — completou. — Por que a pausa? Você estava pensando que a estatura muito baixa dele o torna inadequado para interpretar tragédias.

Era exatamente aquilo que estivera pensando. Chantilly era um velho sapateiro da rua St. Denis que, tendo sido contaminado pela febre dos palcos, tentara o papel de Xerxes na tragédia homônima de Crébillon e fora achincalhado em público por seu fracasso.

— Diga-me, pelo amor de Deus — supliquei — que método, se é que existe um método para isso, você empregou para ser capaz de ler minha mente desse jeito. — A verdade é que estava mais atônito do que pretendia transparecer.

— Foi o fruteiro — retrucou meu amigo — que o levou a concluir que o remendador de solas não tinha altura suficiente para Xerxes *et id genus omne*.[1]

— O fruteiro? Como assim? Não conheço fruteiro algum!

— O sujeito que lhe deu um esbarrão assim que dobramos a rua, há uns quinze minutos.

---

[1] Em latim no original: "E todo esse tipo de coisa".

Lembrei-me então de que, realmente, um fruteiro, carregando uma ampla cesta de maçãs na cabeça, quase me derrubara, sem querer, na junção da rua C— até a via pública onde estávamos naquele momento. Porém, o que aquilo tinha a ver com Chantilly, eu não conseguia entender.

Não havia uma única partícula de pilhéria em Dupin.

— Explico — disse ele — e, para que você possa compreender tudo com clareza, vamos primeiro rastrear o curso de seus pensamentos, do momento em que falei com você até o encontro com o fruteiro em questão. Os elos da corrente são os seguintes: Chantilly, Orion, dr. Nichols, Epicuro, estereotomia, as pedras na calçada e o fruteiro.

Poucos são aqueles que nunca, em algum momento de suas vidas, se entretiveram refazendo o percurso pelo qual determinadas conclusões surgiram em suas mentes. É uma ocupação deveras interessante; aquele que a experimenta pela primeira vez fica impressionado com a distância aparentemente ilimitada e incoerente entre o ponto de partida e a conclusão. Imaginem qual foi, assim, a minha surpresa quando ouvi o francês rastrear meu pensamento e percebi que não podia deixar de reconhecer que ele acertara em tudo. Dupin prosseguiu:

— Estávamos falando sobre cavalos, se não me engano, um pouco antes de sairmos da rua C—. Foi o último assunto que discutimos. Ao atravessarmos para essa rua, um fruteiro, com uma ampla cesta na cabeça, passou às pressas por nós, empurrando-lhe sobre uma pilha de paralelepípedos agrupados em um canto em obras da calçada. Você pisou em um dos fragmentos soltos, escorregou e torceu levemente o calcanhar, ficou sem graça e amuado, resmungou algumas palavras e fitou a pilha, prosseguindo em silêncio. Eu não estava exatamente atento ao que fazia, mas, de uns tempos para cá, a observação se tornou uma espécie de hábito inevitável.

"Você manteve o olhar fixo no chão, olhando de soslaio, com expressão petulante, para os buracos e as valas na calçada (de modo que percebi que ainda estava pensando nas pedras), até que alcançamos o pequeno beco chamado Lamartine, que foi asfaltado, à guisa de experimento, com blocos rebitados sobrepostos. No local, seu semblante se iluminou e, percebendo que movia os lábios, não tenho dúvidas de que murmurou a palavra "estereotomia", um termo aplicado, de maneira afetada, a esse tipo de calçada. Eu sabia que não seria capaz de pronunciar a palavra "estereotomia" sem pensar em atomias e, consequentemente, nas teorias de Epicuro; e, quando discutimos o assunto há pouco tempo, mencionei que, de modo singular, embora pouco comentado, as vagas elucubrações do nobre grego estavam sendo confirmadas pela recente cosmogonia nebular; senti então que você não poderia evitar erguer os olhos na direção da grande nebulosa de Orion, e eu decerto esperava que o fizesse. Você olhou para o céu e foi assim que tive certeza de que conseguira rastrear seus passos corretamente. Na amarga tirada que ridicularizava Chantilly, publicada ontem no *Musée*, o crítico fez algumas alusões debochadas sobre como o sapateiro 'pisoteou a tragédia' e citou uma frase em latim a respeito da qual já conversamos algumas vezes: *Perdidit antiquum litera prima sonum*[2] Dissera-lhe que esse verso se referia a Orion, outrora escrito Urion e, devido a certas peculiaridades associadas a tal explicação, tinha certeza de que você não a teria esquecido. Ficou claro, assim, que não deixaria de associar Orion a Chantilly. Que de fato os associara ficou evidente pelo sorriso que esboçou em seguida. Lembrava-se da humilhação do pobre sapateiro. Até então, você estava andando encurvado; mas, nesse momento, empertigou-se para exibir sua altura. Foi então que tive certeza de que você refletia sobre a figura diminuta de Chantilly. Nesse ponto, interrompi suas meditações para comentar que, de fato, ele era um sujeito *realmente* muito baixo, Chantilly, e que serviria mais para o Théâtre des Variétés."

Pouco tempo transcorreu depois disso quando, enquanto olhávamos a edição vespertina da *Gazette des Tribunaux*, os seguintes parágrafos chamaram nossa atenção:

---

2   Em latim no original: "A primeira letra perdeu seu som original".

ASSASSINATOS BIZARROS

Esta manhã, por volta das três da madrugada, os habitantes do Quartier St. Roch foram despertados do sono por uma sucessão de terríveis gritos, vindos, aparentemente, do quarto andar de uma casa na rua Morgue, cujas únicas moradoras conhecidas eram madame L'Espanaye e sua filha, *mademoiselle* Camille L'Espanaye. Com algum atraso, ocasionado por uma tentativa inútil de entrar no local pelas maneiras usuais, o portão foi arrombado com um pé de cabra, e oito ou dez vizinhos adentraram a casa, acompanhados por dois policiais. A essa altura, os gritos haviam cessado; mas, enquanto o grupo apressava-se pelo primeiro lance de escadas, puderam distinguir duas ou mais vozes guturais, em tom de raivosa contenta, que pareciam vir da parte superior da construção. Quando o grupo alcançou o segundo andar, as vozes também cessaram, descendo sobre o local um silêncio profundo. O grupo se dividiu, espalhando-se depressa pelos cômodos. Ao chegarem em um amplo aposento de fundos no quarto andar (cuja porta, trancada à chave pelo lado de dentro, precisou ser arrombada), os presentes se depararam com uma cena que os atingiu com horror e surpresa.

O cômodo encontrava-se na mais absoluta desordem — os móveis quebrados e espalhados por todo lado. Havia apenas um estrado de onde a cama havia sido removida e atirada no meio do aposento. Sobre uma cadeira, via-se uma navalha manchada de sangue. Na lareira, havia duas ou três mechas longas e espessas de cabelo grisalho humano, também manchadas de sangue, aparentemente removidas pela raiz. No chão encontraram quatro napoleões, um brinco de topázio, três grandes colheres de prata, três colheres menores de *métal d'Alger* e duas bolsas, contendo aproximadamente quatro mil francos em ouro. As gavetas de uma cômoda, em um dos cantos do aposento, estavam abertas e haviam sido, a julgar por seu estado, saqueadas, embora muitos pertences ainda estivessem intactos. Um pequeno cofre de ferro foi descoberto debaixo da *cama* (não do estrado). Estava aberto, com a chave ainda no encaixe da fechadura. Encontrava-se vazio, com exceção de algumas cartas velhas e outros papéis desimportantes.

Não foi encontrado vestígio de madame L'Espanaye; no entanto, observou-se uma quantidade incomum de fuligem na lareira. Uma busca foi conduzida na chaminé e (é com pesar que relatamos) o corpo de sua filha, encontrado de cabeça para baixo, foi de lá removido, tendo sido espremido na estreita abertura por uma considerável distância. O corpo ainda estava quente. O exame revelou muitas escoriações, sem dúvida ocasionadas pela violência com a qual foi empurrado e pelo esforço empreendido para removê-lo do local onde se encontrava. O rosto estava coberto por incontáveis arranhões e, na garganta, havia hematomas escuros e marcas profundas de unhas, como se a vítima tivesse sido estrangulada.

Após minuciosa investigação por toda a casa, sem nenhuma nova descoberta, o grupo avançou até um pequeno pátio nos fundos, onde o corpo da senhora foi encontrado com um corte tão profundo na garganta que, quando tentaram levantá-la, a cabeça se desprendeu do tronco, que estava terrivelmente mutilado, da mesma forma que o rosto — desfigurado a ponto de mal guardar qualquer semelhança com a forma humana.

Ainda não foi encontrada, até onde tomamos conhecimento, nenhuma pista para este tenebroso mistério.

O jornal do dia seguinte trazia as seguintes informações adicionais:

A tragédia na rua Morgue. Diversos indivíduos foram interrogados em relação a este caso extraordinário e assustador [a palavra "caso" ainda não possuía, na França, a frivolidade que a atribuímos], mas nenhum deles logrou esclarecê-lo. Abaixo, publicamos todos os depoimentos recolhidos.

Pauline Dubourg, lavadeira, declarou conhecer as duas falecidas há três anos, tendo trabalhado para elas durante o período. A velha senhora e sua filha pareciam se dar muito bem — muito afetuosas uma com a outra. Eram generosas nos pagamentos. Não soube informar de que ou como viviam. Acreditava que madame L. ganhava a vida como cartomante. Diziam que tinha dinheiro guardado. Jamais encontrou alguém quando ia buscar ou levar as roupas. Tinha certeza de que não tinham nenhum empregado. A casa não parecia mobiliada, com exceção do quarto andar.

Pierre Moreau, que trabalha na tabacaria, declarou que vendia pequenas quantidades de tabaco e rapé para madame L'Espanaye havia quase quatro anos. Nasceu na vizinhança e sempre morou no mesmo local. Há mais de seis anos a falecida e sua filha ocupavam a casa onde os seus cadáveres foram encontrados. Anteriormente, a morada pertencera a um joalheiro, que sublocava os cômodos superiores para várias pessoas. A casa era propriedade de madame L. Ela andara insatisfeita com o modo descuidado com que o locatário tratava a casa e decidira mudar para lá, recusando-se a alugar os cômodos. A velha senhora parecia bem infantil. A testemunha avistou a filha apenas cinco ou seis vezes no decorrer dos seis anos. As duas levavam uma vida reclusa — comentavam que tinham dinheiro. Ouvira dizer entre os vizinhos que madame L. era cartomante — não acreditava. Nunca vira ninguém entrar na casa, a não ser a velha senhora e a filha, um carregador, duas ou três vezes, e um médico, umas oito ou dez vezes.

Muitas outras pessoas, vizinhos, atestaram o mesmo. Desconheciam quem tivesse frequentado a casa. Não sabiam se madame L. e sua filha tinham parentes vivos. As venezianas das janelas da frente raramente eram abertas. As dos fundos da casa estavam sempre fechadas, com exceção do cômodo posterior mais amplo, no quarto andar. A casa era boa, não muito antiga.

Isidore Musèt, policial, depôs que foi chamado à casa por volta das três da madrugada e encontrou cerca de vinte ou trinta pessoas no portão, as quais tentavam entrar. Declarou tê-lo arrombado, por fim, com uma baioneta — não um pé de cabra, como afirmado anteriormente. Teve pouca dificuldade para abri-lo, por se tratar de um portão dobrável que não estava trancado nem em cima, nem em baixo.

Os gritos perduraram até o arrombamento do portão — depois, cessaram de repente. Pareciam gritos de uma pessoa (ou de mais de uma) em grande agonia: altos e demorados, e não curtos e rápidos. A testemunha conduziu o grupo pelas escadas. Ao alcançar o primeiro andar, ouviu duas vozes em uma altercação sonora e raivosa: uma mais gutural, a outra mais estridente: uma voz muito estranha. Conseguiu distinguir algumas palavras da voz mais grossa, que era de um francês. Tinha certeza de que não se tratava de uma voz feminina. Conseguiu distinguir as palavras *sacré e diable*. A voz estridente era de um estrangeiro. Não conseguiu definir com certeza se era masculina ou feminina. Não conseguiu entender o que estavam dizendo, mas achava que falavam em espanhol. O estado do quarto e dos corpos encontrados foram descritos por essa testemunha como os descrevemos ontem.

Henri Duval, um vizinho, que trabalha na confecção de peças de prata, declarou estar junto com o grupo que entrou primeiro na casa. Em geral, colaborou com o depoimento de Musèt. Assim que entraram na casa à força, tornaram a fechar a porta para impedir o acesso da multidão que rapidamente se agrupou na porta do local, a despeito da hora avançada. A voz estridente, crê a testemunha, falava em italiano. Tem certeza de que não era francês. Não pode afirmar se era uma voz masculina. Talvez fosse a voz de uma mulher. Não fala italiano. Não conseguiu distinguir as palavras, mas estava convencido, pela entonação, de que o falante era italiano. Conhecia madame L. e filha. Conversava frequentemente com as duas. Tem certeza de que a voz estridente não era de nenhuma das duas falecidas.

—— *Odenheimer*, dono de restaurante. A testemunha ofereceu seu depoimento voluntariamente. Por não falar francês, teve auxílio de um intérprete. É nativo de Amsterdã. Estava passando pela casa quando ouviu os gritos. Afirma que duraram vários minutos — provavelmente, dez. Eram gritos duradouros e altos, muito terríveis e perturbadores. Estava entre os que entraram na casa. Colaborou com as evidências previamente atestadas, com exceção de um fator. Estava convencido de que a voz estridente era masculina e de um francês. Não conseguiu distinguir as palavras. Foram ditas em um tom alto e rápido — desigual — que parecia mesclar medo e raiva. A voz era áspera — mais áspera do que estridente. Não a considerava estridente de modo algum. A voz mais rouca repetiu as palavras *sacré*, *diable* e disse, apenas uma vez, *mon Dieu*.

Jules Mignaud, banqueiro da firma Mignaud et Fils, na rua Deloraine. Trata-se de Mignaud sênior. Madame L'Espanaye tinha algum patrimônio. Abrira uma conta em seu estabelecimento na primavera do ano ——(há oito anos). Fazia depósitos frequentes em pequenas quantias. Nunca havia feito um saque até três dias antes de sua morte, quando retirou pessoalmente a quantia de quatro mil francos. A soma foi paga em ouro e um funcionário do banco a acompanhou até em casa.

Adolphe Le Bon, funcionário do banco Mignaud et Fils, declarou que, no dia em questão, por volta de meio-dia, acompanhou madame L'Espanaye até sua residência com os quatro mil francos divididos em duas bolsas. Assim que abriram a porta, *mademoiselle* L. surgiu e apanhou uma das bolsas de suas mãos, enquanto a velha senhora recolheu a outra. Ele as cumprimentou e saiu. Não viu ninguém na rua na ocasião. É uma viela bastante deserta.

William Bird, alfaiate, declarou ter entrado com o grupo na casa. É inglês. Mora em Paris há dois anos. Foi um dos primeiros a subir as escadas. Ouviu as vozes em discussão. A voz mais grossa era de um francês. Conseguiu compreender várias palavras, mas não se recorda mais do que foi dito. Ouviu as palavras *sacré* e *mon Dieu* com distinção. Detectou um som semelhante ao de uma briga coletiva — um barulho no assoalho, como se estivesse sendo arranhado e como se pés estivessem se arrastando no chão. A voz estridente era muito alta — mais alta do que a rouca. Tem certeza de que não se tratava da voz de um inglês. Parecia ser alemão. Acha que pode ter sido uma voz feminina. Não fala alemão.

Quatro das testemunhas supracitadas, sendo chamadas para prestar novo depoimento, atestaram que a porta do aposento onde o corpo de *mademoiselle* L. foi encontrado estava trancada por dentro quando o grupo chegou lá. O silêncio era total: não ouviram gemidos ou qualquer outro som. Quando arrombaram a porta, não avistaram ninguém no interior do cômodo. As janelas, tanto as do quarto dos fundos quanto as da frente, estavam fechadas e trancadas por dentro. A porta que conectava os dois ambientes estava fechada, mas sem tranca. A porta que dava do cômodo da frente para o corredor estava trancada por dentro, com a chave na fechadura. Um pequeno cômodo na parte da frente da casa, no quarto andar, junto ao corredor, estava aberto, com a porta escancarada. Este aposento estava lotado de camas velhas, caixas e demais itens do gênero. Foram todos cuidadosamente removidos e examinados. Não há um palmo da moradia que não tenha sido examinado com minúcia. Limpadores profissionais foram usados em toda a extensão das chaminés, de cima a baixo. A casa tinha quatro andares, com mansardas. Um alçapão no telhado estava pregado com bastante firmeza e parecia não ter sido aberto há muitos anos. As testemunhas ofereceram relatos diversos acerca do tempo transcorrido entre o som das vozes e o arrombamento da porta. Algumas declararam terem se passado apenas três minutos — outras, cinco. A porta foi arrombada com dificuldade.

Alfonzo Garcio, agente funerário, declarou que reside na rua Morgue. É nativo da Espanha. Estava com o grupo que entrou na casa. Não subiu as escadas. Tem temperamento nervoso e se disse apreensivo com as consequências da agitação em seus nervos. Ouviu as vozes em discussão. A voz mais rouca era a de um francês. Não conseguiu discernir o que ele dizia. A voz estridente era de um inglês — disse ter certeza absoluta. Não compreende a língua inglesa, mas julgou ser inglês pela entonação.

Alberto Montani, confeiteiro, declarou ter sido um dos primeiros a subir as escadas. Ouviu as vozes em questão.

A voz mais grossa pertencia a um francês. Compreendeu várias palavras. O falante parecia estar admoestando alguém. Não conseguiu entender uma palavra dita pela voz estridente. Falava depressa e de maneira confusa. Acha que pode ser russo. Colaborou com o testemunho dos demais. É italiano. Nunca conversou com um russo.

Diversas testemunhas, chamadas a depor novamente, declararam que as chaminés de todos os cômodos no quarto andar eram estreitas demais para permitir a passagem de um ser humano. Por "limpadores profissionais" referiam-se às escovas cilíndricas usadas pelos profissionais na limpeza das chaminés. As escovas foram passadas de cima a baixo em cada cano de chaminé da casa. Não havia saída alguma nos fundos pela qual alguém pudesse ter escapado enquanto o grupo subia as escadas. O corpo de *mademoiselle* L'Espanaye estava entalado de tal maneira na chaminé que foi necessário o esforço coletivo de quatro ou cinco voluntários do grupo para removê-lo.

Paul Dumas, médico, depôs que foi chamado para examinar os corpos ao raiar do dia. As vítimas jaziam deitadas no estrado de juta da cama, no cômodo onde *mademoiselle* L. foi encontrada. O corpo da jovem estava coberto por hematomas e escoriações. O fato de ter sido espremido chaminé acima, por si só, já justificaria sua aparência. A garganta estava bem esfolada. Havia diversos arranhões profundos logo abaixo do queixo, junto com uma série de manchas lívidas que constituíam, evidentemente, marcas deixadas por dedos. O rosto estava descorado, e os olhos pareciam saltar das órbitas. A língua havia sido parcialmente mordida. Um extenso hematoma foi descoberto na base do estômago, causado, ao que tudo indicava, pela pressão de um joelho. Na opinião de M. Dumas, *mademoiselle* L'Espanaye havia sido estrangulada até a morte por uma ou mais pessoas desconhecidas. O corpo da mãe estava terrivelmente mutilado. Quase todos os ossos da perna e do braço direito foram esfacelados. A tíbia esquerda estava bastante fraturada, bem como todas as costelas do lado esquerdo. O corpo inteiro estava coberto de hematomas, com uma palidez hedionda. Não era possível determinar como as lesões haviam sido infligidas. Um porrete pesado de madeira ou uma barra grossa de ferro, uma cadeira, qualquer arma grande, pesada e incisiva poderia ter provocado tais resultados, se manipulada por um homem muito forte. Nenhuma mulher poderia ter causado as lesões, com qualquer arma que fosse. A cabeça da falecida, quando vista pela testemunha, estava inteiramente separada do corpo, também bastante esmagada. A garganta fora cortada com algum instrumento bem afiado — uma navalha, a julgar pela aparência.

Alexandre Etienne, cirurgião, foi convocado com M. Dumas para examinar os corpos. Colaborou com o depoimento e as opiniões de M. Dumas.

Nenhuma informação adicional importante foi apurada, embora muitas outras pessoas tenham sido ouvidas. Um assassinato tão misterioso e estarrecedor em suas minúcias jamais foi cometido em Paris — se, de fato, tratar-se de um assassinato. A polícia está inteiramente no escuro, uma ocorrência rara em casos desta natureza. Não há, contudo, sequer a sombra de uma pista.

A edição vespertina do jornal noticiara que ainda havia muita comoção no Quartier St. Roch — que a residência em questão havia sido mais uma vez vasculhada com apuro e que haviam colhido novos depoimentos de testemunhas, mas em vão. Um pós-escrito, entretanto, mencionava que Adolphe Le Bon havia sido capturado e preso — embora não houvesse nenhum motivo aparente para incriminá-lo, além dos fatos já detalhados.

Dupin parecia nutrir um interesse singular pelos desdobramentos desse caso — pelo menos, assim aferi por seu comportamento, pois ele não teceu comentário algum a respeito. Foi somente após o anúncio de que Le Bon fora preso que ele quis saber minha opinião sobre os crimes.

Só me restava concordar com Paris inteira e considerá-los um mistério insolúvel. Não via meios possíveis de rastrear o assassino.

— Não devemos julgar os meios — disse Dupin — por esta investigação tão superficial. A polícia parisiense, tão exaltada por sua *perspicácia*, é astuta, mas nada além disso. Não há método em seus procedimentos, além do método do imediato. Desfilam uma série de medidas, que, não raro, são tão inapropriadas aos seus objetivos que nos fazem lembrar de *monsieur* Jourdain, pedindo seu *robe de chambre* "para ouvir melhor a música".[3] Os resultados obtidos muitas vezes podem até ser surpreendentes, mas, em grande parte, são alcançados por mera diligência e atividade. Quando tais recursos não estão disponíveis, seus esquemas fracassam. Vidocq, por exemplo, tinha talento para adivinhações, mas também era um homem perseverante. Contudo, sem uma metodologia de pensamento, pecava amiúde pela própria intensidade de suas investigações. Prejudicava sua visão examinando o objeto muito de perto. Podia enxergar, talvez, um ou dois pontos com rara clareza, mas, ao fazê-lo, perdia de vista uma apreensão do conjunto. Ser profundo demais é um risco real. A verdade nem sempre está no fundo de um poço. Na realidade, no que diz respeito ao conhecimento mais importante, creio que é invariavelmente superficial. A profundidade está nos vales onde a buscamos, e não nos cumes de montanha onde é encontrada. Os modos e as fontes desse tipo de erro são bem ilustrados na contemplação dos corpos celestiais. Contemplar uma estrela de relance, vê-la com os cantos dos olhos, voltar em sua direção a parte exterior da *retina* (mais suscetível às débeis impressões da luz do que a parte interior) é vê-la distintamente, melhor apreciando seu brilho, um brilho que empalidece à medida que a fitamos com olhar *fixo*. Nesse caso, uma grande quantidade de raios de fato recai sobre os olhos, mas, naquele, há uma capacidade mais refinada de compreensão. Por um exagero de profundidade, enfraquecemos o pensamento; é possível fazer até mesmo Vênus desaparecer do firmamento em um escrutínio muito intenso, muito concentrado ou muito direto. Quanto aos assassinatos, vamos examiná-los nós mesmos, antes de emitirmos qualquer opinião a respeito. A investigação

---

[3] Referência ao personagem da peça *O burguês fidalgo* (1670), de Molière.

há de ser divertida. — Julguei estranho o emprego dessa palavra, mas não fiz nenhum comentário. — E, além do mais, Le Bon certa vez me prestou um serviço pelo qual sou muito grato. Vamos até lá para ver o local com os próprios olhos. Eu conheço G., o comissário de polícia, e não terei dificuldade em obter a permissão necessária.

Obtida a permissão, seguimos sem demora para a rua Morgue. Era uma dessas vielas infelizes entre a rua Richelieu e a St. Roch. Chegamos lá no fim da tarde, uma vez que esta região da cidade ficava bem longe de onde residíamos. Não tivemos dificuldade para encontrar a casa; ainda havia muitas pessoas fitando as venezianas fechadas, com uma curiosidade sem objetivo, do outro lado da rua. Era uma típica residência parisiense: possuía uma guarita de vidro em um dos lados do portão, com um painel de correr na janela, indicando um *loge de concierge*. Antes de entrarmos, caminhamos até o fim da rua, dobramos em um beco e, contornando mais uma vez, passamos pelos fundos da casa. Dupin, entrementes, examinava toda a vizinhança, bem como a casa em si, com uma atenção minuciosa para qual não pude detectar nenhum objeto possível.

Refazendo nossos passos, voltamos para a entrada da casa, tocamos a campainha e, após mostrarmos nossas credenciais, fomos admitidos pelos agentes policiais de plantão. Subimos as escadas até o cômodo onde o corpo de *mademoiselle* L'Espanaye havia sido encontrado e onde ainda se encontravam as duas falecidas. A desordem do aposento permanecia intacta. Não vi nada além do que fora relatado na *Gazette des Tribunaux*. Nada — sequer os corpos das vítimas — escapou do escrutínio de Dupin. Depois, entramos nos demais cômodos e no pátio; um policial nos acompanhou durante todo o percurso. O exame nos manteve ocupados até a noite, quando decidimos partir. No caminho de volta para casa, meu amigo parou rapidamente na redação de um dos jornais diários.

Já disse que meu amigo tinha uma variedade de manias, e que *Je les ménagais* — não existe equivalente em outra língua para essa frase.[4]

---

4   Em francês no original: "Eu as tolerava com leniência".

Sendo assim, não me surpreendi quando um dia inteiro transcorreu sem que ele mencionasse os assassinatos. No dia seguinte, porém, por volta do meio-dia, perguntou-me de repente se eu havia notado algo *peculiar* na cena do crime.

Alguma coisa no modo como enfatizou a palavra "peculiar" me fez estremecer, sem saber o motivo.

— Não, nada *peculiar* — respondi. — Pelo menos, nada além do que lemos no jornal.

— Receio que a *Gazette* — retrucou ele — tenha amenizado o horror incomum dos crimes. Mas esqueça as insuficientes opiniões do jornal. Parece-me que este mistério é considerado insolúvel exatamente pelo mesmo motivo que deveria fazer com que o vissem como de fácil solução: a saber, pelo caráter *outré* de suas particularidades. A polícia está desconcertada pela aparente ausência de um motivo; não pelos assassinatos em si, mas por sua atrocidade. Também está intrigada pela suposta impossibilidade de conjugar as vozes ouvidas em discussão no andar superior da casa com o fato de que não havia ninguém lá em cima além da falecida *mademoiselle* L'Espanaye, e que a única rota possível de fuga era pelas escadas, onde o criminoso teria sido surpreendido pelo grupo que subia. A desordem absoluta que encontraram no aposento, o cadáver entalado na chaminé de cabeça para baixo, o modo como o corpo da velha senhora fora mutilado de maneira grotesca; todos esses aspectos, mais as considerações que acabo de mencionar e outras que dispensam comentários, foram suficiente para paralisar os agentes do governo, pois colocaram em xeque a *perspicácia* da qual costumam se vangloriar. Caíram no terrível mas frequente erro de confundir o insólito com o incógnito. No entanto, é nestes desvios do escopo do que é comum que a razão tateia seu caminho, quando existente, em busca da verdade. Em uma investigação como a que estamos nos engajando agora, não deveríamos perguntar "O que aconteceu?", e sim "O que aconteceu, mas nunca aconteceu antes?". Na verdade, a facilidade com a qual chegarei, ou já cheguei, à solução desse mistério é proporcional à sua aparente insolubilidade aos olhos da polícia.

Fitei meu interlocutor com muda perplexidade.

— Agora mesmo estou esperando — prosseguiu ele, olhando para a porta de nosso apartamento — estou esperando uma pessoa que, embora não seja o autor das atrocidades, deve estar, em alguma medida, envolvido com os crimes. Da pior parte, ele provavelmente é inocente. Espero estar correto em minha suposição, pois nela embasei toda esperança de solucionar o enigma. Ele estará aqui, neste aposento, a qualquer momento. É bem verdade que pode não aparecer, mas o mais provável é que apareça. Se ele vier, será necessário detê-lo. Aqui estão as pistolas, e sabemos usá-las quando a ocasião exige seu uso.

Peguei as pistolas, sem saber ao certo o que fazer ou no que acreditar, enquanto Dupin prosseguia, como em um solilóquio. Já mencionei como adotava um ar meditativo nessas ocasiões. O discurso dele era direcionado a mim, mas a voz, embora de modo algum alta, tinha a entonação que costumamos empregar quando nosso interlocutor está bem longe. Os olhos, vazios de expressão, fitavam apenas a parede.

— As evidências já provaram amplamente que as vozes ouvidas pelo grupo que subia as escadas não pertenciam às duas mulheres. Isso descarta a possibilidade de que a velha senhora tenha matado a filha e depois cometido suicídio. Cito essa hipótese somente por uma questão de método, pois madame L'Espanaye não teria força suficiente para empurrar o cadáver da filha chaminé acima tal como foi encontrado, e a natureza das lesões vistas no corpo da velha senhora não é compatível com a ideia de terem sido causadas por ela própria. O assassinato foi então cometido por outras pessoas, cujas vozes foram ouvidas em discussão. Volto minha atenção agora não para os depoimentos acerca das vozes em si, mas para o que há de peculiar neles. Você notou algo *peculiar*?

Respondi que, embora todas as testemunhas tenham concordado na suposição de que a voz mais grossa era de um francês, havia muito desacordo em relação à voz estridente ou, como umas das testemunhas a chamara, a voz áspera.

— Essa foi a evidência — falou Dupin — não a peculiaridade da evidência. Você não observou nada fora do comum. Porém, há *algo* a ser observado. As testemunhas, como você afirmou, concordaram a respeito da voz mais grossa; foram unânimes nesse sentido. Porém, em relação à voz estridente, a peculiaridade não é o fato de terem discordado, e sim que, embora um italiano, um inglês, um espanhol, um holandês e um francês não tenham chegado a uma conclusão sobre o idioma que ouviram, todos declararam ser *uma língua estrangeira*. Cada um deles tinha certeza de que não se tratava de seu idioma nativo. Todos compararam a voz não com a de indivíduo de uma nação cuja língua dominassem, mas o oposto. O francês supôs que fosse a voz de um espanhol, afirmando que "teria compreendido algumas palavras *se soubesse espanhol*". O holandês insistiu que se tratava de um francês, mas o jornal nos informara que "*por não falar francês, teve o auxílio de um intérprete*". O inglês julgou ser a voz de um alemão, mas "*não fala alemão*". O espanhol "tem certeza absoluta" de que era um inglês, mas "julgou ser inglês pela entonação" e "*não compreende a língua inglesa*". O italiano disse ser a voz de um russo, mas "*nunca conversou com um russo*". O outro francês discordou do primeiro e afirmou estar certo de que se tratava de um italiano, mas, *não dominando o idioma*, se disse, assim como o espanhol, "convencido pela entonação". Agora, quão extraordinariamente incomum deveria ser a tal voz para suscitar esses depoimentos! Uma voz cuja *entonação* não pode ser reconhecida como familiar por cidadãos das cinco grandes divisões da Europa! Você pode alegar ser a voz de um asiático ou de um africano. Nem um, nem outro são abundantes em Paris, mas, sem negar a suposição, vou apenas chamar sua atenção para três pontos. A voz é descrita por uma das testemunhas como "mais áspera do que estridente". Outras duas testemunhas a descrevem como rápida e *desigual*. Nenhuma testemunha conseguiu discernir alguma palavra ou som que se assemelhasse a uma palavra.

Dupin prosseguiu:

— Ainda não sei que impressão posso ter causado até agora em seu próprio entendimento, mas não hesito em dizer que deduções legítimas até mesmo acerca dessa parte dos depoimentos, que diz respeito à voz grossa e à estridente, são por si só suficientes para engendrar uma suspeita que deve direcionar todo o progresso subsequente na investigação do mistério. Falo em "deduções legítimas", mas pretendo expressar muito mais. Pretendo sugerir que as deduções são as únicas apropriadas e que minha suspeita *inevitavelmente* surge delas como resultado excepcional. Que suspeita seria essa, entretanto, não revelarei ainda. Quero apenas que você tenha em mente que, de minha parte, ela foi forte o bastante para dar uma forma definida às investigações no local.

"Vamos nos transportar em imaginação para aquele cômodo. O que devemos buscar primeiro? Os meios de saída usados pelos assassinos. Cabe ressaltar que nenhum de nós dois acredita em acontecimentos sobrenaturais. Madame e *mademoiselle* L'Espanaye não foram diaceradas por espíritos. Os responsáveis pelos crimes eram de carne e osso e não escaparam de uma maneira mágica. Então, como? Por sorte, existe um único modo de raciocínio nesse ponto e ele *deve* nos conduzir a uma decisão definida. Vamos examinar, um por um, os possíveis meios de saída. Está claro que os assassinos estavam no quarto onde *mademoiselle* L'Espanaye foi encontrada, ou pelo menos no cômodo contíguo, quando o grupo subiu as escadas. Assim, temos de buscar apenas as saídas desses dois aposentos. A polícia escrutinou os assoalhos, os tetos e a alvenaria das paredes, em todas as direções. Nenhuma passagem *secreta* poderia ter escapado ao exame minucioso. Contudo, não confiando nos olhos *deles*, examinei com os meus. De fato, *não* havia passagem secreta alguma. As duas portas que davam dos quartos para o corredor estavam firmemente trancadas à chave por dentro. Passemos às chaminés. Essas, embora tivessem a largura padrão de dois metros e meio ou três acima das lareiras, não ofereceriam espaço suficiente, em sua extensão, para alojar o corpo de um gato grande. Uma vez atestada a impossibilidade de saída pelos meios já citados, estamos reduzidos às janelas. Pelas do aposento da frente, ninguém poderia ter escapado sem ter sido visto pela multidão na rua. Os assassinos, então, *devem* ter passado pelas janelas do quarto dos fundos. Agora que chegamos a essa conclusão de forma tão inequívoca, não nos cabe, como homens de raciocínio, rejeitá-la por conta de suas aparentes impossibilidades. Só nos resta provar que essas aparentes 'impossibilidades' não são assim tão impossíveis.

"Existem duas janelas no quarto. Uma está desobstruída pela mobília e é completamente visível. A parte inferior da outra é tapada pela cabeceira do leito, que estava encostada na janela. A primeira foi encontrada fechada por dentro. Resistiu à força dos que tentaram abri-la. Um largo buraco de broca havia sido feito no lado esquerdo do caixilho da janela e um prego bem grosso e resistente foi encontrado lá dentro, fixado quase até a cabeça. Examinando a outra janela, um prego semelhante foi encontrado, inserido da mesma maneira; a tentativa vigorosa de suspender um dos painéis de madeira da janela também foi em vão. A polícia ficou totalmente convencida de que a saída não se dera por nenhuma das duas. Acharam desnecessário remover os pregos e abrir as janelas.

"Meu exame foi mais minucioso, pelo motivo que acabei de oferecer: porque era ali, eu sabia, que deveria provar que todas as aparentes impossibilidades eram, de fato, possíveis.

"Foi o que concluí *a posteriori*. Os assassinos *de fato* escaparam por uma dessas janelas. Sendo assim, não poderiam ter vedado os painéis por dentro, tal como foram encontrados; essa foi a circunstância que, por força de sua obviedade, pôs um fim na investigação policial naquele recinto. Não obstante, os painéis *estavam* cerrados. Era possível então que tivessem a capacidade de se fecharem sozinhos. É uma conclusão inescapável. Dirigi-me à janela desobstruída, removi o prego com alguma dificuldade e tentei erguê-la. Ela resistiu a todos os meus esforços, como eu previra. Foi então que tive certeza de que deveria haver uma mola escondida. E essa corroboração de minha ideia me convenceu de que pelo menos as suposições que fiz estavam corretas, por mais misteriosas que ainda parecessem as circunstâncias ligadas aos pregos. Uma busca cuidadosa logo revelou a mola escondida. Pressionei-a e, satisfeito com a descoberta, abstive-me de abrir a janela.

"Recoloquei o prego e o observei com atenção. Uma pessoa passando pela janela poderia ter voltado a fechá-la com a ajuda da mola, mas não teria como recolocar o prego por dentro. A conclusão era óbvia e, mais uma vez, estreitava o campo de minha investigação. Os assassinos *escaparam* pela outra janela. Supondo, então, que as molas das duas janelas deveriam ser idênticas, como era bem provável, deveria haver *alguma* diferença nos pregos, ou pelo menos na maneira como haviam sido pregados. Subindo no estrado da cama, examinei o segundo caixilho. Passando a mão por trás da cabeceira, logo descobri e pressionei a mola, que era, como imaginei, idêntica à outra. Examinei, então, o prego. Era grosso e firme como o encontrado na outra janela e, aparentemente, fora encaixado da mesma maneira: quase até a cabeça.

"Você vai afirmar que fiquei intrigado; mas, se pensa isso, não deve ter entendido por completo a natureza de minhas induções. Para fazer uso de uma expressão esportiva, eu não cometera 'falta' alguma. Não perdera o faro por um um só instante. Não havia falha em nenhum elo da corrente. Rastreara o segredo até seu resultado definitivo, e esse resultado era *o prego*. Possuía a mesma aparência do que estava cravado na outra janela; mas esse fato era uma inutilidade absoluta (embora parecesse conclusivo) quando comparado com a constatação de que ali, naquele ponto, terminava minha pista. '*Deve* haver algo errado', pensei, 'em relação ao prego.' Toquei-o, e a cabeça, a menos de um centímetro da haste, soltou-se em meus dedos. O restante ficou dentro da broca. A fratura era antiga, as bordas estavam incrustadas com ferrugem, e parecia ter sido provocada por um golpe de martelo que havia parcialmente embutido, na parte superior do painel de baixo da janela, a cabeça solta do prego. Com cuidado, recoloquei a cabeça e percebi que a semelhança com um prego inteiro era completa. A fissura era invisível. Pressionando a mola, ergui um pouco a janela; a cabeça do prego ergueu-se junto, permanecendo firme no local. Fechei a janela e a aparência de prego inteiro continuou perfeita.

"O enigma, até agora, fora solucionado. O assassino fugira pela janela que fica atrás da cama. Descendo sozinha após a saída do criminoso, ou fechada de propósito, a janela tornara a ficar trancada com a ajuda da mola; e a retenção dessa mola fora confundida pela polícia com a do prego. Por isso, eles julgaram desnecessárias maiores investigações.

"A próxima questão concerne o modo de descida. Nesse ponto, minha volta com você em torno da casa foi suficiente. Há um para-raios a mais ou menos um metro e setenta de distância da janela. Deste para-raios, teria sido inviável para qualquer pessoa alcançar a janela em si, muito menos apoiar-se para entrar por ela. No entanto, observei que as venezianas do quarto andar eram de um tipo peculiar, chamado pelos carpinteiros parisienses de *ferrades*; um tipo raramente usado nos dias de hoje, mas que ainda pode ser visto nas antigas mansões em Lyons e Bourdeaux. Elas têm o formato de uma porta comum (uma porta reta, não sanfonada), mas a parte inferior é treliçada, oferecendo um excelente apoio para as mãos entre as ripas que compõem o desenho. No local do crime, as venezianas em questão têm um metro de largura. Quando as vimos dos fundos da casa, estavam ambas abertas pela metade, ou seja, formavam ângulos retos com a parede. É provável que a polícia, assim como eu, tenha examinado os fundos da casa; mas, se o fizeram, olhando para as *ferrades* (como devem ter feito), não notaram sua largura ou, se notaram, não a levaram em consideração. Na verdade, uma vez convencidos de que os assassinos não poderiam ter saído por ali, realizaram apenas um exame superficial. Está claro para mim, entretanto, que a veneziana da janela na altura da cabeceira da cama, se aberta em toda a sua extensão, poderia chegar a meio metro do para-raios. Também ficou claro que, exercendo um grau extraordinário de agilidade e coragem, uma pessoa poderia entrar pela janela, saltando do para-raios. Alcançando uma distância de uns setenta centímetros (e imaginando que a veneziana estivesse completamente aberta), um ladrão poderia ter se apoiado com firmeza na treliça. Soltando-se do para-raios, poderia ter apoiado os pés contra a parede e, dando um forte impulso com o corpo, teria empurrado a veneziana a fim de fechá-la. Se imaginarmos a janela aberta na ocasião, seria possível que tivesse se lançado dessa maneira para dentro do quarto.

"Quero que você repare que me referi a uma agilidade *extraordinária* como necessária para a execução de façanha tão arriscada e difícil. Minha intenção é mostrar-lhe que, em primeiro lugar, a tarefa poderia ser realizada; mas, em segundo lugar e *de modo mais relevante*, quero que se atente para o caráter *formidável* e quase sobrenatural da agilidade requerida para a execução.

"Você, sem dúvida, vai dizer, usando a linguagem jurídica, que, para 'compor meu caso', eu deveria subestimar e não insistir em uma avaliação completa do nível de agilidade necessária para realizar o feito em questão. Esta pode ser a prática perante a lei, mas não convém ao uso do raciocínio. Meu objetivo final é apenas a verdade. Meu propósito imediato é levá-lo a justapor a agilidade *deveras incomum* à qual acabo de me referir àquela voz *bem peculiar*, estridente (ou áspera) e *desigual*, sobre a qual sequer duas testemunhas conseguiram concordar e em cuja entonação não se pode detectar palavra alguma."

Ao ouvir tais declarações, uma concepção vaga e insipiente do significado pretendido por Dupin lampejou em minha mente. Eu sentia como se estivesse prestes a compreender algo, embora isso ainda não fosse possível — como, às vezes, sentimos estar prestes a lembrar de alguma coisa para, por fim, a lembrança nos escapar. Meu amigo prosseguiu:

— Note como mudei a questão do meio de saída para o meio de entrada. Desejava com isso transmitir a ideia de que ambos foram realizados da mesma maneira, pelo mesmo lugar. Voltemos então para o interior do quarto. Examinaremos as aparências. As gavetas da cômoda, segundo disseram, foram reviradas, embora muitos itens de vestuário permanecessem dentro delas. A conclusão aqui é absurda. Trata-se de mero palpite; bem tolo, por sinal; e nada mais. Como saber se os itens encontrados eram ou não os que já estavam guardados na gaveta? Madame L'Espanaye e sua filha levavam uma vida excessivamente reclusa. Não recebiam visitas, quase não saíam de casa. Portanto, tinham pouco uso para numerosas trocas de roupa. As peças encontradas eram de tão boa qualidade quanto podemos imaginar que possuíssem. Se um ladrão tivesse roubado alguma, por que não teria, então, levado as melhores? Por que não teria levado todas? Melhor: por que deixaria para trás quatro mil francos em ouro para perder seu tempo com uma trouxa de roupas? O ouro *foi* deixado para trás. Praticamente toda a quantia mencionada por *monsieur* Mignaud, o banqueiro, foi encontrada dentro das bolsas, no chão. Assim sendo, quero que descarte de sua mente a ideia equivocada de um *motivo*, plantada no cérebro da polícia pelo testemunho que menciona a entrega do dinheiro na porta da casa. Coincidências dez vezes mais notáveis do que esta (a entrega do dinheiro e o assassinato cometido três dias após o recebimento) acontecem com todos nós o tempo todo, sem atrair a menor atenção. As coincidências, em geral, são grandes empecilhos no caminho daquele gênero de pensadores que foram educados para desconhecer a teoria das probabilidades — teoria para qual os objetos mais gloriosos da pesquisa humana devem suas mais célebres ilustrações. Em nosso caso, se o ouro tivesse sido levado, o fato de ter sido entregue três dias antes teria constituído mais do que uma simples coincidência. Teria corroborado com a ideia de motivo. No entanto, sob as reais circunstâncias do caso, se supormos que o motivo do crime foi o ouro, precisamos também imaginar que o criminoso é um idiota vacilante para ter abandonado, de uma só feita, o ouro e o motivo do crime.

"Tendo em mente os pontos para os quais chamei sua atenção: a voz peculiar, a agilidade extraordinária e a chocante ausência de motivo em um crime tão singularmente hediondo, examinaremos a natureza da carnificina em si. Temos uma mulher que foi estrangulada até a morte por força manual e empurrada por uma chaminé de cabeça para baixo. Assassinos comuns não costumam recorrer a tais excessos. E muito menos se desfazem de tal modo de suas vítimas. Avaliando a maneira como o cadáver foi empurrado chaminé adentro, você terá de admitir que há um elemento *excessivamente outré*, algo irreconciliável com nossas noções comuns de ação humana, mesmo supondo que os criminosos fossem os mais depravados dos homens. Considere também quão bruta deveria ser a força necessária para *empurrar* o corpo por uma abertura tão estreita, uma tarefa tão árdua que até mesmo o esforço coletivo de diversas pessoas quase não foi suficiente para realizá-la!

"Vejamos, agora, outras indicações do emprego de um vigor fora do comum. Na lareira, encontraram mechas bem, bem grossas de cabelo humano grisalho que foram arrancadas pela raiz. Você tem consciência da força extrema necessária para arrancar desse modo vinte ou trinta fios da cabeça. Viu, assim como eu, as mechas em questão. As raízes (uma imagem pavorosa!) estavam manchadas de sangue coagulado e tinham fragmentos do couro cabeludo, evidência inequívoca da força prodigiosa exercida na remoção de talvez meio milhão de fios ao mesmo tempo. A garganta da velha senhora não foi apenas cortada, ela teve a cabeça completamente arrancada do corpo. E o instrumento? Uma simples navalha. Quero que atente também para a ferocidade *brutal* desses atos. Sobre os hematomas no corpo de madame L'Espanaye, não farei comentários. *Monsieur* Dumas e seu digno assistente declararam que foram produzidos por um instrumento sólido; até aí, os dois senhores estão bastante corretos. O instrumento em questão foi claramente o piso de pedra do pátio, sobre o qual a vítima despencou da janela próxima à cama. Essa ideia, por mais simples que possa parecer agora, escapou à polícia pelo mesmo motivo que os fez não atentar para a largura das venezianas; porque, por conta dos pregos, a percepção deles quedou-se hermeticamente fechada diante da possibilidade de as janelas terem sido abertas.

"Se agora, além de todas essas coisas, você refletiu sobre a estranha desordem do aposento, deve ter chegado ao ponto de combinar as ideias de uma agilidade surpreendente, uma força sobre-humana, uma ferocidade brutal, uma carnificina sem motivo, uma *grotesquerie* de horror alheia a qualquer parâmetro de humanidade e uma voz de entonação desconhecida aos ouvidos de cidadãos de diferentes nações, desprovida de qualquer silabação distinta e inteligível. A qual resultado chegamos, então? Que impressão causei em sua mente?"

Eu senti um arrepio quando Dupin me fez essa pergunta.

— Um louco — respondi. — Um louco cometeu esses crimes. Um maníaco alucinado, foragido de algum manicômio nas vizinhanças.

— Em alguns aspectos — retrucou ele — sua suposição não é irrelevante. No entanto, as vozes dos loucos, até mesmo em seus surtos mais frenéticos, não se coadunam com a voz peculiar ouvida no andar superior pelo grupo nas escadas. Os loucos têm também nacionalidades e, por mais incoerentes que possam ser suas palavras, elas provêm de uma língua específica, dotada da coerência da silabação. Além do mais, o cabelo de um louco não se assemelha em nada ao que tenho em minha mão. Removi esse pequeno tufo dos dedos rigidamente crispados de madame L'Espanaye. Diga-me o que acha.

— Dupin! — exclamei completamente aturdido. — Este cabelo é estranho demais! Não é *humano*.

— Eu não disse que era — continuou ele. — Porém, antes de chegarmos a uma conclusão a respeito, gostaria que observasse o pequeno esboço que rascunhei nesse papel. É uma reprodução do que foi descrito em um dos testemunhos como "hematomas escuros e marcas profundas de unhas" na garganta de *mademoiselle* L'Espanaye, e em outro (o do médico e seu assistente) como "uma série de manchas lívidas que constituíam, evidentemente, marcas deixadas por dedos".

"Você perceberá", continuou ele, estendendo o papel na mesa à nossa frente, "que esse desenho nos dá a ideia de muito empenho e demasiada firmeza nas mãos. Não há presunção alguma de que tenham deslizado ou *escorregado*, por exemplo. Cada dedo manteve, possivelmente até a morte da vítima, a mesma pressão medonha, o mesmo vigor contínuo e imóvel com o qual ensejou o ataque. Tente, agora, colocar todos os seus dedos, ao mesmo tempo, nas respectivas impressões tal como as desenhei."

Fiz a tentativa, em vão.

— É possível que estejamos fazendo esse teste de maneira injusta — reconheceu ele. — O papel está disposto em uma superfície plana, ao passo que a garganta humana é cilíndrica. Aqui está um pedaço de madeira, com uma circunferência semelhante à de uma garganta. Envolva-o com o desenho e tente mais uma vez.

Tentei mais uma vez, mas a dificuldade ficou ainda mais óbvia do que na tentativa anterior.

— Esta — declarei — não é a marca de uma mão humana.

— Leia agora — respondeu Dupin — este trecho de Cuvier.

Tratava-se de uma descrição detalhada e anatômica dos grandes orangotangos fulvos das ilhas das Índias Orientais. A estatura gigantesca, a força prodigiosa, a ferocidade selvagem e a capacidade de imitação desses mamíferos são bastante célebres. Compreendi, de imediato, a real dimensão de horror dos assassinatos.

— A descrição das digitais — falei, quando terminei a leitura — corresponde exatamente ao desenho. Vejo que nenhum outro animal, a não ser o orangotango da espécie aqui mencionada, poderia deixar marcas tal como você traçou. Este tufo de pelos amarelados também é idêntico ao da fera fulva descrita por Cuvier. Só não consigo compreender os detalhes deste mistério horripilante. Além do mais, foram ouvidas *duas* vozes em discussão e uma, inquestionavelmente, foi identificada como a de um francês.

— Verdade; e você há de se recordar da expressão atribuída pelas testemunhas, de maneira quase unânime, para essa voz: a expressão *"Mon Dieu!"*. Tal expressão, diante das circunstâncias, foi caracterizada por uma das testemunhas (Montani, o confeiteiro) como sendo de repreensão ou admoestação. Sobre essas duas palavras, portanto, construí minhas esperanças de solução completa do enigma. Um francês era conhecedor dos crimes. É possível; na realidade, mais do que provável; que fosse inocente e não tivesse participado dos atos sangrentos em questão. O orangotango deve ter escapado dele. Ele pode tê-lo seguido até o quarto; mas, diante das agitadas circunstâncias que se seguiram, não conseguiu recapturá-lo. O animal continua solto. Não darei continuidade aos meus palpites, visto que não tenho o direito de considerá-los algo mais que isso, pois as linhas de raciocínio em que estão embasados quase não têm profundidade suficiente para serem apreciadas por meu próprio intelecto e também não logrei torná-los inteligíveis à sua compreensão. Vamos chamá-los de palpites então e nos referirmos a eles como tal. Se o francês em questão for de fato, como eu suponho, inocente da atrocidade, este anúncio, que deixei ontem à noite quando voltávamos para casa na redação do *Le Monde* (um jornal dedicado a assuntos náuticos e muito procurado pelos marinheiros), vai trazê-lo até nossa residência.

Entregou-me um exemplar em que li:

CAPTURADO — Às primeiras horas da manhã do dia ——, (a manhã do assassinato), no Bois de Boulogne, um enorme orangotango amarelado da espécie de Bornéu. O proprietário (que sabemos ser um marinheiro de um navio maltês) pode reaver o animal mediante sua correta identificação e pagamento de algumas despesas relativas à sua captura e manutenção. Apresentar-se no nº ——, terceiro andar, rua ——, Faubourg St. Germain.

— Como você adivinhou — indaguei — que o homem era marinheiro de um navio maltês?

— *Não* adivinhei — disse Dupin. — Não tenho *certeza*. No entanto, tenho aqui essa fitinha que, por seu formato e sua aparência ensebada, foi evidentemente usada para prender o cabelo de um marinheiro em uma daquelas tranças que tanto lhes agrada usar. Além do mais, trata-se de um tipo de nó que poucos, além dos marinheiros, sabem dar e é característico dos malteses. Encontrei a fita sob o para-raios. Não poderia ter pertencido a nenhuma das falecidas. Mesmo que esteja enganado em minha dedução a partir dessa fitinha, a de que o francês é marinheiro de um navio maltês, ainda assim não fiz mal em publicar o conteúdo do anúncio. Se estiver enganado, ele vai apenas supor que fui ludibriado por alguma circunstância a qual não se dará ao trabalho de averiguar. Porém, se eu estiver certo, conseguimos uma vantagem. Conhecedor, embora inocente, dos assassinados, o francês naturalmente hesitará em responder ao anúncio. Vai vacilar em reaver o animal. O raciocínio dele será o seguinte: "Sou inocente e pobre; meu orangotango é de valor inestimável; para alguém em minhas condições, uma verdadeira fortuna. Por que deveria perdê-lo com medo de algo hipotético? Está aqui, ao meu alcance. Foi encontrado no Bois de Boulogne, a uma longa distância do local daquela carnificina. Ademais, quem vai suspeitar que um animal pudesse ter cometido os crimes? A polícia está no escuro, não conseguiram uma única pista. Mesmo que consigam rastrear o bicho, seria impossível provar que tomei conhecimento dos assassinatos ou me imputar culpa por tal informação. Além do mais, *já me conhecem*. O anunciante se refere a mim como proprietário do orangotango. Não sei até que ponto ou o que sabem ao meu respeito. Deixar de reaver uma propriedade tão valiosa, que sabem que possuo, vai tornar o animal, no mínimo, passível de suspeita. Não é de meu feitio atrair atenção para mim ou para o bicho. Vou responder ao anúncio, pegar o orangotango de volta e mantê-lo sob minhas vistas até que o assunto tenha caído em esquecimento".

Naquele instante, ouvimos passos na escada.

— Esteja preparado — alertou Dupin — com as pistolas, mas não dispare ou as revele até que eu dê um sinal.

A porta da frente da casa estava aberta e o visitante entrou, sem tocar a campainha, subindo as escadas. De repente, porém, pareceu hesitar. Em seguida, o ouvimos descendo. Dupin já estava se apressando até a porta quando o ouvimos tornar a subir. Desta vez, não desistiu, prosseguindo decidido até bater na porta do nosso aposento.

— Entre — disse Dupin com um tom de voz alegre e entusiasmado.

O homem entrou. Era um marinheiro, é claro — um sujeito alto, corpulento, musculoso, com uma certa expressão de audácia que não era de todo desagradável. O rosto, bastante queimado de sol, estava parcialmente coberto por uma barba e um bigode. Trazia consigo um imenso porrete de madeira, mas não parecia portar outras armas. Curvou-se para nos cumprimentar muito sem jeito e nos desejou um boa-noite com um sotaque francês que, embora tivesse um quê de Neufchâtel, era obviamente parisiense em sua origem.

— Sente-se, meu amigo — falou Dupin. — Imagino que tenha vindo por causa do orangotango. Palavra de honra, quase invejo a posse de um animal tão extraordinário e, sem dúvida, muito valioso. Quantos anos supõe que ele tem?

O marinheiro deu um longo suspiro, como se tivesse se livrado de um fardo intolerável, e então respondeu com confiança:

— Não saberia dizer, mas não deve ter mais do que quatro ou cinco anos. Ele está aqui?

— Ah, não; não tínhamos condições de mantê-lo em casa. Está em um estábulo na rua Dubourg, aqui perto. O senhor poderá buscá-lo pela manhã. Está preparado para identificar-se como proprietário, suponho.

— Estou, sim, senhor.

— Lamentarei ter de deixá-lo ir embora — disse Dupin.

— Não quero que pense que teve todo esse trabalho à toa, senhor — informou o homem. — Não me passou sequer pela cabeça. Estou disposto a pagar uma recompensa por ter encontrado o animal; isto é, contanto que seja um valor razoável.

— Bem — retrucou meu amigo — isso me parece bastante justo, com certeza. Deixe-me pensar! O que poderia pedir? Ah! Já sei. Minha recompensa será a seguinte: você fornecerá todas as informações que tiver sobre os assassinatos da rua Morgue.

Dupin pronunciou as últimas palavras em um tom bem baixo, com muita calma. Do mesmo modo, caminhou até a porta, trancou-a e colocou a chave no bolso. Sacou então a pistola de dentro do paletó e, sem a menor agitação, colocou-a sobre a mesa.

O rosto do marinheiro ficou vermelho como se estivesse sendo asfixiado. Pondo-se de pé, segurou firmemente o porrete, mas, em seguida, caiu sentado de novo, tremendo dos pés à cabeça e com um semblante de morte estampado no rosto. Não disse uma palavra. Tive pena do sujeito, do fundo de meu coração.

— Meu amigo — disse Dupin em tom gentil —, o senhor está alarmado sem necessidade, nenhuma necessidade. Não queremos lhe fazer mal algum. Juro pela minha honra como cavalheiro e como francês que não temos a menor intenção de machucá-lo. Sei perfeitamente que o senhor é inocente das atrocidades cometidas na rua Morgue. Contudo, não cabe negar que está, de certa forma, envolvido nos crimes. Pelo que já disse aqui, o senhor deve saber que tive meios de obter informações a respeito; meios com os quais o senhor sequer poderia sonhar. A questão é a seguinte. O senhor não fez nada que pudesse ter evitado; nada, decerto, que o torne culpado. Não é sequer culpado de roubo, quando poderia ter roubado com impunidade. Não tem nada a esconder. Não tem motivos para tal. Por outro lado, os princípios da honra o obrigam a confessar o que sabe. Um homem inocente foi preso, acusado de um crime cujo autor verdadeiro somente o senhor pode revelar.

O marinheiro havia recobrado a presença de espírito enquanto Dupin pronunciava essas palavras, mas sua audácia inicial desaparecera por completo.

— Que Deus me ajude — disse ele, após uma breve pausa. — Vou lhes contar *tudo* que sei sobre o caso, mas não espero que acreditem em metade do que digo; seria bem tolo se o fizesse. Ainda assim, *sou* inocente e aliviarei minha consciência, mesmo que acabe morrendo por isso.

O relato dele, em linhas gerais, foi o seguinte. Disse que fizera uma viagem recente para o arquipélago indiano. Um grupo do qual fazia parte aportou em Bornéu e seguiu rumo ao interior em uma excursão turística. Ele e um companheiro capturaram o orangotango. Depois da morte de seu companheiro, ele passou a ter a posse exclusiva do animal. Após imenso transtorno, ocasionado pela ferocidade indomável do prisioneiro durante a viagem de volta para casa, ele, por fim, conseguira instalá-lo com segurança em sua própria residência em Paris, onde, para não atrair a curiosidade indesejável dos vizinhos, mantivera-o cuidadosamente escondido, convalescendo de um ferimento na pata, que fora causado por uma farpa do navio. Seu objetivo final era vendê-lo.

Regressando de uma farra de marinheiros na noite, ou melhor, na madrugada do crime, encontrou o animal em seu quarto. Ele invadira o aposento arrombando a porta do cômodo contíguo onde o marinheiro julgava que estivera, até então, confinado em segurança. Com uma navalha em mãos e o rosto coberto de espuma, estava sentado diante de um espelho tentando se barbear —, operação que, sem dúvida, vira seu dono executar anteriormente pelo buraco da fechadura do quarto. Aterrorizado diante da cena de uma arma tão perigosa nas mãos de um animal tão feroz e perfeitamente capaz de usá-la, o marinheiro, por alguns minutos, ficou paralisado, sem saber o que fazer. Acostumara-se, porém, a acalmar a criatura, mesmo em seus momentos mais ferozes, usando um chicote e recorreu mais uma vez a essa estratégia. Ao ver o chicote, o orangotango saiu em desabalada correria pela porta do quarto, desceu as escadas e depois, passando por uma janela aberta, escapou pela rua.

 O francês o seguiu em desespero; o primata, ainda com a navalha em punho, parava de vez em quando para olhar para trás e gesticular em direção ao seu perseguidor, permitindo que ele quase o alcançasse. Em seguida, saía em disparada de novo. A perseguição continuou assim por muito tempo. As ruas estavam bem silenciosas, uma vez que já se aproximava das três horas da manhã. Ao passar por um beco nos fundos da rua Morgue, a atenção do fugitivo foi capturada por uma luz que brilhava pela janela aberta do quarto de madame L'Espanaye, no quarto andar da casa. Correndo até o local, percebeu o para-raios, escalou-o com inconcebível agilidade, agarrou-se na veneziana que estava completamente escancarada e encostada na parede e, em um impulso, projetou-se alcançando a cabeceira da cama. A proeza, em sua totalidade, não durou mais de um minuto. A veneziana foi aberta novamente quando o orangotango entrou no quarto.

 Enquanto isso, o marinheiro estava ao mesmo tempo triunfante e perplexo. Tinha esperanças de, por fim, recapturar o animal, visto que ele dificilmente escaparia da armadilha em que se metera, exceto pelo para-raios, onde poderia ser interceptado quando descesse. Por outro lado, havia muitos motivos para aflição, pois não sabia o que ele seria capaz de fazer dentro da casa. Foi pensando nisso que o francês seguiu o fugitivo. Não é difícil escalar um para-raios, ainda mais para um marinheiro; mas, quando ele alcançou a altura da janela que estava a uma certa distância à sua esquerda, interrompeu seu intento; o máximo que seria capaz de fazer era aproximar-se para espiar o que se passava no interior do aposento. A espiada quase fez com que despencasse lá de cima, tamanho o horror da cena. Foi então que os tenebrosos gritos rasgaram a noite, despertando a vizinhança na rua Morgue. Madame L'Espanaye e sua filha, trajando roupas de dormir, estavam aparentemente ocupadas arrumando alguns papéis no baú de ferro já mencionado, que havia sido arrastado para o meio do cômodo para esse fim. Estava aberto e o seu conteúdo jazia espalhado ao redor. As vítimas deviam estar de costas para a janela e, pelo tempo decorrido entre a entrada da fera e os gritos, é provável que não tenham percebido de imediato o invasor. O barulho na veneziana deve ter sido atribuído ao vento.

Quando o marinheiro olhou para dentro do quarto, o gigantesco animal estava segurando madame L'Espanaye pelos cabelos (que estavam soltos, pois ela estivera se penteando) e brandia a navalha em seu rosto, imitando um movimento de barbear. A filha jazia prostrada e imóvel; tinha desmaiado. Os gritos e a luta desesperada da velha senhora (durante a qual os cabelos foram arrancados de sua cabeça) tiveram o efeito de alterar o propósito provavelmente pacífico do orangotango irado. Com um gesto determinado de seu musculoso braço, ele quase desprendeu a cabeça da senhora do corpo com um golpe de navalha. A visão do sangue transformou a ira em frenesi. Rangendo os dentes e com os olhos em chamas, lançou-se sobre o corpo da moça e, enterrando as temíveis garras em sua garganta, apertou-a com firmeza até a morte. Seu olhar errante e feroz recaiu nesse momento sobre a cabeceira da cama, onde pôde distinguir na janela o rosto do dono, lívido de horror. A fúria da besta que, sem dúvida, ainda não esquecera o temido chicote, logo se converteu em medo. Consciente de que merecia ser castigado, parecia ansioso em esconder seus atos sanguinolentos e pôs-se a pular pelo quarto em agitação nervosa, derrubando e quebrando a mobília enquanto se movia e arrancando o colchão do estrado. Por fim, apanhou primeiro o corpo da *mademoiselle* e o enfiou chaminé acima, como foi encontrado, e em seguida o da madame, atirando-o pela janela de cabeça para baixo.

Quando o primata se aproximou da janela com o cadáver mutilado, o marinheiro recuou apavorado e, agarrando-se no para-raios, deslizou até o chão, correndo de volta para casa — temendo as consequências da carnificina e abandonando, de bom grado, em seu terror, qualquer interesse pelo destino do orangotango. As palavras ouvidas pelo grupo que subia as escadas eram as exclamações de horror e medo do francês, mescladas aos diabólicos balbucios da fera.

Resta bem pouco a acrescentar. O orangotango deve ter escapado do quarto pelo para-raios antes que arrombassem a porta. A janela deve ter se fechado depois que o animal passou por ela. Foi capturado depois pelo dono, que o vendeu por uma quantia considerável ao zoológico de Paris. Le Bon foi solto na mesma hora, graças ao nosso relato (com alguns comentários de Dupin) no gabinete do comissário de polícia. Esse funcionário, embora tenha se mostrado receptivo ao meu amigo, não pôde esconder a decepção em relação ao rumo dos acontecimentos e não conseguiu abster-se de um ou dois comentários sarcásticos sobre a necessidade de cada um cuidar de sua vida e não se meter nos assuntos dos outros.

— Deixe-o falar — disse Dupin, que não julgara necessário retrucar. — Deixe-o discursar sobre o que quiser, isso aliviará sua consciência. Por mim, já basta a satisfação de tê-lo derrotado em seu próprio castelo. Que tenha fracassado na solução do mistério, porém, não é nem de longe o motivo de perplexidade que ele supõe; pois, na verdade, nosso amigo policial é perspicaz demais para ser profundo. Não há *vigor* em sua sabedoria. É todo cabeça sem corpo, como as imagens da deusa Laverna — ou, na melhor das hipóteses, todo cabeça e ombros, como um bacalhau. Porém, é um bom sujeito, no fim das contas. Gosto dele especialmente por um toque mestre de hipocrisia, pelo qual adquiriu sua reputação de perspicaz. Refiro-me à mania que ele tem *de nier ce qui est, et d'expliquer ce qui n'est pas*.[5]

---

5 Em francês no original: "De negar o que é e explicar o que não é".

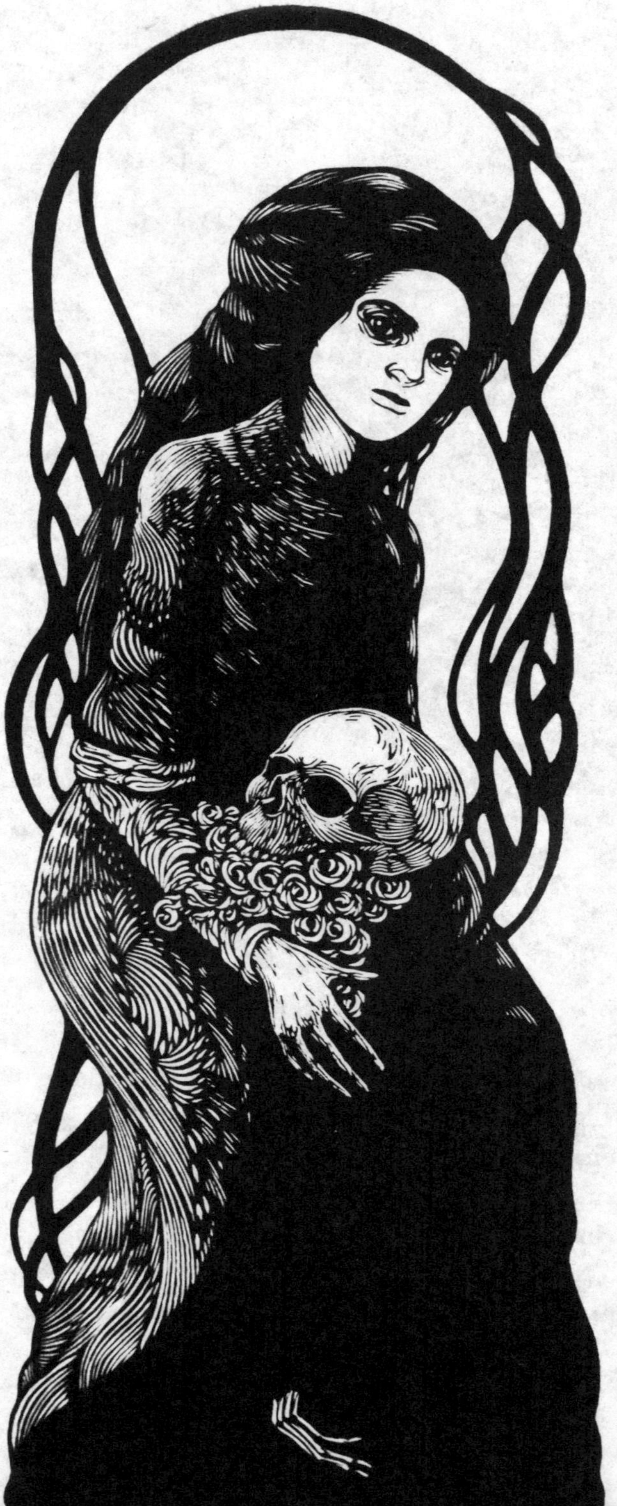

◀ DETETIVE DUPIN ▶

O MISTÉRIO
de
MARIE ROGÊT

*Uma continuação de
"Os assassinatos na rua Morgue"*

EDGAR ALLAN POE
1842

*Existem acontecimentos imaginários que ocorrem em paralelo aos reais.
Raramente coincidem. Os homens e as circunstâncias em geral modificam
a sequência de acontecimentos imaginários, de modo que parecem imperfeitos
e suas consequências são imperfeitas da mesma forma.
Assim, com a Reforma, em vez do protestantismo, veio o luteranismo.*
— Moral Ansichten, de Novalis [*nom de plume* de Von Hardenburg] —

Existem poucas pessoas, até mesmo entre os pensadores mais sensatos, que não tenham se mobilizado de vez em quando por uma crença vaga, embora empolgante, no sobrenatural, por coincidências de caráter aparentemente assombroso que o intelecto não consegue absorver como meras coincidências. Tais impressões — pois as crenças vagas às quais me refiro jamais alcançam a força plena de um pensamento — tais impressões raramente se extinguem exceto quando expostas à doutrina do acaso ou, para usar o nome técnico, o Cálculo das Probabilidades. Esse Cálculo, em sua essência, é puramente matemático; e assim temos a anomalia do que há de mais rigidamente exato em termos de ciência aplicado à seara sombria e espiritual do que há de mais intangível na especulação.

Os detalhes extraordinários que agora sou instado a tornar públicos formarão, no que diz respeito à sequência do tempo, a ramificação primária de uma série de coincidências quase ininteligíveis que darão ensejo ao segundo e definitivo ramo, a ser reconhecido por todos os leitores como o assassinato recente de Mary Cecilia Rogers, em Nova York.

Há mais ou menos um ano, por ocasião de um artigo intitulado "Os assassinatos na rua Morgue", quando tentei ilustrar algumas peculiaridades extraordinárias da natureza mental de meu amigo, o *chevalier* C. Auguste Dupin, nunca me passou pela cabeça que haveria de trazer o assunto à baila novamente. Meu objetivo era ilustrar o temperamento dele e o realizei de forma plena, apresentando uma sucessão fantástica de circunstâncias que serviram para exemplificar a idiossincrasia de Dupin. Poderia ter fornecido outros exemplos, mas era impossível oferecer mais provas. Acontecimentos recentes, todavia, em seu inesperado desdobramento, me estimularam a novos relatos, que serão contados não sem um certo ar de confissão contrariada. No entanto, considerando o que tenho ouvido ultimamente, seria de fato estranho se me calasse a respeito dos acontecimentos passados.

Após o desfecho da tragédia envolvendo as mortes de madame L'Espanaye e filha, Dupin excluiu o assunto da mente e regressou aos velhos hábitos de absorta rabugice. Sendo também dado a profundos devaneios, logo coadunei-me com seu estado de espírito. Continuando a ocupar nossos aposentos na Faubourg St. Germain, entregávamos o Futuro ao sabor dos ventos e vivíamos o Presente como imersos em um sono tranquilo, tecendo o entediante mundo à nossa volta na teia de nossos sonhos.

Esses sonhos, entretanto, eram amiúde interrompidos. Como era de se imaginar, a participação de meu amigo no drama da rua Morgue causou forte impressão na polícia parisiense. Seu nome tornou-se célebre entre os policiais. Uma vez que o caráter simples das induções por meio das quais ele desembaraçou o mistério nunca foi explicado, nem mesmo para o comissário ou para qualquer outro interlocutor além de mim, não é de se admirar que tenham visto a solução quase como um milagre e que as capacidades analíticas de Dupin tenham sido tomadas como pura intuição. Sua franqueza o teria levado a esclarecer qualquer insinuação nesse sentido, mas seu humor indolente não tolerava insistência em assuntos que já haviam há muito perdido o interesse para ele. Não obstante, tornara-se a menina dos olhos da prática investigativa e não foram poucas as tentativas da polícia em solicitar seus serviços. Uma das tentativas mais memoráveis de atrair a atenção de Dupin foi o assassinato de uma jovem chamada Marie Rogêt.

O crime ocorreu aproximadamente dois anos após a atrocidade na rua Morgue. Marie, cujo nome de batismo e o sobrenome logo chamarão a atenção pela semelhança com os da infeliz vendedora de charutos assassinada em Nova York, era filha única da viúva Estelle Rogêt. Seu pai morrera quando ela era ainda uma criança e, da época de seu falecimento até dezoito meses antes do assassinato que relato nesta narrativa, mãe e filha moravam juntas na rua Pavée St. Andrée,[1] onde madame Rogêt gerenciava uma pensão, auxiliada por Marie. Eram essas as circunstâncias até a filha completar vinte e dois anos, época em que sua grande beleza atraiu a atenção de um perfumista que ocupava uma das lojas subterrâneas do Palais Royal e cuja clientela era, em grande parte, composta pelos aventureiros desesperados que infestavam aquelas vizinhanças. *Monsieur* Le Blanc[2] estava ciente das vantagens que a presença da bela Marie poderia proporcionar à perfumaria e suas generosas propostas foram prontamente aceitas pela moça, embora madame Rogêt as tenha recebido com certa hesitação.

As previsões do lojista se concretizaram e logo seu estabelecimento tornou-se notório graças aos encantos da vivaz *grisette*. Estava empregada há um ano quando os admiradores foram surpreendidos por

---

1 Nassau Street. [NA]
2 Anderson. [NA]

seu repentino desaparecimento da loja. *Monsieur* Le Blanc não soube explicar tal ausência e madame Rogêt muito inquietou-se, tomada de ansiedade e terror. Os jornais logo anunciaram a notícia e a polícia já estava prestes a encetar uma séria investigação quando, uma semana após o sumiço, Marie reapareceu bem-disposta em uma bela manhã, embora com um ar melancólico, no balcão da perfumaria. Todas as especulações, exceto as de caráter privado, foram de pronto silenciadas. *Monsieur* Le Blanc declarou não saber de nada, como antes. Marie, com madame Rogêt, respondeu a todas as perguntas, alegando ter passado a semana na casa de um parente no interior. Assim, o caso foi esclarecido e esquecido; a moça, logo depois, para se livrar de uma curiosidade impertinente, despediu-se de vez do perfumista e buscou o abrigo da residência materna na rua Pavée St. Andrée.

Aproximadamente cinco meses após seu regresso ao lar, os amigos de Marie mais uma vez ficaram alarmados com um segundo sumiço. Três dias se passaram sem que tivessem notícia alguma dela. No quarto dia, seu corpo foi encontrado boiando no rio Sena,[3] próximo à margem oposta ao distrito da rua St. Andrée, um ponto não muito distante da vizinhança reservada do Barrière du Roule.[4]

A atrocidade do assassinato (pois logo ficou claro de que se tratava de um assassinato), a juventude e a beleza da vítima e, sobretudo, o fato de ser conhecida na cidade, conspiraram para produzir uma intensa comoção nas mentes dos sensíveis parisienses. Não me recordo de outro acontecimento semelhante que tenha gerado um efeito tão doloroso. Durante várias semanas, na discussão deste único e envolvente tema, até mesmo assuntos políticos significativos foram esquecidos. O comissário de polícia engajou-se em raro esforço; a força policial da cidade foi, é claro, empregada com extrema dedicação.

Quando descobriram o cadáver, não se supunha que o assassino pudesse escapar por muito tempo, pois a investigação começou de imediato. Apenas uma semana depois, julgaram necessário oferecer uma

---

3   Rio Hudson. [NA]
4   Weehawken. [NA]

recompensa, mas, ainda assim, limitaram-na à quantia de mil francos. Nesse ínterim, a investigação prosseguiu com vigor, embora nem sempre empregando o bom senso, e numerosos indivíduos foram investigados à toa. Enquanto isso, em virtude da ausência contínua de qualquer pista para o mistério, a comoção popular aumentava consideravelmente. Ao fim do décimo dia, julgaram recomendável duplicar o valor da quantia originalmente oferecida e, quando a segunda semana transcorreu sem novas descobertas e o tradicional preconceito dos parisienses contra a polícia começou a gerar diversas manifestações preocupantes, o comissário assumiu a oferta de vinte mil francos pela "condenação do assassino" ou, caso mais de um criminoso estivesse implicado no crime, pela "condenação de qualquer um dos assassinos". No comunicado em que ofereceu tal recompensa, a polícia prometeu pleno perdão a qualquer participante que apresentasse evidências para denunciar seu parceiro; à proposta original, onde quer que fosse divulgada, foi acrescentado um comunicado particular, elaborado por um comitê de cidadãos, que prometia dez mil francos além da recompensa oferecida pela polícia. Assim, a quantia alcançara nada menos do que trinta mil francos, o que pode ser considerada uma soma extraordinária se levarmos em conta a condição humilde da moça e a frequência, em grandes cidades, de atrocidades como o crime descrito.

    Não havia dúvidas de que o mistério do assassinato seria elucidado de pronto. Contudo, embora em uma ou duas ocasiões tenham detido suspeitos com esperanças de elucidação, não encontraram nada que pudesse incriminar os indivíduos em questão, e eles foram soltos. Por mais estranho que possa parecer, após a descoberta do cadáver, três semanas se passaram sem que nenhum esclarecimento tenha sido encontrado e sequer um rumor dos acontecimentos que tanto agitavam a opinião pública chegou aos nossos ouvidos. Imersos em pesquisas que absorviam completamente nossa atenção, há quase um mês não saíamos de casa, recebíamos uma visita ou passávamos os olhos pelas principais notícias políticas nos jornas diários. Tomamos conhecimento do assassinato pessoalmente por G. Ele nos procurou no início da tarde do dia 13 de julho de 18— e ficou conosco até de noite. Estava irritado com o fracasso de todos os seus esforços para descobrir os assassinos. Sua reputação — ele afirmou com um ar tipicamente parisiense — estava em jogo. Até mesmo sua honra. Os olhos do público pairavam sobre ele, e o comissário estava disposto a fazer qualquer sacrifício para solucionar o mistério. Concluiu o discurso um tanto quanto cômico com um elogio ao que lhe aprazia chamar de "o tato" de Dupin, fazendo-lhe uma proposta direta e generosa, cujos pormenores não me sinto livre para revelar, mas que não têm relação alguma com o assunto desta narrativa.

Meu amigo refutou como pôde o elogio, mas aceitou de imediato a proposta, embora as vantagens fossem totalmente passageiras. Uma vez acertado o acordo, o comissário pôs-se a expor suas opiniões, entremeando-as com longos comentários sobre as evidências, das quais ainda não sabíamos nada. Ele discursou bastante, decerto de modo instruído; eu, de vez em quando, arriscava uma ocasional sugestão enquanto a noite, sonolenta, nos envolvia. Dupin, imóvel em sua poltrona costumeira, era a personificação da atenção respeitosa. Usava óculos durante toda a conversa e um relance casual por trás de suas lentes verdes fora suficiente para me convencer de que, embora em silêncio, ele não dormira desbragadamente pelas sete ou oito horas vagarosíssimas que precederam a partida do comissário.

Na manhã seguinte, fui até a polícia para obter um relatório completo de todas as evidências e percorri as redações de diversos jornais a fim de providenciar uma cópia de cada artigo que publicara alguma informação decisiva sobre a triste tragédia. O contingente de informações, subtraído do que já fora refutado, era o seguinte:

Marie Rogêt deixou a residência de sua mãe, na rua Pavée St. Andrée, por volta das nove da manhã de domingo, no dia 22 de junho de 18—. Ao sair de casa, comunicou ao *monsieur* Jacques St. Eustache,[5] e somente a ele, que pretendia passar o dia com uma tia, que residia na rua des Drômes. Essa rua é curta e estreita, mas populosa, não fica muito longe das margens do rio e está localizada a uma distância de cerca de três quilômetros, no trajeto mais reto possível, da pensão de

---

5   Payne. [NA]

madame Rogêt. St. Eustache era o pretendente de Marie e morava, bem como fazia suas refeições, na pensão. Prometera encontrar sua noiva no fim da tarde, para acompanhá-la de volta a casa. À tarde, entretanto, caíra uma forte chuva e, supondo que ela pernoitaria na casa da tia (como fizera antes em circunstâncias semelhantes), julgara desnecessário manter o combinado. À medida que a noite se aproximava, ouviram madame Rogêt (que era uma senhora enferma de setenta anos) expressar um medo "de que nunca mais veria Marie novamente", mas tal comentário passou despercebido na ocasião.

Na segunda-feira, foi constatado que a moça não tinha estado na rua des Drômes; quando o dia transcorreu sem notícias dela, uma busca tardia foi organizada em diversos pontos da cidade e em seus arredores. No entanto, foi somente no quarto dia após seu desaparecimento que puderam apurar algo satisfatório em relação à jovem. No dia em questão (quarta-feira, dia 25 de junho), um certo *monsieur* Beauvais[6] que, com um amigo, andara perguntando por Marie nas proximidades do Barrière du Roule, na margem do Sena oposta à rua Pavée St. Andrée, foi informado de que um corpo acabara de ser resgatado por uns pescadores, que o haviam encontrado boiando no rio. Ao ver o cadáver, Beauvais, após certa hesitação, identificou a moça da perfumaria. Seu amigo a reconheceu de pronto.

O rosto estava tingido com um sangue escuro, em parte oriundo da boca. Não havia espuma aparente, como é comum no caso dos afogados. Não havia descoloração no tecido celular. O corpo apresentava hematomas e marcas de dedos na garganta. Os braços estavam cruzados no peito, rígidos. A mão direita estava fechada em punho; a esquerda, parcialmente aberta. No pulso esquerdo, havia duas escoriações circulares, que pareciam ter sido causadas por cordas ou uma corda enrolada em mais de uma volta. Parte do pulso direito também estava bastante esfolada, assim como toda a extensão do dorso, sobretudo nas omoplatas. Para trazer o cadáver à margem, os pescadores o amarraram com uma corda, mas nenhuma das escoriações havia sido causada por isso. O pescoço estava bastante inchado. Não havia cortes aparentes ou hematomas

6   Crommelin. [NA]

que parecessem consequência de golpes. Em torno do pescoço, havia um laço de fita tão apertado que quase passara despercebido; estava completamente enterrado na pele e era amarrado por um nó abaixo da orelha esquerda. Tal circunstância, por si só, já era suficiente para produzir a morte da vítima. O laudo médico confirmou, sem sombra de dúvida, o caráter virtuoso da falecida. Fora submetida, segundo o laudo, a uma violência brutal. O cadáver estava em uma condição tal que, quando encontrado, não apresentava dificuldade em ser identificado por amigos.

O vestido estava bastante rasgado e desalinhado. Uma faixa de aproximadamente trinta centímetros fora retirada do tecido externo, da bainha para a cintura, mas não foi arrancada. Estava enrolada em três voltas em torno da cintura, presa com uma espécie de nó nas costas. A combinação por dentro do vestido era de musselina fina; uma tira de aproximadamente quarenta centímetros de largura fora removida por completo, com muita simetria e cuidado. Foi encontrada em volta do pescoço da vítima, com um frouxo ajuste e um nó bem firme. Por cima dessa faixa de musselina e da tira de fita, estavam presos os cordões de um chapéu que pendia. O nó que amarrava os cordões do chapéu não era compatível com aquele dado habitualmente por uma mulher, mas condizia com um nó corrediço ou de marinheiro.

Após o reconhecimento do corpo, não foi necessário, como de costume, encaminhá-lo para o necrotério (sendo tal formalidade, neste caso, supérflua). O enterro foi providenciado às pressas, em um local não muito distante do ponto onde o corpo apareceu. Graças aos esforços de Beauvais, o caso foi abafado com diligência, tanto quanto possível; diversos dias se passaram até que surgisse algum tipo de comoção pública. Um jornal semanal,[7] entretanto, acabou se interessando pelo caso; o corpo foi exumado e conduziram um novo exame, mas não descobriram nenhuma novidade. As roupas, porém, foram entregues à mãe e aos amigos da moça assassinada, sendo identificadas como as peças que ela vestia ao sair de casa.

---

7   *The New York Mercury*. [NA]

Enquanto isso, o alvoroço crescia a cada hora. Vários indivíduos foram detidos e libertados. St. Eustache foi apontado como principal suspeito; em um primeiro momento, não foi capaz de fornecer um relato satisfatório sobre seu paradeiro no domingo em que Marie saíra de casa. Depois, no entanto, apresentou a *monsieur* G. declarações que esclareciam todos os passos que dera no dia em questão. Com o passar do tempo e a ausência de descobertas, diversos rumores contraditórios começaram a circular, e os jornalistas ocupavam-se com suposições. Entre elas, a que chamou mais atenção foi a ideia de que Marie Rogêt ainda estava viva — que o cadáver encontrado no Sena era de outra pobre coitada. Cabe aqui apresentar ao leitor alguns trechos que exemplificam tal suposição. São transcrições literais do *L'Etoile*,[8] um jornal dirigido, em geral, com muita competência:

> *Mademoiselle* Rogêt deixou a casa de sua mãe na manhã de domingo, dia 22 de junho de 18—, com o ostensivo propósito de visitar uma tia, ou outro parente, na rua des Drômes. Desde então, ninguém mais a viu. Não há vestígio ou notícia de seu paradeiro. [...] Até o momento, ninguém se apresentou alegando tê-la visto ou estado com ela no dia em questão, desde que saiu da residência da mãe. [...] Embora não tenhamos provas de que Marie Rogêt estivesse entre os vivos após às nove horas no domingo, dia 22 de junho, temos como atestar que, até aquele momento, estava viva. Quarta-feira, ao meio-dia, o corpo de uma mulher foi descoberto boiando às margens do Barrière du Roule. Isso ocorreu, mesmo presumindo que Marie Rogêt tenha sido atirada no rio em até três horas após a saída da casa da mãe, apenas três dias desde seu sumiço — três dias e uma hora. No entanto, é insensato supor que o crime, caso se trate de um assassinato, tenha sido cometido cedo o bastante para permitir que os assassinos atirassem o corpo no rio antes da meia-noite. Os culpados por delitos tão horrendos costumam escolher a escuridão, e não a luz. [...] Assim, acreditamos que se o corpo encontrado no rio fosse de Marie Rogêt, só poderia

---

8   *The New York Brother Jonathan*, editado pelo Ilmo. H. Hastings Weld. [NA]

estar na água há dois dias e meio, ou três fora da água. A experiência atesta que corpos afogados ou atirados na água imediatamente após uma morte violenta levam de seis a dez dias para atingir um estado de decomposição suficiente e emergir boiando na superfície. Mesmo se dispararmos um canhão sobre um cadáver, fazendo-o emergir antes de cinco ou seis dias de imersão, ele voltará a afundar, caso não sofra interferência alguma. Perguntamos, então: o que causou, neste caso, uma mudança no curso normal da natureza? [...] Se o corpo tivesse sido mantido em seu estado mutilado fora da água até terça à noite, algum vestígio dos assassinos teria sido encontrado nas margens do rio. Também não sabemos se o cadáver boiaria tão depressa, mesmo se atirado na água dois dias após a morte. Além do mais, é altamente improvável que os bandidos que cometeram um assassinato como este atirassem o corpo na água sem algum peso que o fizesse afundar, quando tal precaução poderia ter sido tomada sem dificuldades.

O editor prossegue argumentando que o corpo deve ter ficado na água "não apenas há três dias, mas, no mínimo, cinco vezes três dias", pois o grau de decomposição era tão avançado que Beauvais tivera muita dificuldade em reconhecê-lo. Esse último ponto, contudo, já foi completamente refutado. Continuo a transcrição:

> Em quais fatos *monsieur* Beauvais se baseia ao afirmar com certeza de que se tratava do corpo de Marie Rogêt? Ele rasgou a manga do vestido e disse ter encontrado marcas que confirmaram a identidade da moça. O público em geral supôs que tais marcas fossem cicatrizes. Ele esfregou o braço e encontrou pelos sobre ele — algo, em nossa opinião, tão impreciso quanto se pode prontamente imaginar — e tão pouco conclusivo quanto encontrar um braço dentro da manga. *Monsieur* Beauvais não retornou naquela noite, mas mandou um recado para madame Rogêt, às sete horas na noite de quarta-feira, avisando que a investigação acerca da morte de sua filha estava em andamento. Se presumirmos que para madame Rogêt, em virtude da idade

e do pesar diante da notícia, ficara impossibilitada de ir até o local (o que já é bastante especulativo), certamente deve ter havido alguém que possa ter julgado válido comparecer em seu lugar para acompanhar a investigação, supondo que fosse o corpo de Marie. Ninguém apareceu no local. Ninguém disse ou ouviu algo sobre o assunto na rua Pavée St. Andrée, sequer os moradores da pensão. *Monsieur* St. Eustache, o namorado e futuro marido de Marie, que residia na pensão de sua mãe, declarou em depoimento que só tomou conhecimento da descoberta do corpo de sua pretendente na manhã do dia seguinte, quando *monsieur* Beauvais foi até seu quarto para lhe colocar a par do acontecimento. Levando em consideração o teor da notícia, nos parece que fora recebida de maneira bastante fria.

Dessa forma, o jornal buscava criar uma impressão de apatia nos parentes de Marie, o que não condiz com a suposição de que acreditassem se tratar do corpo da jovem. As insinuações podem ser resumidas da seguinte maneira: Marie, com a conivência de seus amigos, ausentara-se da cidade por motivos que envolvem uma acusação à sua castidade; e que esses amigos, quando da descoberta de um corpo um pouco parecido com o da moça no Sena, haviam se aproveitado da oportunidade para sugestionar o público com a crença de que ela estava morta. Contudo, o *L'Etoile*, mais uma vez, estava se precipitando. Ficou provado, sem sombra de dúvida, que não houve apatia alguma; que a velha senhora era excessivamente frágil e estava nervosa demais para comparecer a qualquer compromisso; que St. Eustache, longe de ter recebido a notícia com frieza, ficara atordoado de sofrimento e reagira de maneira tão frenética que *monsieur* Beauvais tivera de pedir que um parente amigo cuidasse dele, o que impediu que estivesse presente no exame realizado após a exumação. Ademais, embora o *L'Etoile* tenha informado que o segundo enterro fora custeado com dinheiro público, que a oferta vantajosa de uma sepultura particular tenha sido recusada pela família e que nenhum de seus membros compareceu ao velório — embora, como estava dizendo, tudo isso tenha sido afirmado pelo jornal para endossar a impressão que desejavam transmitir

—, todas essas insinuações foram refutadas de maneira satisfatória. Em uma edição subsequente do jornal, foi realizada uma tentativa de colocar o próprio Beauvais sob suspeita. O editor declarou:

> Agora, porém, adveio uma mudança no caso. Ficamos sabendo que, em uma determinada ocasião, quando uma certa madame B. encontrava-se na casa de madame Rogêt, *monsieur* Beauvais, que estava de saída, comentou que esperavam receber um policial e que ela, madame B., não deveria dizer nada até que ele retornasse, deixando o assunto por sua conta. [...] Nas atuais circunstâncias, *monsieur* Beauvais age como se tivesse exclusividade no caso. Não se pode dar um único passo sem que, independente do caminho traçado, se bata de frente com ele. [...] Por algum motivo, determinou que apenas ele poderia estar a par e à frente dos procedimentos e, assim, rechaçou os parentes e amigos do sexo masculino, de acordo com os próprios, de maneira bastante singular. Também pareceu avesso à ideia de permitir que os parentes vissem o corpo da falecida.

O fato a seguir ampliou ainda mais a dimensão da suspeita que recaía sobre Beauvais. Um visitante, estando no escritório dele alguns dias antes do desaparecimento da moça e durante sua ausência, notou uma rosa no buraco da fechadura e o nome "Marie" inscrito em uma lousa ao lado.

A impressão geral, até onde pudemos apurar nos jornais, parecia ser que Marie fora vítima de uma gangue de bandidos que a arrastaram pelo rio, a maltratam e a assassinaram. Entretanto, *Le Commerciel*,[9] um jornal muito influente, rechaçou tal ideia popular com seriedade. Cito uma ou duas passagens de suas matérias:

> Estamos convencidos de que as investigações estão seguindo um rumo equivocado ao se direcionarem para o Barrière du Roule. É impossível que uma pessoa tão conhecida quanto

---

9 *New York Journal of Commerce*. [NA]

essa jovem era pudesse ter passado por três quarteirões sem ter sido vista por ninguém; e aqueles que por ventura a tivessem visto, decerto teriam se lembrado dela, pois todos os que a conheciam encontravam nela algum interesse. As ruas estavam cheias quando a moça saiu de casa. [...] É impossível que tenha ido até Barrière du Roule ou para a rua de Drômes sem ter sido reconhecida por uma dúzia de pessoas no caminho; no entanto, ninguém que a tenha visto fora da pensão de sua mãe apareceu até agora para prestar depoimento e não há evidência alguma, com exceção do testemunho que versa sobre o ostensivo propósito da moça de visitar a tia, de que ela tenha de fato visitado. O vestido estava rasgado, o tecido envolto e amarrado em seu corpo, sugerindo que o cadáver pode ter sido transportado como uma trouxa de roupas. Se o assassinato foi cometido em Barrière du Roule, tal subterfúgio não teria sido necessário. O fato de o corpo ter sido encontrado boiando perto do Barrière não constitui prova do local em que foi arremessado na água. [...] Uma faixa de uma das anáguas da pobre moça, medindo sessenta centímetros de comprimento e trinta de largura, foi arrancada e amarrada sob seu queixo, passando por trás da cabeça, provavelmente para impedir que gritasse. Isso foi feito por sujeitos que não portavam lenços de bolso.

Todavia, um ou dois dias antes de sermos procurados pelo comissário, uma informação importante chegou à polícia e pareceu invalidar boa parte do argumento do jornal *Le Commerciel*. Dois rapazotes, filhos de uma certa madame Deluc, enquanto perambulavam pelo bosque próximo a Barrière du Roule, entraram por acaso em um matagal cerrado, onde encontraram três ou quatro pedras avantajadas, formando uma espécie de assento com apoio para as costas e pés. Na pedra mais alta acharam uma anágua branca; na segunda, uma echarpe de seda. Encontraram também uma sombrinha, um par de luvas e um lencinho de bolso em que estava bordado o nome "Marie Rogêt". Distinguiram retalhos do vestido nos espinheiros ao redor. Havia pegadas na terra, arbustos quebrados e sinais evidentes de luta. As cercas que separavam o matagal do rio haviam sido removidas e o solo trazia marcas como se algo pesado e volumoso tivesse sido arrastado no local.

Um jornal semanal, *Le Soleil*,[10] trazia os seguintes comentários, à luz dessa nova descoberta — comentários estes que apenas reproduziam o sentimento de toda a imprensa parisiense:

> Os artigos encontrados decerto já estavam no local onde foram achados há pelo menos três ou quatro semanas; encontravam-se bastante mofados, em virtude da ação da chuva, e bem grudados pela ação do mofo. A grama crescera ao redor e sobre alguns deles. A seda da sombrinha era resistente, mas as costuras haviam cedido. A parte superior, onde fora dobrada, estava mofada e apodrecida e rasgou quando a sombrinha foi aberta. [...] Os retalhos do vestido espalhados pelos arbustos mediam em torno de sete centímetros de largura e quinze de comprimento. Um deles era a bainha do vestido, que fora remendada; o outro compunha a saia, e não a bainha. Pareciam faixas que foram arrancadas e jaziam sobre o arbusto estraçalhado, a mais ou menos trinta centímetros do solo. [...] Não restam dúvidas, portanto, de que o local deste assombroso ultraje tenha sido descoberto.

Em decorrência dessa descoberta, surgiram novas evidências. Madame Deluc testemunhou que mantinha uma pousada na beira da estrada não muito longe da margem do rio oposta ao Barrière du Roule. O bairro era particularmente afastado. Aos domingos, era o ponto costumeiro dos desocupados da cidade, que atravessavam o rio em barcos. Por volta das três horas, na tarde do domingo em questão, uma moça chegou na pousada, acompanhada por um jovem de pele escura. Os dois permaneceram no local por algum tempo. Ao saírem, pegaram o caminho de uma mata fechada nas redondezas. O vestido da moça foi o que chamou a atenção de madame Deluc, por conta da semelhança com uma peça usada por uma parenta morta. Ela notou, em particular,

---

10 *Philadelphia Saturday Evening Post*, editado pelo Ilmo. C.I. Peterson. [NA]

a echarpe. Logo após a partida do casal, uma gangue de meliantes apareceu, fazendo ruidosa algazarra; comeram e beberam sem pagar e depois seguiram o mesmo caminho do jovem casal, regressando para a pousada ao anoitecer e tornando a atravessar o rio com muita pressa.

Foi logo após escurecer, naquela mesma tarde, que madame Deluc e o filho mais velho ouviram os gritos de uma mulher nas vizinhanças da pousada. Os gritos foram pungentes mas breves. Madame D. reconheceu não apenas a echarpe encontrada no matagal, mas também o vestido que foi descoberto no cadáver. Um motorista de ônibus, Valence,[II] declarou em seu depoimento ter visto Marie Rogêt atravessar o Sena em uma balsa, no domingo em questão, na companhia de um jovem de pele escura. Valence conhecia Marie e não teve dúvidas em relação à sua identidade. Os artigos encontrados no matagal foram todos identificados pelos familiares da moça.

Os itens e as informações por mim coletados dos jornais, por sugestão de Dupin, abarcaram apenas mais um ponto — ainda que um ponto de vasta consequência. Parece que, logo após a descoberta das roupas, o corpo sem vida ou quase sem vida de St. Eustache, noivo de Marie, foi encontrado nas redondezas do que agora supomos ter sido a cena do crime. Um frasco vazio em que se lia "láudano" no rótulo foi encontrado ao lado dele. Seu hálito dava indícios de envenenamento. Morreu sem dizer uma só palavra. Foi encontrada uma carta junto ao seu corpo, declarando em breves linhas o amor que sentia por Marie e a intenção de cometer suicídio.

— Não preciso lhe dizer — falou Dupin ao terminar de examinar minhas anotações — que este é um caso muito mais intrincado do que o da rua Morgue, do qual difere em um aspecto importante. Trata-se de um crime, embora atroz, bastante comum. Não há nada particularmente *outré* ao seu respeito. Você há de observar que, por esse motivo, o mistério foi considerado simples quando, exatamente por tal razão, deveria ter sido julgado de difícil solução. Por isso, a princípio, dispensou-se o oferecimento de uma recompensa. Os mirmídones de G.

II   Adam. [NA]

conseguiram de imediato compreender como e por que tal atrocidade poderia ter sido cometida. Conceberam em suas mentes um modo, vários modos; e um motivo, vários motivos; e como não era impossível que alguns desses numerosos modos e motivos pudessem ser os verdadeiros, desconsideraram que algum de fato o fosse. Porém, a facilidade com que tais elaborações mentais foram levadas em consideração, e a própria plausibilidade que cada uma delas assumiu, deveria ter sido interpretada como indício das dificuldades, e não da simplicidade da elucidação do mistério. Já observei que é em virtude de proeminências que evadem o campo do ordinário que a razão tateia seu caminho em busca da verdade e que a pergunta apropriada em casos assim não é "O que aconteceu?" e, sim, "O que aconteceu, mas nunca aconteceu antes?". Nas investigações na casa de madame L'Espanaye,[12] os agentes de G. foram desmotivados e se atrapalharam precisamente por um caráter incomum que, para um intelecto mais regulado, teria garantido o êxito; esse mesmo intelecto teria mergulhado em desespero diante do caráter comum de tudo que parece evidente no caso da mocinha da perfumaria, ao passo que é exatamente tal caráter que parece garantir aos funcionários da polícia a certeza de triunfo.

"No caso de madame L'Espanaye e sua filha, não havia dúvidas, mesmo no início de nossa investigação, de que um assassinato fora cometido. A ideia de suicídio foi excluída imediatamente. No caso atual, também excluímos no início a ideia de suicídio. O corpo encontrado no Barrière du Roule foi achado em circunstâncias que não deixavam dúvida acerca desse importante ponto. Porém, já foi sugerido que o corpo descoberto não seria o de Marie Rogêt, por cujo assassino ou assassinos foi oferecida uma recompensa e em relação a quem fizemos um acordo com o comissário de polícia. Ambos conhecemos muito bem esse cavalheiro. Sabemos que não podemos confiar plenamente nele. Se datarmos nossa investigação da descoberta do cadáver e, então, rastrearmos o assassino e descobrirmos que o corpo é de outra pessoa que não Marie, ou partindo do pressuposto de que ela está

---

12   Ver "Os assassinatos da rua Morgue". [NA]

viva e assim a encontrarmos, em ambos os casos perdemos o trabalho e teremos que lidar com monsieur G. Para nosso próprio bem, entretanto, até para o bem da justiça, é indispensável que o primeiro passo seja determinar a identidade do cadáver, a fim de descobrir se realmente pertence à desaparecida Marie Rogêt.

"Os argumentos do *L'Etoile* causaram impacto no público; parece que o jornal em si está convicto de sua importância, a julgar pela maneira como começa uma das matérias que fez sobre o assunto: 'Diversos jornais matutinos hoje comentam o artigo *conclusivo* que publicamos na segunda-feira'. Para mim, esse artigo parece concluir muito pouco além do entusiasmo do próprio autor. Devemos ter em mente que, em geral, o objetivo de nossos jornais é criar uma comoção, expor um ponto de vista, mais do que promover a verdade. A segunda finalidade é procurada apenas quando parece coincidir com a primeira. O jornal que apenas expõe a opinião comum (por mais fundamentada que possa ser) não ganha o crédito da população. Esta considera profundo somente aquele que sugere *contradições incisivas* à ideia geral. No raciocínio, não menos do que na literatura, o mais imediato e universalmente apreciado é o epigrama. Em ambos, está na ordem inferior do mérito.

"O que quero dizer é que foi o epigrama e o melodrama misturados nesta ideia, a de que Marie Rogêt ainda está viva, e não sua plausibilidade, que a sugeriram ao *L'Etoile* e garantiram uma recepção favorável junto ao público. Vamos examinar os argumentos principais desse periódico, tentando evitar a incoerência originalmente apresentada por ele.

"O primeiro objetivo do autor do artigo é demonstrar, partindo da brevidade do intervalo entre o desaparecimento de Marie e a descoberta do corpo boiando no rio, que o cadáver não poderia ser da moça. Assim, a redução desse intervalo para sua menor dimensão possível logo se torna o objeto do argumentador. Na irrefletida busca de tal objetivo, ele se precipita em uma mera suposição desde o início. 'No entanto, é insensato supor', escreve, 'que o crime, caso se trate de um assassinato, tenha sido cometido cedo o bastante para permitir que os assassinos atirassem o corpo no rio antes da meia-noite.' Naturalmente, perguntamos então: por quê? Por que é loucura supor que o assassinato tenha sido cometido *cinco minutos* após a saída da moça da casa de sua mãe? Por que é loucura supor que o crime tenha sido cometido em um período qualquer do dia? Um homicídio pode ser cometido a qualquer hora. Porém, mesmo que o assassinato tenha ocorrido em algum momento entre nove da manhã de domingo e onze e quarenta e cinco da noite, ainda assim haveria tempo suficiente para atirar o corpo no rio antes da meia-noite. Essa suposição, então, nos leva a concluir que o assassinato não fora cometido no domingo; e, se permitirmos que o *L'Etoile* suponha isso, podemos lhe conceder qualquer liberdade. O parágrafo que começa com 'é insensato supor que o crime etc.', seja lá como aparece impresso no *L'Etoile*, deve ser imaginado como existente da seguinte maneira no cérebro de quem o escreveu: 'No entanto, é insensato supor que o crime, caso se trate de um assassinato, tenha sido cometido cedo o bastante para permitir que os assassinos atirassem o corpo no rio antes da meia-noite; é loucura supor tudo isso e presumir, ao mesmo tempo (como estamos resolutos a fazer), que o corpo não tenha sido arremessado até depois da meia-noite'. Esta é uma frase inconsequente o bastante por si só, mas não tão completamente absurda como a publicada.

"Se fosse meu propósito", continuou Dupin, "apenas *contestar* esse trecho do argumento do *L'Etoile*, eu poderia deixá-lo como está. Não é, entretanto, com o jornal que temos de prestar contas, e sim com a verdade. A frase em questão tem apenas um significado, tal como está; é o significado ao qual já aludi, mas precisamos ir além das meras palavras, em busca da ideia que elas pretendiam, embora não tenha conseguido transmitir. Era a intenção dos jornalistas dizer que, seja qual for o período do dia ou da noite de domingo que o assassinato foi cometido, parece improvável que os assassinos se arriscassem a carregar o corpo até o rio antes da meia-noite. E aqui jaz, na verdade, a suposição que devo contestar. Eles presumiram que o assassinato foi cometido de tal modo e sob determinadas circunstâncias que foi necessário carregar o corpo até o rio. Ora, o assassinato pode ter ocorrido na margem ou no próprio rio; assim, o descarte do corpo na água pode ter acontecido em qualquer período do dia ou da noite, como a maneira mais óbvia e imediata de se livrar do cadáver. Compreenda que não sugiro nada aqui como provável ou condizente com minha opinião. Minha intenção, até o momento, não tem referência alguma com os fatos do caso. Desejo tão somente adverti-lo contra o tom da suposição do *L'Etoile*, chamando sua atenção para o caráter parcial empregado desde o início.

"Tendo prescrito assim um limite às suas próprias noções preconcebidas e supondo que, se fosse o corpo de Marie, teria estado na água há pouquíssimo tempo, o jornal prossegue declarando:

> A experiência atesta que corpos afogados ou atirados na água imediatamente após uma morte violenta levam de seis a dez dias para atingir um estado de decomposição suficiente e emergir boiando na superfície. Mesmo se dispararmos um canhão sobre um cadáver, fazendo-o emergir antes de cinco ou seis dias de imersão, ele voltará a afundar, caso não sofra interferência alguma.

"Tais afirmações foram aceitas tacitamente por todos os jornais de Paris, com exceção do *Le Moniteur*,[13] que buscou combater apenas o trecho do parágrafo que faz menção aos 'corpos afogados', citando cinco ou seis exemplos nos quais os corpos de indivíduos sabidamente afogados foram encontrados boiando após um lapso de tempo mais curto do que afirmara o *L'Etoile*. Todavia, há algo desarrazoado ao extremo nessa tentativa, por parte do *Le Moniteur*, de rechaçar a suposição geral do *L'Etoile* citando exemplos de exceções à regra. Ainda que pudessem produzir cinquenta exemplos de corpos encontrados boiando ao fim de dois ou três dias em vez de cinco, tais exemplos ainda poderiam ser considerados como exceções à norma do *L'Etoile*, até que a regra em si fosse refutada. Ao admitir a regra (e isso o *Le Moniteur* não nega, insistindo apenas em suas exceções), o argumento do *L'Etoile* retém força total; pois esse argumento não procura envolver mais do que uma questão de probabilidade de que o corpo tivesse

---

13   *The New York Commercial Advertiser*, editado pelo cel. Stone. [NA]

emergido à superfície em menos de três dias e tal possibilidade estaria em favor da posição do *L'Etoile* até que os exemplos tão infantilmente fornecidos sejam suficientes em quantidade para que se possa estabelecer uma regra antagônica.

"Você logo perceberá que todos os argumentos acerca desse ponto fulcral deveriam ser instados contra a regra em si; para tal, devemos examinar a lógica da regra. O corpo humano, em geral, não é mais leve ou pesado do que a água do Sena, ou seja, a gravidade específica do corpo humano, em sua condição natural, é equivalente à massa de água que desloca. O corpo de indivíduos gordos ou carnudos, com ossos pequenos, e das mulheres em geral é mais leve do que o de indivíduos magros e de ossos maiores, bem como dos homens; a gravidade específica da água do rio é, em certa medida, influenciada pelas marés. Contudo, deixada essa maré de lado, podemos dizer que pouquíssimos corpos humanos afundariam, mesmo em água doce, por conta própria. Praticamente qualquer pessoa que caia em um rio vai boiar, caso permita que a gravidade específica da água se equilibre com a sua, ou seja, se o corpo inteiro ficar submerso, com o mínimo possível para fora da água. A posição ideal para quem não sabe nadar é o corpo ereto na vertical, com a cabeça toda para trás, imersa na água; somente a boca e o nariz devem permanecer acima da superfície. Em tais circunstâncias, flutua-se sem dificuldade ou esforço. Contudo, é evidente que o equilíbrio da gravidade do corpo com a massa de água deslocada é frágil e que qualquer fator, por mais insignificante, pode arruiná-lo. Um braço fora da água, por exemplo, e assim privado de seu apoio, imprime um peso adicional suficiente para afundar a cabeça inteira, ao passo que a ajuda acidental do menor pedaço de madeira permite que se eleve a cabeça o bastante para olhar ao redor. Na agitação de alguém que não sabe nadar, os braços invariavelmente se erguem, enquanto a pessoa tenta manter a cabeça em posição perpendicular. O resultado é a imersão da boca e do nariz e a entrada de água nos pulmões durante os esforços para respirar enquanto estiver submersa. Muita água é absorvida pelo estômago também, e o corpo inteiro se torna mais pesado, por conta da diferença entre o peso do ar que originalmente distende essas cavidades e o do fluido que passa a preenchê-las. Tal diferença é suficiente para fazer com que o corpo afunde, em geral, mas não basta no caso de indivíduos com ossos pequenos e uma quantidade anormal de tecido flácido ou gorduroso. Tais indivíduos boiam até mesmo depois de afogados.

"O cadáver, supondo que esteja no fundo do rio, permanecerá ali até que, por algum motivo, sua gravidade específica volte a ser menor do que a massa de água por ele deslocada. Esse efeito é causado pela decomposição, entre outros fatores. O resultado da decomposição é a formação de gases que distendem os tecidos celulares e todas as cavidades, gerando a horrenda aparência inchada do cadáver. Quando essa distensão atinge um nível em que o volume do cadáver aumenta consideravelmente, sem o crescimento proporcional de massa ou peso, sua gravidade específica se torna menor do que a da água deslocada, provocando, assim, sua aparição na superfície. No entanto, a decomposição pode ser alterada por inúmeras circunstâncias, apressada ou retardada por incontáveis agentes; por exemplo, o calor ou o frio da estação, a impregnação mineral ou pureza da água, sua maior ou menor profundidade, correnteza ou estagnação, a temperatura do corpo e a presença ou ausência de infecção ou doença antes da morte. Deste modo, é evidente que não podemos determinar com precisão o período em que o cadáver poderá emergir com o efeito da decomposição. Sob determinadas condições, tal resultado ocorreria em uma hora; sob outras, poderia sequer acontecer. Existem substâncias químicas capazes de preservar para sempre o sistema ósseo da putrefação; o bicloreto de mercúrio é uma delas. Porém, além da decomposição, pode haver, e geralmente há, a formação de gases dentro do estômago, produzidos pela fermentação acética da matéria vegetal (ou dentro de outras cavidades, por causas diversas), suficientes para induzir uma distensão capaz de levar o corpo até a superfície. O efeito produzido por um tiro de canhão gera apenas vibração. Isso pode ou desprender o cadáver da lama ou lodo em que se encontra, permitindo que volte à superfície quando outros agentes já o prepararam para tal, ou vencer a tenacidade de algumas porções putrefatas do tecido celular, fazendo com que as cavidades se distendam sob a influência dos gases.

"Tendo diante de nós todas essas informações sobre o assunto, podemos facilmente pôr à prova as alegações do *L'Etoile*. 'A experiência atesta' disse o jornal, 'que corpos afogados ou atirados na água imediatamente após uma morte violenta levam de seis a dez dias para atingir um estado de decomposição suficiente e emergir boiando na superfície. Mesmo se dispararmos um canhão sobre um cadáver, fazendo-o emergir antes de cinco ou seis dias de imersão, ele voltará a afundar, caso não sofra interferência alguma.'

"Todo esse parágrafo agora aparenta ter sido tecido em inconsequência e incoerência. Nem toda experiência demonstrou que 'corpos afogados' levam de seis a dez dias para alcançar um estado de decomposição suficiente e emergir boiando na superfície. Tanto a ciência quanto a experiência demonstram que o período de subida para a superfície é, necessariamente, indeterminado. Ademais, se um corpo subir à superfície em decorrência de um tiro de canhão, ele *não* 'voltará a afundar, caso não sofra interferência alguma', pelo menos até que a decomposição esteja tão avançada a ponto de permitir o escape dos gases. Porém, quero chamar sua atenção para a distinção feita entre 'corpos afogados' e corpos 'atirados na água imediatamente após uma morte violenta'. Embora o autor reconheça a diferença, ele inclui ambos na mesma categoria. Já demonstrei como o corpo de um afogado torna-se especialmente mais pesado do que a massa de água que desloca e que não afundaria de modo algum, a não ser pela agitação que o leva a erguer os braços acima da superfície e pela ingestão de água quando está submerso, ingestão esta que substitui o ar nos pulmões por água. No entanto, essa agitação e ingestão não ocorreriam no corpo 'atirado na água imediatamente após uma morte violenta'. Assim, neste último caso, o corpo, de modo geral, não afundaria de forma alguma; um fato que o *L'Etoile* claramente ignora. Quando a decomposição atinge um estágio bem avançado, em que a carne se desprende em grande medida dos ossos, somente então, e jamais antes, perdemos o cadáver de vista.

"E o que dizer do argumento de que o corpo encontrado não poderia ser de Marie Rogêt porque, tendo se passado apenas três dias, o cadáver fora encontrado boiando? Se afogada, sendo mulher, ela poderia jamais ter afundado; ou, tendo afundado, teria reaparecido em vinte e quatro horas ou menos. Todavia, ninguém supõe que tenha se afogado e, se estivesse morta antes de ser atirada no rio, poderia ter sido encontrada boiando em qualquer período subsequente.

"Contudo, de acordo com o *L'Etoile*, 'se o corpo tivesse sido mantido em seu estado mutilado fora da água até terça à noite, algum vestígio dos assassinos teria sido encontrado nas margens do rio'. Aqui, à primeira vista, é difícil perceber a intenção do autor. Ele deseja antecipar o que imagina ser uma objeção à sua teoria, a saber: que o corpo foi mantido em terra firme por dois dias, sofrendo assim rápida decomposição, mais rápida do que se estivesse imerso na água. Ele supõe que, se fosse esse o caso, o corpo poderia ter surgido na quarta-feira, julgando que apenas sob tais circunstâncias isso seria possível. Do mesmo modo, apressa-se para demonstrar que o cadáver não foi mantido na margem, pois, do contrário, 'algum vestígio dos assassinos teria sido encontrado nas margens do rio'. Presumo que esteja sorrindo diante do resultado lógico que se segue. Você não consegue entender como a mera permanência do cadáver fora da água poderia multiplicar os vestígios dos assassinos. Nem eu.

"'Além do mais, é altamente improvável', prossegue o jornal, 'que os bandidos que cometeram um assassinato como este atirassem o corpo na água sem algum peso que o fizesse afundar, quando tal precaução poderia ter sido tomada sem dificuldades.' Observe, aqui, a risível confusão de pensamentos! Ninguém, nem mesmo o *L'Etoile*, questiona se o *corpo encontrado* foi de fato assassinado. As marcas de violência são por demais óbvias. O objetivo do autor é somente demonstrar que o corpo não é de Marie. Ele deseja provar apenas que a moça não foi assassinada, e não que o cadáver encontrado não tenha sido. No entanto, sua observação prova apenas o segundo ponto. Temos um corpo ao qual não foi incorporado nenhum peso suplementar que o fizesse afundar por conta própria. Os assassinos, quando arremessaram o corpo, decerto teriam tomado tal precaução. Sendo assim, o corpo não foi atirado no rio pelos assassinos. Se algo foi provado, trata-se disso apenas. A questão da identidade não foi sequer abordada, e o *L'Etoile* esforçou-se arduamente apenas para contradizer agora o que admitira antes. 'Estamos convencidos', diz o jornal, 'de que o corpo encontrado foi o de uma mulher assassinada.'

"Essa sequer é a única instância em que nosso autor, de maneira involuntária, contradiz o próprio raciocínio. Já falei aqui que seu objetivo evidente é reduzir, o máximo possível, o intervalo entre o desaparecimento de Marie e a descoberta do cadáver. No entanto, ele insiste no ponto de que ninguém viu a moça desde que ela deixara a casa da mãe. 'Embora não tenhamos provas', diz o periódico, 'de que Marie Rogêt estivesse entre os vivos após às nove horas no domingo, dia 22 de junho'. Como o argumento é obviamente parcial, ele deveria, ao menos, ter deixado o assunto de lado; pois, se fosse sabido que alguém viu Marie, digamos na segunda ou terça-feira, o intervalo em questão diminuiria bastante e, de acordo com o raciocínio do autor, também teríamos reduzida a probabilidade de ser o cadáver da *grisette*. É, não obstante, divertido observar que o *L'Etoile* insiste nesse ponto acreditando piamente que ele colabora com seu argumento geral.

"Reexamine agora o trecho do argumento que menciona a identificação do cadáver por Beauvais. No que diz respeito ao pelo no braço, o *L'Etoile* foi ingênuo. *Monsieur* Beauvais, não sendo um idiota, jamais teria embasado a identificação do cadáver apenas pela presença de pelos no braço. Nenhum braço é desprovido de pelos. A generalização da expressão empregada pelo jornal é uma deturpação da fraseologia da testemunha. Ele deve ter se referido a alguma peculiaridade no pelo, algo sobre cor, quantidade, tamanho ou estado.

"'Seus pés', alega o jornal, 'eram pequenos — assim como o são milhares de pés. A liga não constitui prova alguma, nem o sapato, pois sapatos e ligas são vendidos aos montes. O mesmo pode ser dito das flores no chapéu. Um ponto sobre o qual *monsieur* Beauvais insiste com firmeza é que a fivela da liga encontrada fora ajustada, sendo puxada para trás. Isso não quer dizer nada; muitas mulheres preferem levar um par de ligas para casa e ajustá-las de acordo com o próprio tamanho em vez de experimentá-las na loja onde fizeram a compra.' Aqui é difícil supor que o autor esteja falando sério. Se *monsieur* Beauvais, em sua busca pelo corpo de Marie, descobrisse um corpo que correspondesse em tamanho e aparência à moça desaparecida, ele teria a chancela (sem mencionar a questão da vestimenta) de concluir que tivera êxito em sua busca. Se, além do tamanho e do aspecto geral, encontrasse no braço uma peculiar aparência pilosa que já observara antes em Marie, quando viva, sua opinião poderia ter sido justificadamente fortalecida; o aumento de sua certeza seria assim proporcional à peculiaridade ou à raridade do aspecto dos pelos. Se os pés de Marie fossem pequenos, assim como os do cadáver, o aumento da probabilidade de que o corpo seria dela não se daria apenas em proporção aritmética, mas igualmente geométrica ou acumulativa. Acrescente a tudo isso sapatos tais como os que ela estava usando no dia em que desapareceu e, embora possam ter sido 'vendidos aos montes', aumentamos a probabilidade à beira da certeza. O que, por si só, não é evidência alguma de identidade torna-se, em virtude de sua posição colaborativa, uma prova indubitável. Se acrescentarmos flores no chapéu semelhantes às usadas pela moça desaparecida, não precisamos buscar mais nada. Se apenas uma flor já nos faria abandonar nossa busca, o que dizer de duas, três ou mais? Cada flor sucessiva é evidência múltipla, não provas *acrescentadas* a provas, mas multiplicadas por centenas ou milhares. Se descobrirmos, na falecida, ligas como as usadas pela moça quando viva, é quase tolice prosseguir. Porém, essas ligas foram ajustadas, presas na parte posterior por uma fivela, de maneira idêntica ao modo como Marie ajustara as suas um pouco antes de sair de casa. Chegamos ao ponto em que duvidar é loucura ou hipocrisia. O que o *L'Etoile* diz sobre o ajuste das ligas ser pouco comum não demonstra nada além de sua persistência no erro. A própria elasticidade do fecho da liga demonstra que tais ajustes não são incomuns. O que é feito para ser ajustado raramente necessitaria de ajustes adicionais. Deve ter sido por um acidente, no sentido estrito da palavra, que as ligas de Marie precisaram ser apertadas tal como foi descrito. As ligas por si só teriam estabelecido sua identidade. Mas acontece que o cadáver não possuía apenas as ligas da moça desaparecida, ou seus sapatos, ou seu chapéu, ou as flores, ou os pés, ou uma marca peculiar no braço, ou seu tamanho e aspecto geral. O cadáver possuía cada uma dessas características e todas *ao mesmo tempo*. Se pudéssemos provar que o editor do *L'Etoile* realmente tivesse alguma dúvida, sob tais circunstâncias, não haveria necessidade, no caso, de uma intervenção por insanidade. Ele julgou sagaz repetir a conversa fiada dos advogados que, por sua vez, contentam-se em repetir os preceitos dos tribunais. Gostaria de observar que boa parte do que é rejeitado como evidência por um tribunal apresenta-se como a melhor das provas para o intelecto. Pois o tribunal, guiando-se pelos princípios gerais da evidência, princípios reconhecidos e sobre os quais *versam os livros*, é avesso aos desvios de suas ocorrências particulares. E essa aderência rígida aos princípios, com rigoroso desdém à exceção conflituosa, é um modo garantido de atingir a máxima veracidade possível em qualquer sequência duradoura de tempo. A prática, em geral, é, portanto, filosófica; mas não é menos certo que engendre vastos erros individuais.[14]

"Em relação às insinuações direcionadas a Beauvais, você deverá estar disposto a rechaçá-las de pronto. Já deve ter compreendido a verdadeira natureza desse bom cavalheiro. É um enxerido, mais fantasioso do que sagaz. Qualquer um com esse temperamento se comportaria prontamente desse modo e, em uma ocasião de agitação verdadeira, tornaria-se passível de suspeita por parte dos perspicazes em excesso ou dos maldosos. *Monsieur* Beauvais (como dão a entender suas anotações) conversou pessoalmente com o editor do *L'Etoile* e o ofendeu ao arriscar a opinião de que o cadáver, a despeito da teoria do editor, era de Marie Rogêt, sem sombra de dúvidas. 'Ele insiste', diz o jornal, 'em afirmar que o cadáver é de Marie, mas é incapaz de oferecer uma circunstância, além das que já comentamos, que convença os demais.' Sem a necessidade de fazer novamente referência ao fato de que é impossível fornecer evidências mais sólidas para 'convencer os demais',

---

14 "Uma teoria baseada nas qualidades de um objeto impedirá que se revele de acordo com seus objetos, bem como aquele que organiza os assuntos de acordo com suas causas deixará de valorizá-los de acordo com os resultados. Assim, a jurisprudência de qualquer nação demonstrará que quando a lei se torna uma ciência e um sistema, ela deixa de ser justiça. Os equívocos para os quais uma devoção cega aos princípios da classificação costuma conduzir a lei comum são reconhecidos na observação de que amiúde a legislação é forçada a interferir para restaurar a equidade perdida por seu esquema." — Landor. [NA]

cabe lembrar que um homem pode acreditar em algo, em um caso como este, sem possuir a capacidade de oferecer subsídio racional que fortaleça a crença de terceiros. Não é mais vago do que as impressões individuais. Cada indivíduo reconhece seu vizinho, contudo são raras as ocorrências nas quais se está preparado para explicar racionalmente tal reconhecimento. O editor do *L'Etoile* não tinha o direito de se ofender com a crença sem fundamentos do *monsieur* Beauvais.

"As circunstâncias suspeitas que o cercam se coadunam muito mais com minha hipótese de que se trata de um enxerido fantasioso do que a insinuação de culpa defendida pelo autor da matéria. Uma vez adotada minha interpretação mais caridosa, não encontramos dificuldade alguma em compreender a rosa no buraco da fechadura, o nome 'Marie' escrito na lousa, o rechaçar de parentes do sexo masculino, que foram impedidos de ver o corpo, o conselho dado a madame B., de que não deveria conversar com o policial até que ele, Beauvais, retornasse, e, finalmente, sua aparente determinação de que 'somente ele poderia estar a par e à frente dos procedimentos'. Não há dúvidas de que Beauvais estava cortejando Marie e que ela, por sua vez, fora coquete com ele, deixando no homem a impressão ambígua de que desfrutava a totalidade de sua intimidade e confiança. Não me estenderei nesse ponto e, como a evidência rejeita a afirmação do *L'Etoile* no que diz respeito à apatia da mãe e dos demais parentes (uma apatia incompatível com a suposição de que acreditavam de fato se tratar do cadáver da moça da perfumaria), prosseguiremos como se a questão acerca de sua identidade já estivesse resolvida de maneira mais do que satisfatória."

— E o que você acha — perguntei — das opiniões do *Le Commerciel*?

— Acho que, em essência, são muito mais dignas de atenção do que qualquer outra publicada sobre o assunto. Suas deduções das premissas são filosóficas e perspicazes; mas as premissas, pelo menos em dois exemplos, são fundamentadas em uma observação incorreta. O *Le Commerciel* deseja insinuar que Marie foi sequestrada por uma gangue de rufiões em um ponto não muito distante da casa de sua mãe. "É impossível", alega o jornal, "que uma pessoa tão conhecida quanto era essa jovem pudesse ter passado por três quarteirões sem ter sido vista por ninguém." Essa é a visão de um homem há muito residente em Paris, um homem público, alguém cujas andanças de um lado para o outro pela cidade limitam-se à vizinhança das repartições públicas. Ele tem consciência de que raramente poderá sair de seu escritório e caminhar uma dúzia de quarteirões sem ser reconhecido ou abordado em seu trajeto. Assim, ciente da extensão de seu conhecimento pessoal em relação aos outros e vice-versa, compara sua notoriedade com a da moça da perfumaria, não detecta diferença substancial alguma e chega à conclusão de que ela, em suas andanças, seria igualmente passível de ser reconhecida. Isso só seria possível se as caminhadas de Marie tivessem o mesmo padrão invariável e metódico e se limitassem às mesmas regiões que ele. O homem caminha de um lado para o outro, em intervalos regulares, em uma periferia confinada, repleta de indivíduos que são levados a observar sua pessoa por interesse na natureza semelhante de sua ocupação. Contudo, as andanças de Marie poderiam ser, em geral, aleatórias. Nesse caso específico, entendemos ser mais provável que ela tenha seguido por um caminho diverso do habitual, com o qual já estava acostumada. O paralelo que imaginamos ter existido na mente do *Le Commerciel* só poderia se sustentar se os dois indivíduos atravessassem a cidade inteira. Nesse caso, admitindo que o número de conhecidos fosse o mesmo, também seriam iguais as chances de que ocorresse um número igual de encontros. Julgo não apenas possível, como bem mais provável, que Marie tenha seguido por qualquer uma das rotas entre sua residência e a de sua tia sem ter encontrado uma única pessoa que conhecesse ou por quem fosse conhecida. Ao examinarmos essa questão com clareza e atenção, devemos ter em mente a grande desproporção existente entre a quantidade de conhecidos de uma pessoa, até mesmo do indivíduo mais notório de Paris, e a população total da cidade.

"Porém, seja qual for a força que ainda possa estar presente na sugestão do *Le Commerciel*, ela será bastante reduzida se levarmos em consideração a hora em que a moça saiu. 'As ruas estavam cheias quando a moça saiu de casa', declarou o jornal. Mas não foi esse o caso. Eram nove horas da manhã. Ora, às nove da manhã, em qualquer dia da semana, as ruas da cidade estão, de fato, lotadas, *exceto aos domingos*. Nesses dias, a maior parte das pessoas está em casa, *preparando-se para ir à igreja*. Indivíduo observador algum pode deixar de notar a atmosfera peculiarmente deserta da cidade, de oito da manhã às dez, aos domingos. Entre dez e onze, as ruas estão apinhadas, mas não em um período mais cedo do que o estipulado.

"Há outro ponto em que parece haver uma má observação da parte do *Le Commerciel*. 'Uma faixa', declarou o periódico, 'de uma das anáguas da pobre moça, medindo sessenta centímetros de comprimento e trinta de largura, foi arrancada e amarrada sob seu queixo, passando por trás da cabeça, provavelmente para impedir que gritasse. Isso foi feito por sujeitos que não portavam lenços de bolso.' Se essa ideia tem ou não cabimento, é algo que vamos avaliar depois; mas, com 'sujeitos que não portavam lenços de bolso', o editor quer se referir à mais baixa classe de rufiões. Esses, todavia, são exatamente aqueles que sempre levam lenços de bolso consigo, mesmo quando desprovidos de camisas. Você deve ter tido oportunidade de observar o quão absolutamente indispensável se tornou, nos últimos anos, o lenço de bolso para o bandido minucioso."

— E o que podemos aduzir do artigo do *Le Soleil*? — indaguei.

— É uma pena que seu autor não tenha nascido um papagaio; seria o papagaio mais ilustre de sua raça. Ele só fez repetir, item por item, as opiniões já publicadas; coletou-as, com louvável diligência, deste e daquele jornal. 'Os artigos encontrados decerto já estavam no local onde foram achados', concluiu o jornal, 'há pelo menos três ou quatro semanas. *Não restam dúvidas*, portanto, de que o local deste assombroso ultraje tenha sido descoberto.' Os fatos repetidos pelo *Le Soleil* estão muito longe de demover minhas próprias dúvidas sobre o assunto e vamos examiná-los doravante com mais detalhes em conexão com outro tópico do tema.

"Por enquanto, devemos nos ocupar com outras investigações. Você sem dúvida notou o quão negligente foi o exame do cadáver. É verdade que a identidade foi determinada na mesma hora, ou deveria ter sido; mas havia outros detalhes a serem averiguados. O corpo foi, de alguma maneira, roubado? A falecida estava usando alguma joia ao sair de casa?

Caso estivesse, ainda as usava quando foi encontrada? São perguntas importantes que não foram sequer aventadas na investigação; existem outras, tão pertinentes quanto, que também passaram despercebidas. Resta-nos ficar satisfeitos com nossa própria investigação. O caso de St. Eustache deve ser reexaminado. Não suspeito dele, mas procederemos de maneira metódica. Temos que comprovar, com absoluta certeza, a validade da declaração que ele deu acerca de seu paradeiro no domingo. Declarações desse tipo são logo passíveis de especulação. Porém, caso não haja nada errado, isentaremos St. Eustache de nossas investigações. Seu suicídio, por mais que possa colaborar com a suspeita, caso haja falsidade em suas declarações, não é, na ausência de qualquer fraude, uma circunstância inexplicável ou um acontecimento que nos obrigue a desviar do curso natural de nossa análise.

"Proponho, então, que descartemos os aspectos internos desta tragédia para nos concentrarmos nos externos. Um erro bastante comum em investigações deste tipo é a limitação do procedimento aos acontecimentos imediatos, ignorando completamente os colaterais ou circunstanciais. Os tribunais possuem uma prática equivocada de restringir as evidências e discussões aos limites de uma relevância aparente. Não obstante, a experiência já demonstrou, bem como uma filosofia autêntica sempre mostrará, que uma vasta porção da verdade, quiçá a maior, surge de tudo que é aparentemente irrelevante. Foi com o espírito desse princípio, se não pelo caráter, que a ciência moderna resolveu calcular o imprevisto. No entanto, talvez você não me compreenda. A história do conhecimento humano mostra continuamente que devemos aos acontecimentos colaterais, incidentais ou acidentais, as descobertas mais numerosas e valiosas; que, por fim, se tornou necessário, em qualquer visão prospectiva de aprimoramento, fazer grandes concessões às invenções que surgem por acaso, fora do escopo da expectativa comum. Já não é mais filosófico basear-se em uma visão de futuro. O acidental deve ser reconhecido como uma parte da subestrutura. Fazemos do acaso uma questão de cálculo absoluto. Submetemos o inédito e o inimaginável às fórmulas matemáticas escolares.

"É fato, eu repito, que a maior parte da verdade surge do colateral; é de acordo com o espírito do princípio envolvido nesse fato que, no presente caso, desvio minha investigação do caminho já percorrido e infértil do acontecimento em si para as circunstâncias contemporâneas que o cercam. Enquanto verifica a validade dos atestados, examinarei os jornais de maneira mais geral do que você fez até agora. Até o momento, só reconhecemos o campo da investigação. Duvido, entretanto, que uma busca minuciosa nos jornais, tal como proponho, não nos ofereça detalhes preciosos que hão de estabelecer uma direção para nossa investigação."

Acatando a sugestão de Dupin, fiz um exame meticuloso dos atestados. O resultado foi uma firme convicção de sua validade e, por consequência, da inocência de St. Eustache. Nesse meio-tempo, meu amigo ocupou-se — com o que parecia uma minúcia despropositada — em examinar os diversos periódicos. Ao fim de uma semana, ele me apresentou os seguintes trechos:

> Há cerca de três anos e meio, uma comoção semelhante à atual foi causada pelo desaparecimento da mesma Marie Rogêt da perfumaria do *monsieur* Le Blanc, no Palais Royal. Ela, contudo, reapareceu em seu habitual balcão uma semana depois, bem-disposta como de costume, exceto por uma leve palidez incomum. *Monsieur* Le Blanc e a mãe da moça declararam que ela fora apenas visitar uma amiga no interior, e o caso foi rapidamente abafado. Presumimos que o sumiço atual seja uma anomalia semelhante e que, ao fim de uma semana ou quiçá um mês, a tenhamos outra vez entre nós. — *Evening Paper*, segunda-feira, dia 23 de junho.[15]

> Um jornal vespertino de ontem refere-se ao outro desaparecimento misterioso de *mademoiselle* Rogêt. É sabido que, durante a semana que esteve ausente da perfumaria de Le Blanc, encontrava-se em companhia de um jovem oficial da marinha,

---

15 *New York Express*. [NA]

célebre por sua libertinagem. Supõe-se que uma discussão, de modo providencial, a tenha feito regressar a casa. Temos o nome do sedutor, que está atualmente em Paris por força de sua ocupação, mas, por motivos óbvios, não o revelaremos ao público. — *Le Mercurie*, manhã de terça-feira, 24 de junho.[16]

Uma atrocidade bárbara foi cometida nos arredores da cidade anteontem. Ao anoitecer, um cavalheiro, acompanhado pela esposa e pela filha, contratou os serviços de seis jovens, que estavam remando perto das margens do Sena de um lado para o outro, a fim de o transportassem para o outro lado do rio. Ao alcançarem o destino proposto, os três passageiros desembarcaram e já estavam se afastando do barco quando a moça descobriu que havia esquecido a sombrinha. Ela voltou para buscá-la e foi rendida pelo bando, carregada pelo rio, amordaçada, brutalmente atacada e, por fim, levada até a margem, em um ponto não muito distante do local em que embarcara com os pais. Os bandidos escaparam, mas a polícia está no encalço deles e alguns serão detidos em breve. — *Morning Paper*, 25 de junho.[17]

Recebemos um ou dois comunicados que visam implicar Mennais[18] em uma recente atrocidade, mas o cavalheiro em questão já foi completamente isentado de culpa após um inquérito legal e, uma vez que os argumentos de nossos diversos correspondentes parecem mais fanáticos do que profundos, não julgamos aconselhável publicá-los. — *Morning Paper*, 28 de junho.[19]

Recebemos diversos comunicados, escritos com vigor e aparentemente de fontes variadas, que afirmam, sem sombra de dúvida, que a desventurada Marie Rogêt foi vítima de uma das inúmeras quadrilhas de malfeitores que infestam os

---

16   *New York Herald*. [NA]
17   *New York Courier Inquirer*. [NA]
18   Mennais foi um dos suspeitos presos, mas liberado por completa ausência de provas. [NA]
19   *New York Courier Inquirer*. [NA]

arredores da cidade aos domingos. Nossa própria opinião, decididamente, favorece essa conjectura. Buscaremos apresentar, doravante, alguns desses argumentos. — *Evening Paper*, terça-feira, 31 de junho.[20]

Na segunda-feira, um dos barqueiros ligado ao serviço aduaneiro avistou um barco vazio singrando no Sena. As velas jaziam nos fundos da embarcação. O barqueiro o rebocou até seu posto de trabalho. No dia seguinte, o barco foi levado sem o conhecimento de nenhum dos oficiais. O leme se encontra no posto. — *Le Diligence*, quinta-feira, 26 de junho.[21]

Ao concluir a leitura desses diversos trechos, eles não só me pareceram irrelevantes como não conseguia perceber de que modo poderiam estar relacionados ao assunto em questão. Esperei que Dupin me oferecesse alguma explicação a respeito.

— Não é minha intenção no momento — disse ele — me deter no primeiro e no segundo trechos. Eu os selecionei apenas para lhe mostrar o extremo descuido da polícia que, até onde o comissário me informou, não se deu ao trabalho de investigar o referido oficial da marinha. No entanto, é tolice afirmar que não há uma conexão plausível entre o primeiro e o segundo desaparecimento de Marie. Vamos supor que a primeira fuga tenha resultado em uma briga entre os dois amantes, com o retorno da jovem traída ao lar. Assim, estamos preparados para ver a segunda fuga (se soubermos que se trata de fato de uma fuga) como uma renovação das investidas do jovem traidor, e não como resultado de novas propostas feitas por um novo pretendente. Estamos preparados para entendê-la como um indicativo de "pazes" com um velho amor, e não como o começo de um novo relacionamento. É muito mais provável que o sujeito com quem Marie fugiu pela primeira vez tivesse proposto uma nova fuga do que a jovem receber uma proposta de outro indivíduo. E deixe-me chamar sua

---

20 *New York Evening Post*. [NA]
21 *New York Standard*. [NA]

atenção para o fato de que o tempo transcorrido entre a primeira fuga comprovada e a segunda fuga presumida é alguns meses mais extenso do que a duração comum das viagens realizadas por nossos navios de guerra. Teria o conquistador sido interrompido, em sua primeira investida, por uma necessidade de embarque imediato e aproveitado o primeiro momento de seu regresso para retomar os vis propósitos não logrados, ou não logrados *por ele*? Não sabemos nada a respeito.

"Você dirá, contudo, que na segunda hipótese não houve fuga como imaginamos. Certamente que não, mas será que não houve uma tentativa frustrada? Além de St. Eustache, e talvez de Beauvais, não encontramos outros pretendentes de Marie reconhecidos, assumidos e honrados. Nenhum outro é conhecido. Quem será, então, o amante secreto a respeito do qual os familiares da moça (ou, pelo menos, a maioria) nada sabem, mas que Marie teria encontrado na manhã de domingo e em quem confiava tanto a ponto de ficar em sua companhia até o cair da noite, entre os bosques solitários de Barrière du Roule? Quem é esse amante secreto, pergunto, cuja existência é desconhecida por boa parte dos familiares da jovem? E o que significa a profecia singular de madame Rogêt na manhã da partida de Marie? De que nunca mais veria Marie novamente?

"Todavia, ainda que não seja possível imaginar madame Rogêt a par da intenção de fuga de sua filha, acaso não podemos levar em consideração que a filha tenha cogitado essa fuga? Ao deixar sua casa, ela deu a entender que visitaria uma tia na rua des Drômes e que St. Eustache iria buscá-la à noite. Ora, à primeira vista, tal fato se opõe completamente à minha sugestão, mas vamos refletir melhor. *Sabemos* que ela de fato se encontrou com alguém e que atravessou o rio com essa pessoa, chegando no Barrière du Roule às três horas da tarde. Porém, ao consentir em acompanhar esse indivíduo (seja lá com que propósito, conhecido ou não por sua mãe), ela decerto se recordou de ter anunciado sua intenção ao sair de casa e imaginou a surpresa e a desconfiança que seu pretendente, St. Eustache, haveria de sentir quando, ao ir buscá-la na hora combinada na rua de Drômes, não a encontrasse no local. E, pior ainda, quando regressasse à pensão com essa notícia alarmante, ficasse sabendo que ela não voltara para casa. Ela provavelmente refletiu sobre isso, creio. Deve ter previsto a mortificação de St. Eustache, a falta de confiança dos demais. Pode não ter pensado em voltar para encarar essa situação, mas a desconfiança torna-se um ponto de importância trivial para ela, se supormos que não tinha a intenção de retornar.

"Podemos imaginá-la pensando o seguinte: 'Estou indo me encontrar com uma pessoa com o propósito de fugir com ela, ou por algum outro determinado motivo conhecido apenas por mim mesma. É essencial que não haja nenhuma chance de sermos interrompidos. Precisamos de tempo suficiente para evitar que nos sigam. Então, vou dar a entender que visitarei minha tia e passarei o dia com ela na rua des Drômes; pedirei a St. Eustache que me busque à noitinha; assim, terei como justificar minha ausência pelo maior período possível, sem causar suspeita ou inquietação, ganhando mais tempo do que se empregasse qualquer outra estratégia. Se eu pedir que St. Eustache me busque apenas à noite, ele com certeza não aparecerá antes; mas se eu não fizer esse pedido, terei menos tempo para fugir, uma vez que esperariam que eu retornasse para casa mais cedo, e minha ausência causaria preocupação. Agora, se eu pretendesse voltar de fato para casa, dando apenas um passeio com o indivíduo em questão, não seria sensato pedir que St. Eustache me buscasse, pois, quando o fizesse, decerto se certificaria de que o enganei, fato que poderei manter em segredo para sempre, saindo de casa sem notificá-lo de minhas intenções, voltando antes do anoitecer e só então comunicar que visitei minha tia na rua des Drômes. Contudo, se minha intenção é não voltar nunca mais; ou, pelo menos, me ausentar durante várias semanas, ou até que possa ocultar determinadas circunstâncias, preciso apenas me preocupar em ganhar tempo'.

"Você observou, em suas anotações, que a opinião geral em relação a este lamentável caso é, e foi desde o início, de que a moça foi vítima de uma quadrilha de meliantes. Ora, a opinião pública, de certa forma, não deve ser desprezada. Quando surge por conta própria, quando se manifesta de maneira estritamente espontânea, devemos considerá-la análoga àquela *intuição* característica do homem de gênio. Em noventa e nove casos de cem, rendo-me à sua decisão. Porém, é importante não encontrarmos nela traços palpáveis de manipulação. A opinião deve ser rigorosamente do público, e essa distinção amiúde é muito difícil de ser percebida e mantida. No atual exemplo, parece-me que a 'opinião pública' em relação à quadrilha foi sugerida pelo acontecimento colateral detalhado no terceiro de meus recortes. Paris inteira está em polvorosa com a descoberta do corpo de Marie, uma moça jovem, bonita e conhecida. Esse cadáver foi encontrado com marcas de violência, boiando no rio. Agora, no entanto, sabemos que no mesmo período (ou perto disso) em que se supõe que a moça tenha sido assassinada, uma ocorrência semelhante, embora menos grave, fora cometida por uma quadrilha de jovens delinquentes que vitimaram outra moça. É de se admirar que uma atrocidade já conhecida possa influenciar o julgamento popular em relação a uma desconhecida? Tal julgamento clamava por uma diretriz, e o crime já conhecido ofereceu uma oportunidade bastante propícia para seu surgimento! Marie também foi encontrada no rio; o mesmo rio onde se deu o ataque conhecido. A relação entre os dois acontecimentos parecia tão palpável que a verdadeira surpresa seria se o público não a reconhecesse e absorvesse. Mas, de fato, a atrocidade que sabemos ter sido cometida é justamente evidência de que a outra, ocorrida em um período coincidente, não foi cometida da mesma maneira. Seria realmente um milagre que uma gangue de meliantes cometesse, em uma dada localidade, um ataque inaudito, e, enquanto isso, outra gangue semelhante, em um local próximo, na mesma cidade, sob as mesmas circunstâncias, empregando os mesmos meios e métodos, estivesse cometendo um crime da mesma natureza, exatamente na mesma hora! Não obstante, o que a opinião sugestionada por acidente do público nos leva a crer, senão nesse mirabolante encadeamento de coincidências?

"Antes de prosseguirmos, avaliaremos a suposta cena do assassinato, o matagal em Barrière du Roule. Esse matagal, embora denso, encontra-se contíguo a uma via pública. Havia três ou quatro pedras grandes no local, formando uma espécie de assento, com apoio para as costas e pés. Na pedra mais elevada, descobriram uma anágua branca; na menor, uma echarpe de seda. Uma sombrinha, um par de luvas e um lenço de bolso também foram encontrados. O lenço trazia o nome 'Marie Rogêt'. Pedaços do vestido foram achados nos galhos ao redor. A terra apresentava marcas de passos, os arbustos estavam quebrados e havia diversos indícios de um confronto violento.

"A despeito da comoção com a qual a descoberta desse matagal foi recebida pela imprensa, e a unanimidade com que se supunha indicar o local preciso do crime, deve-se admitir que havia bons motivos para dúvidas. De que se tratava da cena do crime, posso ou não acreditar, mas há excelente motivo para dúvida. Se o assassinato tivesse ocorrido, como sugerido pelo *Le Commerciel*, nas vizinhanças da rua Pavée St. Andrée, os criminosos, supondo que ainda residam em Paris, estariam naturalmente atemorizados com a atenção pública direcionada para eles; em determinados raciocínios, teria surgido de pronto uma necessidade de empenho para redirecionar alhures tal atenção. Deste modo, uma vez que a suspeita já recaía no matagal do Barrière du Roule, a ideia de dispersar os artigos onde foram encontrados pode ter sido proposital. Não há nenhuma evidência concreta, ao contrário do que supõe o *Le Soleil*, de que os artigos descobertos tenham estado há dias no matagal; enquanto existem muitas provas circunstanciais de que não poderiam ter permanecido no local sem chamar atenção durante os vinte dias que transcorreram do domingo fatal até a tarde em que foram descobertos pelos meninos. 'Encontravam-se bastante *mofados*', alegou o *Le Soleil*, adotando as opiniões de seus antecessores, 'em virtude da ação da chuva, e bem grudados pela ação do *mofo*. A grama crescera ao redor e sobre alguns deles. A seda da sombrinha era resistente, mas as costuras haviam cedido. A parte superior, onde fora dobrada, estava *mofada* e apodrecida e rasgou quando a sombrinha foi aberta.' Com relação a grama ter crescido 'ao redor e sobre alguns deles', é óbvio que o fato só pode ter sido aduzido pelas palavras e, consequentemente, pelas lembranças dos dois meninos, pois eles removeram os artigos e os levaram para casa antes que pudessem ter sido examinados por terceiros. Mas a grama cresce, sobretudo em climas quentes e úmidos (como na época do assassinato), de cinco a sete centímetros por dia. Uma sombrinha esquecida sobre um gramado pode, em uma única semana, ser inteiramente coberta pelo crescimento da grama. E em relação ao mofo sobre o qual o editor do *Le Soleil* tanto insiste, a ponto de fazer referência a isso nada menos do que três vezes no breve parágrafo que acabo de citar, será que de fato ele desconhece a natureza desse mofo? Seria necessário informá-lo de que se trata de uma das diversas classes de fungos cuja característica mais comum é seu rápido crescimento e putrefação em apenas vinte e quatro horas?

"Vemos então, por um lado, que o que foi triunfalmente aduzido, em apoio à ideia de que os artigos estiveram 'há pelo menos três ou quatro semanas' no matagal, é nulo às raias do absurdo no que concerne a qualquer tipo de evidência do fato. Por outro lado, é muito difícil acreditar que tais artigos pudessem permanecer no matagal em questão por um intervalo maior do que uma semana; ou seja, um período superior ao de um domingo ao outro. Quem conhece a vizinhança de Paris sabe a extrema dificuldade que é encontrar um lugar mais reservado, a não ser bem longe de suas áreas residenciais. Um retiro inexplorado ou até mesmo pouco visitado, entre bosques e matas, é algo inimaginável. Deixe que um amante da natureza, não obstante preso por seu dever à poeira e ao calor desta grande metrópole, deixe que ele tente, mesmo durante a semana, saciar sua sede de solidão entre as paisagens de natural encanto que nos cercam. A cada passo, ele testemunhará o encanto crescente dissolvido pela algazarra de algum meliante ou gangue de desocupados farristas. Buscará privacidade entre a folhagem mais densa, mas será em vão. São precisamente esses os recantos onde pulula a ralé, são esses os templos mais profanados. Com o coração confrangido, nosso andarilho regressará às pressas para a poluída Paris, tomando-a como menos odiosa por ser menos incongruente. Porém, se a vizinhança da cidade é tão movimentada durante a semana, que dirá no domingo! É exatamente nesse dia em que, livres das demandas laborais ou privados de suas oportunidades costumeiras de crimes, os malfeitores da cidade buscam as áreas mais remotas, não por apreço ao campo (que, no fundo, desprezam), mas sim como via de evasão das limitações e das convenções da sociedade. Desejam menos o ar fresco e as árvores verdejantes do que a permissividade absoluta do campo. Lá, na pousada à beira da estrada ou entre a folhagem das matas, livre de quaisquer testemunhas exceto seus companheiros, entrega-se aos loucos excessos de uma falsa alegria, provocada pela combinação da liberdade e do rum. Não digo nada além do que deve ser óbvio para qualquer observador imparcial quando repito que o fato de os artigos em questão terem permanecido ocultos por mais de uma semana, em qualquer matagal nas imediações de Paris, deve ser visto como algo nada menos do que milagroso.

"Contudo, não são necessários outros fundamentos para confirmar a suspeita de que os artigos foram colocados no matagal com a intenção de desviar a atenção do verdadeiro local do crime. Em primeiro lugar, deixe-me atentá-lo para a data da descoberta dos artigos. Compare-a com a data do quinto recorte que extraí dos jornais. Você perceberá que a descoberta se deu quase imediatamente após a chegada dos comunicados urgentes enviados ao jornal vespertino. Tais comunicados, embora variados e provenientes de diversas fontes, versam todos sobre o mesmo tema, a saber, apontavam uma gangue como responsável pelo crime e as cercanias de Barrière du Roule como o local em que fora cometido. Aqui, é claro, a suspeita não é de que os artigos tenham sido encontrados pelos meninos em consequência dessas mensagens ou da atenção pública que tenham provocado; a suspeita pode e deve ser de que os artigos não foram encontrados antes pelo simples fato de que não estavam lá, tendo sido dispostos no local apenas na ocasião dos comunicados, ou um pouco antes, por seus culpados autores.

"Esse matagal era singular, bastante singular. Excepcionalmente denso. Dentro de suas muralhas naturais, havia três pedras bem grandes, formando um assento com apoio para as costas e os pés. E esse matagal, tão repleto da arte da natureza, encontra-se nas vizinhanças da residência de madame Deluc, cujos meninos tinham o hábito de vasculhar os arbustos ao redor em busca de cascas de açafrão. Seria impulsivo apostar, em uma aposta de mil para um, que dificilmente um dia tenha se passado sem que pelo menos um dos meninos tivesse se embrenhado nesse recanto de sombras para sentar-se em seu trono de pedra? Os que hesitam perante tal aposta ou nunca foram crianças ou se esqueceram de sua natureza pueril. Repito: é extremamente difícil compreender como foi possível que os artigos tenham permanecido no matagal sem serem descobertos por um intervalo superior a um ou dois dias; logo, temos um fundamento plausível para suspeitar, a despeito da ignorância dogmática do *Le Soleil*, de que os dispuseram, em uma data comparativamente tardia, no local em que foram encontrados.

"Contudo, existem outros e mais contundentes motivos para acreditar nessa hipótese, maiores do que os que elenquei até agora. Deixe-me chamar sua atenção para a disposição altamente artificial dos artigos. Na pedra mais alta, encontrava-se uma anágua branca; na posterior, uma echarpe de seda; espalhados a esmo, estavam a sombrinha, as luvas e o lenço com o nome 'Marie Rogêt'. Está aí o arranjo que decerto seria feito por uma pessoa não muito perspicaz caso quisesse fingir naturalidade na disposição dos artigos. Mas não é, nem de longe, um arranjo natural. O mais natural seria encontrar todos os artigos atirados e pisoteados no chão. Nos limites estreitos do caramanchão, seria praticamente impossível que a anágua e a echarpe tivessem permanecido nas pedras quando sujeitas ao turbulento ir e vir de várias pessoas em confronto. 'Havia', segundo o jornal, 'sinais evidentes de luta; viam-se pegadas na terra e os arbustos estavam quebrados', mas a anágua e a echarpe foram encontradas como se estivessem dispostas em prateleiras. 'Os retalhos do vestido espalhados pelos arbustos mediam em torno de sete centímetros de largura e quinze de comprimento. Um deles era a bainha do vestido, que fora remendada. Pareciam faixas que foram arrancadas.' Aqui, sem querer, o *Le Soleil* empregou uma frase altamente suspeita. Os artigos, tal como descritos, de fato pareciam faixas arrancadas, mas arrancadas de propósito e com as mãos. É um dos acidentes mais raros que uma faixa seja 'arrancada' de qualquer vestimenta, como no caso em questão, pelo contato com espinhos. Pela própria natureza dos tecidos, um espinho ou um prego que fique preso na roupa vai rasgá-la de forma retangular, dividindo-os em dois rasgos longitudinais, formando ângulos retos um com o outro, unindo-se em um vértice onde entra o espinho, mas dificilmente podemos conceber que a faixa seja 'arrancada'. Nunca vi uma coisa dessas, você também não. É necessário, em quase todos os casos, empregar duas forças distintas, em diferentes direções, para arrancar um pedaço de um tecido dessa maneira. Caso o tecido tenha duas pontas; se for, por exemplo, um lenço de bolso do qual se quer remover uma tira; então, e somente nessa hipótese, precisaríamos apenas de uma força. Porém, no caso em questão, temos um vestido com apenas uma ponta. Seria da ordem de um milagre a possibilidade de arrancar uma tira de seu interior, onde não há extremidade alguma, pela atuação de espinhos, e um único espinho jamais poderia fazê-lo. Até mesmo em tecidos com ponta, seriam necessários dois espinhos: um atuando em duas direções diferentes e o outro, em uma. E isso supondo que a ponta não tenha bainha. Com bainha, está fora de cogitação. Vemos então as enormes e numerosas dificuldades para que tiras de tecido sejam 'arrancadas' por 'espinhos'; somos instados a crer, porém, que não apenas uma faixa foi arrancada dessa maneira, mas várias. Uma 'era a bainha do vestido'! A outra 'compunha a saia, e não a bainha', ou seja, foi completamente arrancada, pelos espinhos, da parte interna e sem pontas do vestido! Essas são coisas nas quais uma pessoa pode ser escusada por não acreditar; todavia, levadas em consideração como um todo, é possível que formem uma base menos propícia para a suspeita do que a surpreendente circunstância de que os artigos tenham sido deixados no matagal pelos mesmos assassinos que tiveram o cuidado de remover o corpo. Você não terá me compreendido direito, entretanto, se supõe que minha intenção é negar o matagal como local do crime. É possível que tenha acontecido algo lá ou, ainda mais provável, um acidente na residência de madame Deluc. Contudo, na verdade, esse é um fator menos importante. Não estamos empenhados na descoberta do local do crime, e sim na identificação dos responsáveis pelo assassinato. Minhas conclusões, embora minuciosas, tiveram a intenção de, antes de qualquer coisa, mostrar o quão tolo foi o *Le Soleil* com suas afirmações precipitadas e, principalmente, levá-lo, pelo caminho mais natural, a duvidar se o assassinato foi mesmo cometido por uma quadrilha.

"Vamos retomar esse ponto aludindo aos detalhes revoltantes oferecidos pelo legista no inquérito. Basta dizer que, uma vez publicadas, as *suposições* em relação ao número de malfeitores foram pertinentemente ridicularizadas, sendo consideradas injustas e sem embasamento algum por todos os anatomistas ilustres de Paris. Não que a conclusão do legista seja impossível, mas não havia fundamento algum para que ele a fizesse. A pergunta é: há fundamento para outra?

"Refletiremos agora sobre os 'indícios de confronto'; deixe-me perguntar o que esses indícios supostamente apontam: uma quadrilha. Mas não demonstram, ao contrário, a ausência de uma gangue? Que tipo de confronto pode ter ocorrido? Que confronto seria esse, tão violento e demorado a ponto de deixar 'indícios' em todas as direções entre uma moça fraca e indefesa e uma gangue de bandidos? Bastaria que alguns pares de braços robustos a imobilizassem em silêncio e pronto. A vítima ficaria absolutamente submissa, entregue aos agressores. É necessário que você tenha em mente que os argumentos que refutam o matagal como o local do crime fazem sentido, em grande parte, apenas quando descartam o matagal como o local de um crime cometido por mais de um indivíduo. Se imaginarmos apenas um criminoso, então podemos conceber um confronto violento e obstinado a ponto de deixar 'indícios' aparentes.

"E outra: já mencionei a suspeita decorrente do fato de que os artigos encontrados no matagal não tenham de modo algum sido deixados ali. Parece praticamente impossível que tais evidências de culpa tenham sido abandonadas de modo acidental. Houve presença de espírito suficiente (como supomos) para remover o cadáver, e uma evidência ainda mais certeira do que o corpo em si (cujas feições podem ter sido rapidamente destruídas pela deterioração) ficou visivelmente exposta na cena do crime: refiro-me ao lenço com o nome da falecida. Se isso foi um acidente, ele não pode ter sido cometido por uma gangue. Podemos imaginá-lo apenas como o descuido de um indivíduo. Vejamos: o sujeito cometeu o assassinato. Está sozinho com o fantasma da falecida. Horrorizado com o corpo sem vida diante de seus olhos. A fúria passional do ataque passou e agora há amplo espaço em seu coração para a perplexidade natural diante do ato que cometeu. Não sente em seu íntimo a confiança que a presença de um grupo inevitavelmente inspira. Está a sós com a morta. Ele treme, está desconcertado. Ainda assim, precisa se desfazer do cadáver. Então, carrega-o até o rio, deixando para trás as evidências de sua culpa, pois é difícil, até impossível, carregar tudo de uma só vez. E ele poderá voltar depois para buscar o que deixou. Porém, em seu penoso percurso até o rio, os temores duplicam. A vivacidade dos sons ao redor o acompanham. Diversas vezes ouve, ou imagina ouvir, os passos de um observador. Até mesmo as luzes da cidade o perturbam. Até que, afinal, após longas e frequentes pausas de intensa agonia, ele alcança a margem do rio e descarta o macabro fardo, talvez se valendo de um barco. Mas nenhum tesouro ou ameaça de vingança teriam o poder de compelir o assassino solitário a refazer aquele percurso sinistro e perigoso até o matagal e suas recordações de enregelar o sangue. Ele não volta, seja quais foram as consequências. Não poderia retornar, mesmo que quisesse. Seu único pensamento é fugir na mesma hora. Ele vira as costas aos tenebrosos arbustos para sempre e escapa como se fugisse da ira divina.

"Porém, como a coisa teria se dado com uma gangue? A presença de outras pessoas lhes imprimiria confiança; se é que um bandido contumaz em algum momento se vê desprovido dela. Presume-se que os grupos de meliantes sejam formados por bandidos obstinados. A companhia de outros, imagino, teria aplacado o terror desconcertante e irracional que imaginei capaz de paralisar o criminoso solitário. Se supormos descuido em um, dois ou três, tal deslize teria sido remediado por um quarto. Não teriam deixado nada para trás, uma vez que em grupo poderiam ter carregado tudo de uma só vez. Não haveria necessidade de retornar ao local do crime.

"Atenha-se agora à seguinte circunstância: no vestido que trajava o cadáver, 'uma faixa de uns trinta centímetros fora retirada do tecido externo, da bainha para a cintura, mas não foi arrancada; estava enrolada em três voltas em torno da cintura, presa com uma espécie de nó nas costas'. Isso foi feito com o óbvio propósito de confeccionar uma alça para transportar o corpo. Mas você acha que um grupo de homens sequer sonharia em recorrer a tal expediente? Para três ou quatro indivíduos, os membros do cadáver teriam oferecido um suporte não apenas suficiente, como o melhor possível. O recurso usado é característico de um criminoso solitário e isso nos leva a entender por que 'as cercas que separavam o matagal do rio haviam sido removidas e o solo trazia marcas como se algo pesado e volumoso tivesse sido arrastado no local'! Um grupo se daria ao trabalho supérfluo de remover uma cerca para arrastar um cadáver que poderia ser erguido prontamente sobre ela? Um grupo teria arrastado um cadáver, deixando rastros visíveis de sua passagem pelo chão?

"E aqui devemos rever uma observação feita pelo *Le Commerciel*; uma observação sobre a qual já comentei. 'Uma faixa', atestou o periódico, 'de uma das anáguas da pobre moça, medindo sessenta centímetros de comprimento e trinta de largura, foi arrancada e amarrada sob seu queixo, passando por trás da cabeça, provavelmente para impedir que gritasse. Isso foi feito por sujeitos que não portavam lenços de bolso.'

"Já sugeri que um bandido de verdade nunca está sem um lenço. Porém, não é para esse fato que desejo chamar a atenção. É evidente que a mordaça não tenha sido feita pela falta de um lenço, com as intenções imaginadas pelo *Le Commerciel*, tendo em vista que um lenço foi encontrado no matagal. Também parece que não foi empregada para 'impedir que gritasse', uma vez que a faixa foi usada no lugar de algo que teria atendido melhor ao propósito. Porém, o testemunho alega que a faixa em questão foi 'encontrada em volta do pescoço da vítima, com um frouxo ajuste e um nó bem firme'. A declaração é bastante vaga, mas difere das palavras do jornal. A tira de tecido tinha quarenta e cinco centímetros de largura e, portanto, embora fosse de musselina, formaria uma faixa firme quando dobrada ou amassada longitudinalmente. E foi descoberta dessa maneira. Minha dedução é: o assassino solitário, tendo carregado o cadáver por uma determinada distância (seja do matagal ou de qualquer outro lugar), com a faixa amarrada na cintura da morta, começou a sentir que o fardo, assim transportado, era pesado demais para ele. Então, resolveu arrastar o cadáver. A evidência comprova que o corpo foi de fato arrastado. Com essa intenção em mente, tornou-se necessário atar algo como uma corda em uma de suas extremidades. A melhor opção seria em volta do pescoço, pois a cabeça impediria que a faixa se soltasse. Dessa forma, o assassino pensou, sem dúvida, na faixa que já estava amarrada em torno da cintura. Ele a teria usado, não fosse sua torção em volta do cadáver, o nó que a prendia e a ideia de que não tinha sido 'arrancada'. Era mais fácil cortar uma nova faixa da anágua. Ele a cortou, prendeu em volta do pescoço e arrastou a vítima até o rio. O uso dessa 'faixa', confeccionada com trabalho e demora, que atendeu de maneira precária à sua finalidade, que essa faixa tenha sido de fato usada, demonstra que tal necessidade nasceu de circunstâncias surgidas em um momento em que o lenço não era mais uma opção, isto é, vieram à tona, como imaginamos, depois que o criminoso já tinha deixado o matagal (se o crime realmente ocorreu ali), no caminho entre esse local e o rio.

"Entretanto, o depoimento, você dirá, de madame Deluc (!) aponta especialmente para a presença de uma gangue na vizinhança do matagal, mais ou menos na época do assassinato. Com isso eu concordo. Duvido que não houvesse pelo menos uma dúzia de gangues, como a descrita por madame Deluc, nas redondezas de Barrière du Roule no período em que a tragédia ocorreu. Entretanto, o grupo que mereceu a afiada censura da madame, apesar de seu depoimento um tanto quanto tardio e bastante suspeito, foi o único que essa honesta e escrupulosa senhora acusou de ter consumido seus bolos e bebido seu conhaque sem se dar ao trabalho de pagar. *Et hinc illae irae?*[22]

"Qual é, no entanto, exatamente o depoimento de madame Deluc? 'Uma gangue de meliantes apareceu, fazendo ruidosa algazarra; comeram e beberam sem pagar e depois seguiram no mesmo caminho do jovem casal, regressando para a pousada ao anoitecer e tornando a atravessar o rio com muita pressa.'

"Essa 'pressa' possivelmente pareceu ainda mais apressada aos olhos de madame Deluc, uma vez que ela permaneceu lamentando os bolos e a bebida que foram consumidos, os quais ela ainda tinha uma leve esperança de que fossem pagos. Por quê, uma vez que já estava prestes a anoitecer, ela insistiria na questão da pressa? Não é de se admirar que até mesmo uma gangue pudesse se apressar para voltar para

---

22 Em latim no original: "E de onde vem essa ira?".

casa quando é preciso atravessar um rio largo em pequenas embarcações, há ameaça de tempestade e *a noite se aproxima*.

"Digo 'aproxima', pois a noite ainda não havia caído por completo. Foi apenas com a chegada da noite que a pressa indecorosa dos 'meliantes' ofendeu os olhos sóbrios de madame Deluc. Entretanto, sabemos que, nessa mesma noite, madame Deluc e seu filho mais velho 'ouviram os gritos de uma mulher nas vizinhanças da pousada'. E que palavras madame Deluc emprega para descrever o período no qual ouviu esses gritos? 'Foi logo após escurecer', declarou ela. Mas 'logo após escurecer' é, no mínimo, escuro; e 'ao entardecer' certamente pressupõe claridade. Assim, não há dúvidas de que a gangue deixou Barrière du Roule antes dos gritos ouvidos (?) por madame Deluc. E embora em todos os inúmeros testemunhos as expressões em questão tenham sido empregadas de modo distinto e invariável, tal como acabo de fazer nesta conversa, nem os jornais nem os mirmidões da polícia notaram a bruta discrepância.

"Acrescentarei apenas mais um aos argumentos contrários à hipótese da gangue, mas *esse* argumento tem, pelo menos na minha opinião, um peso irresistível. Mesmo levando em consideração a grande recompensa oferecida e o pleno perdão a qualquer cúmplice que entregasse o parceiro, não devemos imaginar, nem por um instante, que um membro de uma gangue de rufiões, ou qualquer outro grupo, não tivesse há muito traído seus cúmplices. Qualquer membro de uma gangue desse tipo teme mais uma traição do que deseja uma recompensa ou impunidade. Ele trai com ansiedade e precipitação, com receio de ser ele próprio traído. Que o segredo não tenha sido divulgado é a melhor prova de que se trata, de fato, de um segredo. Os horrores desse funesto crime são conhecidos apenas por um ou dois seres humanos e por Deus.

"Resumiremos então os frutos escassos, porém indubitáveis, de nossa extensa análise. Chegamos à hipótese de um acidente fatal ocorrido sob o teto de madame Deluc ou de um assassinato cometido no matagal em Barrière du Roule, por um amante ou, no mínimo, um conhecido íntimo e secreto da falecida. Esse conhecido tinha tez morena. Essa cor de pele, o 'nó' na faixa e o 'nó de marinheiro' usado para atar a fita do chapéu apontam para um marujo. Sua relação com a falecida, uma jovem alegre, mas não ignóbil, coloca-o acima do nível de um marinheiro comum. Nesse ponto, os comunicados bem escritos e urgentes para os jornais colaboram com tal hipótese. O relato da primeira fuga, tal como descrito no *Le Mercurie*, mesclou a ideia de um marinheiro com a de um 'oficial da marinha', que, sabemos, foi o primeiro a induzir a infeliz moça à perdição.

"E aqui, de maneira bem pertinente, temos de levar em consideração a contínua ausência desse homem de tez morena. Deixe-me fazer uma pausa para observar que ele tem a pele bem escura; se tanto Valence quanto madame Deluc lembraram apenas desse único detalhe ao seu respeito, presumo que não se trate de um tom de pele usual. Porém, qual o motivo da ausência desse sujeito? Acaso teria sido assassinado pela gangue? Se foi o caso, por que foram encontrados apenas vestígios da moça assassinada? Supõe-se que o local dos dois crimes seja, naturalmente, idêntico. E onde estaria o cadáver? O mais provável é que os assassinos tivessem descartado ambos da mesma maneira. Podemos supor que o homem está vivo, impedido de se apresentar por receio de ser acusado de homicídio. É possível que pondere isso agora, em uma época posterior ao crime, uma vez que alegaram tê-lo visto com Marie. Contudo, tal ponderação não teria peso no período do assassinato. O primeiro impulso de um homem inocente seria o de comunicar o crime e ajudar a identificar os assassinos. Seria a coisa certa a se fazer. Fora visto com a moça. Atravessara o rio com ela em uma balsa descoberta. A denúncia dos criminosos pareceria, até mesmo para um imbecil, a única e mais segura maneira de livrar-se de qualquer suspeita. Não podemos supor que, na noite do fatídico domingo, ele ignorasse o crime e fosse, ao mesmo tempo, inocente. No entanto, apenas considerando tais circunstâncias é possível imaginar que, estando vivo, não teria denunciado os assassinos.

"E quais são nossos meios para alcançar a verdade? À medida que prosseguimos, tais meios se multiplicam e se tornam mais distintos. Esmiuçaremos o caso da primeira fuga. Vamos conhecer a história completa do 'oficial', quais são suas circunstâncias atuais e seu paradeiro no exato momento do assassinato. Compararemos cuidadosamente os diversos comunicados encaminhados ao jornal vespertino, cujo objetivo era incriminar uma gangue. Feito isso, confrontaremos essas mensagens, tanto em relação ao estilo quanto à caligrafia, com aquelas enviadas para o jornal matutino, em um período anterior, e que insistiam de modo tão veemente na culpa de Mennais. Então, compararemos os diversos comunicados com a caligrafia do oficial. Procuraremos averiguar, a partir dos repetidos interrogatórios de madame Deluc e seus filhos, assim como o de Valence, o motorista de ônibus, alguma informação adicional em relação à aparência e ao comportamento do 'homem de pele escura'. Perguntas habilmente direcionadas serão sem dúvida eficazes para que se possa extrair de alguns desses indivíduos informações sobre esse tópico específico (ou sobre outros); informações que eles mesmos podem nem sequer estar cientes de possuir. E vamos rastrear o barco rebocado pelo barqueiro na segunda-feira da manhã do dia 23 de junho, embarcação esta que foi tirada de seu posto sem o conhecimento do oficial de plantão e sem o leme, em algum momento anterior à descoberta do cadáver. Com devida cautela e perseverança, rastrearemos infalivelmente esse barco, pois não apenas o homem que o rebocou poderá identifica-lo *como o leme está perto*. O leme de um veleiro não teria sido abandonado, sem perguntas, por alguém com o coração em paz. E, neste ponto, deixe-me fazer uma pausa a fim de propor uma questão. O reboque desse barco não foi noticiado. A embarcação foi conduzida silenciosamente para o posto e, do mesmo modo, de lá removida. Contudo, como seu proprietário, ou quem o utilizava, poderia ter sido informado logo na terça-feira de manhã, quando nenhuma informação foi divulgada a respeito, sobre o paradeiro do barco que fora rebocado na segunda-feira, a não ser que possamos imaginar alguma ligação com a marinha, uma conexão permanente e pessoal que facultasse o conhecimento de suas atividades e informações internas?

"Ao me referir ao assassino solitário que arrastou o corpo até a margem do rio, já contemplei a probabilidade de que ele possa ter utilizado um barco. Logo, aduzimos que Marie Rogêt foi jogada de um barco. Parece-me o mais natural. O cadáver não poderia ter sido confiado às águas rasas da margem. As marcas peculiares nas costas e nos ombros da vítima se coadunam com as treliças de um barco. Que o corpo tenha sido encontrado sem um peso adicional também colabora com essa hipótese. Se tivesse sido atirado da margem para a água, o assassino certamente teria prendido algo ao cadáver para fazer peso. Só podemos justificar essa ausência se supormos que o assassino não tenha tomado tal precaução antes de atirar o corpo na água. Ao fazê-lo, decerto se deu conta do descuido, mas então já era tarde demais. Qualquer risco era preferível a ter de voltar à amaldiçoada margem. Tendo descartado o macabro fardo, o assassino teria se apressado de volta à cidade. Então, em algum cais obscuro, chegara em terra firme. O barco, contudo; acaso o teria aferrado? Estaria com muita pressa para perder tempo prendendo um barco. Ademais, ao aportá-lo no cais, teria sentido como se estivesse produzindo provas contra si mesmo. Seu instinto natural seria apartar-se de tudo o que apontasse para sua ligação com o crime. Não apenas teria fugido do cais, mas também não teria permitido que o barco ficasse lá. Sem dúvida, o teria largado à deriva. Vamos prosseguir, então, com nossas divagações. Na manhã seguinte, o infeliz é tomado por um horror inexprimível ao descobrir que o barco foi resgatado e conduzido para um local que ele costuma frequentar diariamente, talvez um lugar que seu próprio trabalho o obrigue a frequentar. Na noite seguinte, sem ousar perguntar pelo leme, ele o remove. Agora, onde está esse barco sem leme? Descobrir o paradeiro dele deve ser um de nossos primeiros objetivos. A aurora de nosso êxito será inaugurada por essa primeira descoberta. Esse barco há de nos guiar, com rapidez surpreendente, àquele que o utilizou à meia-noite do fatídico domingo. As confirmações vão se acumular e rastrearemos, assim, a pista do assassino.

[Por motivos que não especificaremos, mas que parecerão óbvios para muitos leitores, tomamos a liberdade de omitir aqui, do manuscrito entregue em nossas mãos, o trecho que detalha os desdobramentos da pista, aparentemente vaga, obtida por Dupin. Julgamos apenas aconselhável afirmar, em suma, que o resultado desejado foi obtido e que o comissário cumpriu de maneira pontual, ainda que com relutância, os termos de seu acordo com Dupin. O conto do senhor Poe termina nos parágrafos que se seguem.][23]

---

23 Parágrafo inserido pelo editor da revista em que o conto foi originalmente publicado.

É notório que falo de coincidências e nada mais. O que disse antes sobre esse assunto há de ser suficiente. Em meu íntimo, não nutro fé alguma no sobrenatural. Que a Natureza e o seu Deus são dois, nenhum ser racional poderá negar. Que o segundo, sendo o criador da primeira, possa controlá-la e modificá-la ao seu bel-prazer também é ponto pacífico. Digo "ao seu bel-prazer" por ser uma questão de vontade, e não — como a insanidade da lógica supõe — de poder. Não que a Divindade não possa modificar suas leis, apenas creio que a insultamos quando imaginamos uma possível necessidade de modificação. Em sua origem, tais leis foram forjadas para conter todas as eventualidades que o Futuro pode conter. Com Deus, tudo é Agora.

Repito, então, que me refiro a tais coisas apenas como coincidências. E mais: em meu relato, parecerá que houve um paralelo entre o destino da pobre Mary Cecilia Rogers, até onde é conhecido, e o de uma certa Marie Rogêt, até uma determinada época de sua história, cuja admirável exatidão a razão se constrange ao contemplar. Afirmo que tudo isso será aduzido. Mas não devemos permitir que se suponha, sequer por um instante, que, ao desenrolar a triste narrativa de Marie na época mencionada e trabalhando na solução do mistério que a envolvia, seja minha intenção velada insinuar que exista uma extensão desse paralelo — ou mesmo sugerir que as providências adotadas em Paris para a descoberta do assassino da *grisette*, ou medidas fundamentadas em um exercício de raciocínio semelhante, haveriam de produzir um resultado similar.

Pois, no que concerne à última parte da suposição, deve-se considerar que a variação mais trivial nos fatos dos dois casos poderia dar ensejo a graves erros de cálculo, ao desviar completamente os dois cursos dos acontecimentos; o mesmo se dá na aritmética quando um erro que, em sua própria individualidade, é ignorado, mas produz, no fim, por força da multiplicação em todos os pontos do processo, um resultado que em muito diverge da verdade. E, no que concerne à primeira parte da suposição, não podemos deixar de ter em mente que o próprio Cálculo das Probabilidades ao qual me referi, inibe todas as ideias de extensão de um paralelo — inibe com uma forte e decidida convicção na justa proporção com que tal paralelo já foi estabelecido e exigido. Essa é uma das proposições anômalas que, apelando aparentemente a um raciocínio fora do escopo da matemática, é, todavia, uma proposição que somente um matemático poderia cogitar. Por exemplo, nada é mais difícil do que convencer o leitor comum de que o fato de um jogador ter tirado dois 'seis' seguidos em jogo de dados é motivo suficiente para apostar com segurança que o seis não se repetirá na próxima jogada. Uma sugestão como essa é normalmente rejeitada de pronto pelo intelecto. Não parece que as duas jogadas já feitas, que jazem agora no Passado, possam ter alguma influência em uma jogada que só existe no Futuro. A chance de se tirar um seis parece tão provável quanto antes — isto é, sujeita apenas à influência das diversas outras jogadas que podem ser feitas com o dado. Essa é uma reflexão que parece tão excessivamente óbvia que tentativas de contrariá-la são amiúde recebidas mais com um sorriso de deboche do que com uma atenção respeitosa. Não pretendo expor o equívoco nisso envolvido — um equívoco grosseiro, que sugere malícia — nos limites a mim concedidos no momento; e, para os mais filosóficos, não há sequer necessidade de exposição. Basta dizer que faz parte de uma série infinita de erros que surgem no caminho da Razão em virtude da sua propensão de buscar a verdade *em detalhes*.

Quando da publicação original de "Marie Rogêt", as notas de rodapé aqui apresentadas foram consideradas desnecessárias; no entanto, o lapso de muitos anos desde a tragédia na qual o conto é baseado torna conveniente sua apresentação, bem como o acréscimo desta introdução, para explicá-lo em linhas gerais. Uma jovem, Mary Cecilia Rogers, foi assassinada nas redondezas de Nova York; embora sua morte tenha ocasionado uma comoção intensa e duradoura, o mistério dela proveniente continuava sem solução no período em que o presente relato foi escrito e publicado (novembro de 1842). Sob pretexto de relatar o destino de uma *grisette* parisiense, o autor seguiu, em minuciosos detalhes, o substancial, reproduzindo os fatos não essenciais do assassinato real de Mary Rogers. Assim, todos os argumentos encontrados na ficção são aplicáveis à realidade: o objetivo era a investigação do caso real. "O mistério de Marie Rogêt" foi composto longe da cena do crime e não contou com nenhum outro meio de investigação além do material oferecido pelos jornais. Assim, muito escapou ao autor que não pôde estar presente no local. Cabe registrar, não obstante, que as confissões de duas pessoas (uma delas, a madame Deluc desta narrativa), feitas em períodos diferentes e muito depois da publicação do conto, confirmaram em sua totalidade não apenas a conclusão geral, mas todos os principais detalhes hipotéticos por meio dos quais tal desfecho foi obtido. [NA]

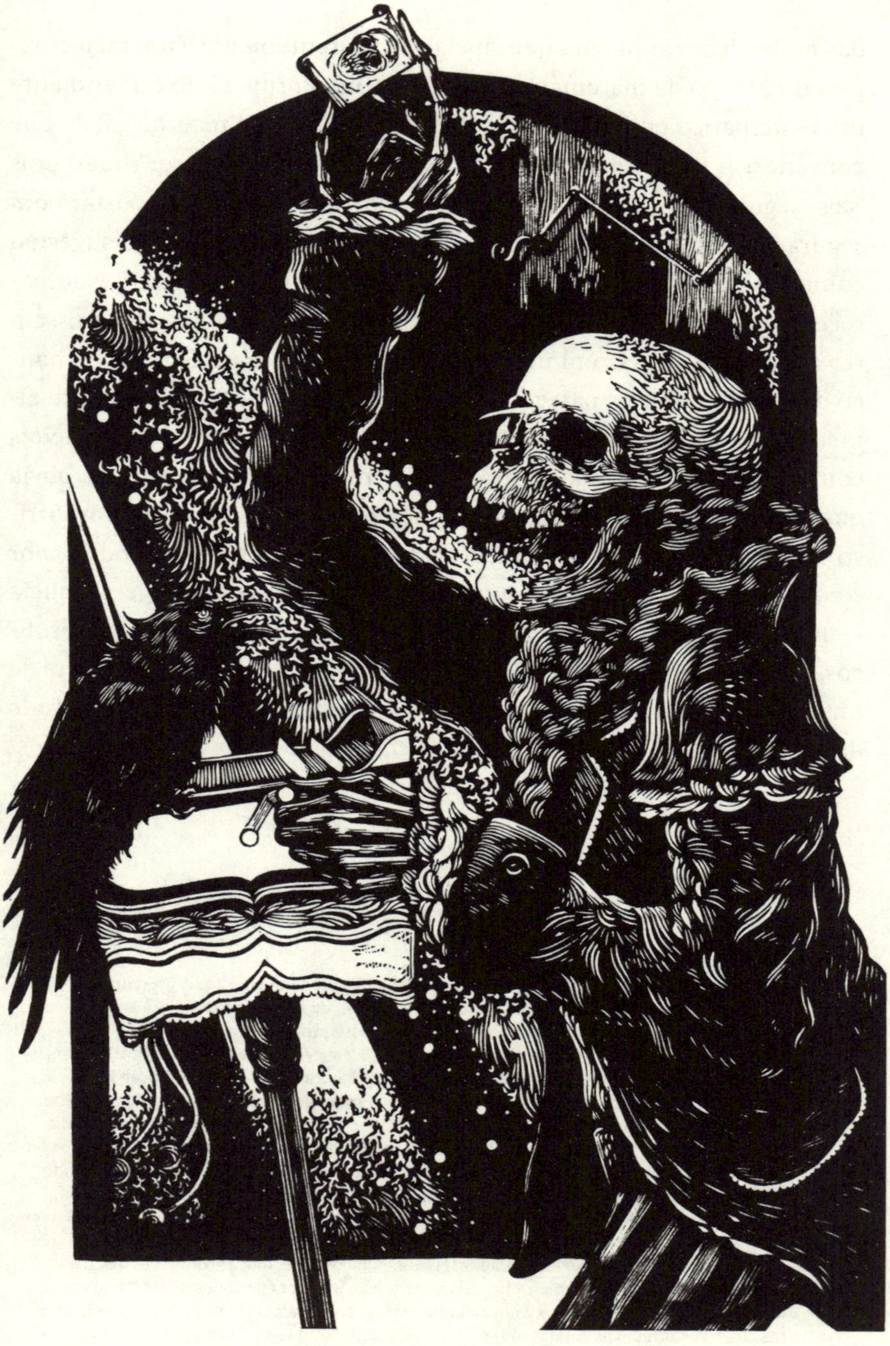

◀ DETETIVE DUPIN ▶

A CARTA ROUBADA

EDGAR ALLAN POE
1845

Nil sapientiae odiosius acumine nimio.[1]
— Sêneca. —

Em Paris, ao anoitecer de uma tarde tempestuosa no outono de 18—, desfrutava o duplo deleite de estar entregue aos meus pensamentos e a um charuto de mineral turco, na companhia de meu amigo C. Auguste Dupin, em sua biblioteca, na rua Dunôt, número 33, terceiro andar, Faubourg St. Germain. Já estávamos em profundo silêncio por pelo menos uma hora; para qualquer observador casual, cada um parecia ocupar-se apenas, de maneira absorta e exclusiva, com os sinuosos redemoinhos da fumaça que oprimia a atmosfera do aposento. Eu, porém, repassava mentalmente alguns tópicos acerca dos quais

---

[1] Em latim no original: "Não há nada mais prejudicial à sabedoria do que muita inteligência".

havíamos conversado mais cedo; refiro-me ao caso na rua Morgue e o mistério do assassinato de Marie Rogêt. Julguei, portanto, uma espécie de coincidência quando a porta do aposento foi aberta e por ela entrou nosso velho conhecido, *monsieur* G., o comissário da polícia parisiense.

Nós o acolhemos calorosamente, pois o sujeito era, em igual medida, divertido e desprezível, e já não o víamos há muitos anos. Estávamos sentados no escuro até então e Dupin se levantou para acender uma lamparina, mas tornou a se sentar sem o fazê-lo quando G. anunciou que tinha vindo nos consultar, ou melhor, pedir a opinião de meu amigo, sobre um assunto oficial que ocasionara um sem-número de problemas.

— Se é assunto que exige reflexão — observou Dupin, abstendo-se de acender o pavio — examinaremos melhor no escuro.

— Eis mais uma de suas ideias esquisitas — disse o comissário, que tinha mania de chamar de "esquisito" tudo o que estava além da própria compreensão, vivendo assim cercado por uma verdadeira legião de "esquisitices".

— É verdade — declarou Dupin, providenciando um cachimbo para a visita e puxando uma cadeira confortável para que se sentasse.

— E qual é a dificuldade agora? — perguntei. — Nenhum outro assassinato, espero.

— Ah, não; nada desse tipo. Trata-se, na realidade, de um assunto *bastante* simples, e não tenho dúvidas de que podemos resolvê-lo de maneira satisfatória por nossa conta. No entanto, achei que Dupin gostaria de ouvir os detalhes do caso, por ser muito *estranho*.

— Simples e esquisito — comentou Dupin.

— Sim, e não apenas isso. A verdade é que estamos muito intrigados pelo caso ser *tão* simples e, ainda assim, nos deixar completamente desconcertados.

— Talvez a própria simplicidade esteja atrapalhando — respondeu meu amigo.

— Você fala cada *bobagem*! — exclamou o comissário, rindo de maneira exagerada.

— Talvez o mistério seja simples *demais* — prosseguiu Dupin.
— Ora, onde já se viu uma coisa dessas?
— A solução pode passar despercebida por ser evidente *demais*.
— Ha, ha, ha! Ha, ha, ha! Ho, ho, ho! — gargalhou o visitante, divertindo-se a valer. — Ah, Dupin, você ainda me mata!
— E qual é, *afinal*, o assunto? — perguntei.
— Bem, vou lhes contar — respondeu o comissário, dando um trago longo, firme e contemplativo no cachimbo e acomodando-se na cadeira. — Vou lhes contar em poucas palavras; mas, antes de começarmos, devo advertir-lhes de que se trata de um assunto altamente confidencial e que posso perder meu cargo se alguém souber que o compartilhei com vocês.
— Vá em frente — falei.
— Ou não — rebateu Dupin.
— Está bem; recebi uma informação pessoal, de um escalão muito alto, de que um certo documento da maior importância foi roubado dos apartamentos reais. O indivíduo que cometeu o roubo é conhecido; quanto a isso, não há dúvidas, pois foi visto em ação. Também sabemos que continua em posse do documento.
— E como sabem? — perguntou meu amigo.
— Temos razões para deduzir — respondeu o comissário — em virtude da natureza do documento e ao fato de não terem aparecido certos resultados que teriam se dado de pronto, caso o ladrão o tivesse *passado adiante*; isto é, caso já o tivesse usado como imaginamos que virá a usar.
— Seja um pouco mais explícito — pedi.
— Bem, posso revelar que o documento dá a quem o possui um certo poder em um certo local onde tal poder é de imensa valia. — O comissário gostava de falar como um diplomata.
— Continuo sem entender — disse Dupin.
— Não? Bem, a revelação do documento para uma terceira pessoa, cujo nome não direi, comprometeria a honra de uma figura de altíssima posição; esta circunstância confere ao possuidor do documento uma ascendência sobre a figura ilustre cuja honra e paz encontram-se ameaçadas.

— Mas essa ascendência — interrompi — apenas seria possível se o ladrão estivesse ciente de que a pessoa roubada sabe ao seu respeito. Quem ousaria...

— O ladrão — informou G. — é o ministro D., capaz de muitas ousadias, sejam elas dignas ou indignas de um homem. O método do roubo não foi menos engenhoso que audaz. O documento em questão; uma carta, para ser franco; foi recebido pela pessoa roubada enquanto estava a sós em seus aposentos reais. Enquanto lia a missiva, foi interrompida de repente pela entrada de outra pessoa ilustre, de quem especialmente desejava escondê-la. Após uma tentativa apressada e inútil de enfiá-la em uma gaveta, foi forçada a colocá-la, aberta como estava, sobre uma mesa. O sobrescrito, contudo, estava por cima, ocultando o conteúdo da correspondência e foi assim que ela passou despercebida. Justo nesse momento, entra o ministro D. Seus olhos de lince percebem imediatamente a carta e, reconhecendo a caligrafia no sobrescrito e notando o atordoamento da ilustre destinatária, descobre seu segredo. Após algumas transações de negócios, tratadas com o costumeiro modo apressado de D., ele saca uma carta parecida com a mensagem em questão, abre, finge lê-la e então a coloca ao lado da outra, sobre a mesa. Conversa por mais uns quinze minutos sobre assuntos públicos. Por fim, ao despedir-se, apanha a carta que não lhe pertencia. A destinatária vê o que se passa, mas, é claro, não ousa chamar a atenção para o ato, visto que a terceira figura estava ao seu lado. O ministro vai embora, deixando a própria carta, uma carta sem importância, sobre a mesa.

— Aí está — disse Dupin, dirigindo-se a mim — exatamente o que você argumentou que tornaria a ascendência possível. O ladrão está ciente de que a pessoa roubada sabe ao seu respeito.

— Exato — retrucou o comissário. — E o poder assim obtido tem sido usado, há alguns meses, para fins políticos e de maneira bastante perigosa. A cada dia que passa, a pessoa roubada está mais e mais convencida da necessidade urgente de recuperar a carta. No entanto, isso, é claro, não pode ser feito às claras. Por fim, levada ao desespero, ela encarregou-me da tarefa.

— Ninguém — disse Dupin, em meio a um perfeito redemoinho de fumaça — eu suponho, poderia desejar ou até mesmo imaginar um agente mais sagaz para realizá-la.

— Você me lisonjeia — respondeu o comissário — mas há quem pense de outra forma.

— Está claro — falei — como você bem observou, que o ministro ainda mantém a carta, uma vez que é a posse, e não o uso, que lhe garante poder. Com o uso, o poder deixa de existir.

— Verdade, e foi com base nessa convicção que procedi. Meu primeiro cuidado foi conduzir uma busca minuciosa nas acomodações do ministro e, nesse ponto, o maior desafio foi a necessidade de procurar a missiva sem que ele soubesse. Fui advertido sobretudo do perigo que resultaria de qualquer manobra que lhe desse motivos para suspeitar de nossas intenções.

— Porém — disse eu — você deve estar bastante *au fait* nessas investigações. A polícia parisiense já fez esse tipo de operação antes.

— Ah, sim; e é por isso que não me desesperei. Os hábitos do ministro também me ofereceram uma grande vantagem. Ele costuma, com frequência, ausentar-se de casa durante a noite inteira. Tem pouquíssimos criados. Eles dormem afastados dos aposentos do patrão e, sendo em sua maioria napolitanos, embriagam-se com facilidade. Eu tenho chaves, como os senhores sabem, capazes de abrir qualquer cômodo ou armário em Paris. Durante três meses, não se passou uma noite na qual eu não estivesse, durante boa parte da madrugada, engajado pessoalmente em revistar os aposentos de D. O caso interessa-me por uma questão de honra e, para confessar um grande segredo, a recompensa oferecida é enorme. Desse modo, não abandonei a busca até ter certeza absoluta de que o ladrão é um homem mais astuto do que eu. Julgo ter investigado cada nicho, cada canto do local em que um pedaço de papel pudesse ter sido escondido.

— Mas não é possível que, embora a carta possa estar com o ministro, como sem dúvida está, ele a tenha escondido em outro lugar que não a própria residência? — sugeri.

— É pouco provável — respondeu Dupin. — A atual condição peculiar do caso em questão, e sobretudo a natureza das intrigas em que

D. é célebre por se envolver, torna a disponibilidade imediata do documento, a possibilidade de ter de ser apresentado a qualquer momento, um ponto quase tão importante quanto a posse da carta em si.

— Possibilidade de ter de ser apresentado? — indaguei.

— Sim, de ser *destruído* — respondeu Dupin.

— Certo. Então o documento está claramente na residência dele. E está fora de questão supor que possa estar *com* o ministro, guardada em seus bolsos, por exemplo — observei.

— Completamente — disse o comissário. — Ele foi revistado de forma rigorosa duas vezes por batedores de carteira e sob minha inspeção.

— Você poderia ter se poupado ao trabalho — disse Dupin. — D., presumo, não é um completo idiota e, assim sendo, deve ter previsto suas "revistas".

— Não é um *completo* idiota — disse G. — mas é um poeta, o que é quase a mesma coisa.

— De fato — concordou Dupin, após uma baforada longa e pensativa em seu cachimbo. — Embora eu também seja culpado de alguns versos mal escritos.

— O que acha de nos contar, com detalhes, os pormenores de sua busca?

— Bem, nós a conduzimos sem pressa, vasculhando *todos* os lugares possíveis. Tenho muita experiência em assuntos do gênero. Examinamos o prédio todo, aposento por aposento, dedicando uma noite para cada cômodo, durante uma semana inteira. Primeiro, nos atemos à mobília de cada quarto. Abrimos todas as gavetas; e imagino que saibam que, para um agente policial devidamente treinado, não existe essa coisa de gaveta *secreta*. O sujeito que deixa escapar uma gaveta "secreta" em uma busca desse tipo é um verdadeiro imbecil. É tudo muito simples. Há um determinado parâmetro de volume, de espaço, a ser avaliado em qualquer armário. Temos regras precisas a este respeito. Não nos escapou sequer a quinquagésima parte de uma reta. Após os armários, foi a vez de vasculharmos as poltronas. As almofadas foram examinadas com agulhas compridas e bem finas, como vocês já me viram fazer. E então removemos os tampos das mesas.

— Para quê?

— Às vezes, a pessoa que deseja esconder um objeto remove o tampo da mesa ou de qualquer outro móvel semelhante; cava-se um espaço em sua base, onde o objeto é escondido, e apenas então o tampo é colocado de volta. As partes superiores e inferiores das cabeceiras de cama são usadas para o mesmo fim.

— Mas não é possível detectar o espaço oco pelo som? — perguntei.

— Não se, ao depositar o objeto, a pessoa o acolchoar com bastante algodão. Ademais, em nosso caso, fomos obrigados a investigar sem fazer o menor ruído.

— Contudo, não creio que tenham removido, não creio que tenham desmembrado *toda* a mobília capaz de ocultar um objeto do modo como mencionou. Uma carta pode ser compactada tornando-se um fino rolo espiral, não diferindo então, em formato e espessura, de uma agulha grande de tricô e, adquirindo tal formato, pode ser inserida na travessa de uma cadeira, por exemplo. Suponho que não tenham destruído todas as cadeiras, estou certo?

— Claro que não, mas fizemos melhor: examinamos as travessas de todas as cadeiras da residência e a junção de cada móvel encontrado com o auxílio de um microscópio poderoso. Se houvesse qualquer indício de manipulação recente, teria sido detectado de imediato. Um minúsculo grão de poeira, por exemplo, para nós seria tão óbvio quanto uma maçã. Qualquer alteração na cola ou encaixe desigual teria sido suficiente para chamar nossa atenção.

— Eu suponho que tenham examinado os espelhos, entre a moldura e as placas, as camas, as roupas de cama e também as cortinas e os carpetes.

— Claro que sim; e, quando terminamos o escrutínio completo em cada partícula dos móveis, passamos para a casa em si. Dividimos sua extensão em compartimentos numerados, para que não deixássemos pedaço algum de fora; vasculhamos cada centímetro quadrado em toda a extensão do local, incluindo duas outras residências contíguas, também com a ajuda do microscópio.

— Duas residências contíguas! — exclamei. — Devem ter tido um trabalho danado.

— Tivemos, mas a recompensa é altíssima.

— Examinaram os *terrenos* ao redor das casas?

— São todos revestidos de tijolos. Não nos deram muito trabalho. Examinamos o musgo entre os tijolos e não notamos sinal de alteração recente.

— Olharam entre os documentos de D., presumo, bem como entre os livros em sua biblioteca?

— Certamente; abrimos cada pacote, cada embrulho; não só abrimos todos os livros, como folheamos cada volume, página por página, não nos deixando contentar com meras sacudidas, como o fazem alguns de nossos policiais. Também medimos a espessura de todas as *capas*, da maneira mais precisa possível, submetendo cada uma à mais esmerada análise microscópica. Se alguma encadernação tivesse sido alterada recentemente, teria sido impossível que o fato passasse despercebido. Cinco ou seis volumes novos, recém-chegados do encadernador, foram perscrutados de forma longitudinal, com o auxílio de agulhas.

— Inspecionaram o assoalho por baixo dos tapetes?

— Sem dúvida. Removemos cada tapete e examinamos as tábuas com o microscópio.

— E os papéis de parede?

— Também.

— Olharam no porão?

— Olhamos.

— Então — concluí — você se enganou e a carta *não* se encontra na residência de D., como supõe.

— Receio que tenha razão — admitiu o comissário. — E agora, Dupin, o que me aconselha a fazer?

— Eu o aconselho a conduzir uma nova busca minuciosa no local.

— Isso é absolutamente desnecessário — retrucou G. — Tenho mais certeza de que a carta não está lá do que do ar que respiro.

— Não posso lhe dar conselho melhor — disse Dupin. — Você possui, imagino, uma descrição precisa da carta?

— Ah, sim! — Nesse momento, o comissário, tirando do bolso um bloco de anotações, leu em voz alta uma descrição detalhada da aparência interna e, sobretudo, externa da carta roubada. Logo após concluir a leitura da descrição, o bom sujeito se despediu e foi embora, desanimado como eu jamais o vira antes.

Mais ou menos um mês depois, ele tornou a nos visitar, encontrando-nos quase na mesma ocupação da visita anterior. Apanhou um cachimbo, sentou-se e conversou amenidades conosco. Por fim, falei:

— Então, G., e a carta roubada? Presumo que tenha finalmente se convencido de que não é tão simples assim ser mais astuto do que o ministro, não é?

— Que se dane o ministro! Sim, conduzi uma nova busca, como Dupin sugeriu, mas foi perda de tempo, como imaginei que seria.

— Qual era mesmo o valor da recompensa oferecida? — perguntou meu amigo.

— Ora, um valor altíssimo, uma recompensa *generosíssima*, mas não quero revelar a quantia exata. Porém, uma coisa lhes digo: não me incomodaria em entregar meu cheque de cinquenta mil francos para quem conseguisse recuperar essa carta. Está se tornando a cada dia mais e mais importante e, recentemente, a recompensa foi inclusive dobrada. No entanto, mesmo que fosse triplicada, não poderia fazer mais do que já fiz.

— Ora essa — disse Dupin, com a voz arrastada, entre uma baforada e outra no cachimbo. — Eu realmente... acho, G., que você não se empenhou... ao máximo nessa questão. Você poderia... ter se empenhado um pouco mais, não acha?

— Como? De que maneira?

— Bem... puf, puf... você poderia... puf, puf... pedir um conselho sobre o assunto, não?... Puf, puf, puf... Lembra-se da história que contam sobre Abernethy?

— Não, que Abernethy vá para o inferno!

— Decerto! Que vá para o inferno e que o diabo o carregue. Porém, conta-se que um certo sujeito rico e avarento colocou na cabeça que se aproveitaria de Abernethy, obtendo uma opinião médica sem precisar pagar a consulta. Forjando, com esse propósito, uma conversa casual quando estavam a sós, ele insinuou seu caso ao médico fingindo se tratar da doença de um indivíduo imaginário.

"'Suponhamos', disse o avarento, 'que os sintomas deles sejam tais e tais. O que o doutor aconselha?'

"'O que aconselho?', respondeu Abernethy. 'Bem, aconselho a procurar *ajuda médica*.'"

— Mas — disse o comissário, um tanto sem jeito — não estou me *recusando* a procurar ajuda e a pagar por isso. Eu *realmente* daria os cinquenta mil francos para quem me ajudasse na questão.

— Nesse caso — respondeu Dupin, abrindo uma gaveta e tirando um talão de cheques — você já pode me fazer um cheque no valor citado. Assim que o assinar, eu lhe entrego a carta.

Fiquei estarrecido. O comissário parecia absolutamente pasmo. Por alguns minutos, permaneceu imóvel e em silêncio, fitando meu amigo com um ar de incredulidade, boquiaberto, com os olhos arregalados; depois, aparentemente recomposto, apanhou uma caneta e, após diversas pausas e olhares vazios, finalmente preencheu e assinou um cheque de cinquenta mil francos, entregando-o por cima da mesa a Dupin. Ele examinou o cheque com atenção e o guardou na carteira; em seguida, abrindo uma escrivaninha, apanhou a carta e a entregou ao comissário. O policial a agarrou, rútilo de alegria, abriu-a com as mãos trêmulas, passou os olhos pelo conteúdo e depois, correu para a porta e lutou, em sua pressa, com a maçaneta de maneira um tanto desajeitada, saindo em disparada, sem fazer cerimônia ou proferir uma única sílaba desde que Dupin lhe pedira para preencher o cheque.

Logo após que o homem foi embora, meu amigo deu-me algumas explicações.

— A polícia parisiense — começou ele — é bastante capaz, porém à sua maneira. Os policiais têm perseverança, engenhosidade, astúcia e são amplamente versados no tipo de conhecimento que seus deveres parecem exigir. Assim, quando G. nos detalhou o método que estava usando na investigação da residência de D., fiquei totalmente convencido de que havia conduzido uma busca satisfatória, no que diz respeito aos limites de seu trabalho.

— Limites de seu trabalho? — perguntei.

— Sim — respondeu Dupin. — As medidas adotadas não apenas eram as melhores do gênero, mas foram empregadas com absoluta perfeição. Se a carta estivesse ao alcance de sua busca, os policiais a teriam encontrado, sem a menor dúvida.

Só pude responder com uma risada, mas meu amigo parecia estar falando tudo aquilo com muita seriedade.

— As medidas, portanto — prosseguiu ele — eram boas e foram bem executadas; seu fracasso está ligado ao fato de não serem aplicáveis para o caso e para o homem em questão. Um determinado conjunto de recursos altamente engenhosos funciona, para o comissário, como uma espécie de cama de Procusto[2] na qual ele tenta acomodar à força seus propósitos. Todavia, ele comete sucessivos equívocos por ser muito profundo ou superficial demais no assunto em questão; diversos colegiais raciocinam melhor do que ele. Conheci um garoto de uns oito anos de idade cujo êxito divinatório no jogo de "par ou ímpar" rendia-lhe admiração universal. O jogo é bem simples, com bolas de gude. Um dos jogadores esconde nas mãos algumas bolinhas e pede ao adversário que adivinhe se tem um conjunto par ou ímpar. Se o palpite estiver correto, o adivinhador ganha uma bolinha; se for incorreto, perde uma. O menino que mencionei ganhava todas as bolinhas da escola. Era evidente que possuía algum método de adivinhação; baseava-se na mera observação e avaliação da astúcia de seus oponentes. Se, por exemplo, seu oponente fosse um bobo que, exibindo a mão fechada, lhe perguntasse "Par ou ímpar?", o menino responderia "Ímpar" e perderia; mas ganharia na segunda rodada, pois pensaria com os botões: "Esse bocó tinha par na primeira vez e não é esperto o bastante para ter ímpar na segunda. Direi ímpar, então". Ele diz ímpar e ganha. Já com um oponente um pouco menos tolo do que o primeiro, ele teria raciocinado dessa forma: "Sabendo que arrisquei ímpar na pri-

---

2   Na mitologia grega, Procusto (o "esticador") era um bandido que oferecia hospitalidade aos viajantes na serra de Elêusis. Em sua casa, mantinha uma cama de ferro do seu tamanho para receber as visitas. Quando o hóspede se mostrava pequeno para o leito, ele o esticava; quando era grande demais, amputava seus membros. O mito de Procusto ilustra a intolerância e a arrogância do homem quando deseja que todos se adequem aos seus padrões.

meira rodada, o primeiro impulso dele será propor, na segunda, uma simples variação de par para ímpar, como fez o bocó; mas, pensando melhor, perceberá que essa variação é simples demais e, finalmente, decidirá manter o par. Eu, então, falarei par quando for par e ganharei o jogo". Bem, esse método de raciocínio do estudante, que seus companheiros chamavam de "sortudo", o que seria, em última análise?

— É tão somente — respondi — uma identificação do intelecto do adivinhador com o de seu oponente.

— Exato — disse Dupin. — E, quando perguntei ao menino como ele alcançava a identificação *minuciosa* da qual dependia seu sucesso, recebi a seguinte resposta: "Quando quero descobrir o quão sabido, estúpido, bom ou mau é o adversário, ou o que passa por sua cabeça em um determinado momento, reproduzo a expressão de seu rosto, imitando-o da maneira mais precisa possível, e então espero para ver que ideias ou sentimentos surgem em minha mente ou em meu coração, como se para combinar ou corresponder com a expressão". Essa resposta do menino está na base de toda a profundidade espúria atribuída a Rochefoucauld, La Bruyère, Maquiavel e Campanella.

— E a identificação — falei — do intelecto do adivinhador com o de seu oponente depende, se compreendi bem o que disse, na precisão com a qual o intelecto do oponente é mensurado.

— Pois seu valor prático depende disso — respondeu Dupin — e o comissário e seus colegas têm se enganado com frequência, primeiro por negligenciarem essa identificação e, segundo, por avaliarem mal, ou melhor, por não avaliarem o intelecto das pessoas com as quais estão lidando. Consideram engenhosas apenas as *próprias* ideias; e, em busca de algo escondido, atentam somente para os meios dos quais teriam se valido para escondê-la. Nesse ponto, eles têm razão: a própria engenhosidade é uma representação fiel do gênio *das massas*. Porém, quando a astúcia do criminoso individual difere da deles, o malfeitor claramente poderá despistá-los. Isso sempre acontece quando o criminoso é mais astuto do que os policiais e, não raro, quando é menos astuto também. Não possuem variação de princípio em suas investigações; na melhor das hipóteses, quando instados por alguma emergência fora do comum, ou uma recompensa extraordinária, apenas ampliam ou exageram *práticas* antigas sem alterar os princípios. Por exemplo, no caso de D., o que foi feito para variar o princípio da ação? O que são todas essas perfurações, sondagens, esse escrutínio com o microscópio, essa divisão da superfície em compartimentos numerados? O que é tudo isso, senão um exagero na *aplicação* de um princípio ou conjunto de princípios de busca, baseados em conjuntos de noções acerca da engenhosidade humana, com o qual o comissário, na longa rotina de seu dever, já está acostumado? Não vê que o comissário considera lugar-comum que *todos* os homens escondam uma carta, não exatamente em um orifício feito na perna de uma cadeira, mas, no mínimo, em *algum* buraco ou canto sugerido pelo mesmo encadeamento de ideias que levaria um homem a esconder uma carta em um orifício na perna de uma cadeira? Não vê também que tais cantos *recherchés* para esconderijos servem apenas para ocasiões e intelectos comuns; pois, em todos os casos em questão, o paradeiro do objeto escondido, quando feito dessa maneira *recherché*, é presumível e presumido, de modo que sua descoberta depende do empenho, da paciência e da determinação daqueles que o buscam, e não de sua perspicácia. Quando o caso é importante, ou quando se torna importante aos olhos dos policiais, em virtude de uma gorda recompensa, essas três qualidades *jamais* falham. Você agora compreenderá o que quis dizer quando sugeri que, se a carta roubada estivesse escondida em algum lugar ao alcance da busca do comissário... em outras palavras, se o princípio de sua ocultação se coadunasse com os princípios dele... a descoberta seria inevitável. O comissário, porém, foi totalmente passado para trás; e a causa basilar de seu fracasso está em sua suposição de que o ministro é um tolo por ser um poeta renomado. Todos os tolos são poetas, pensa o comissário; ele é assim culpado de uma *non distributio medii*[3] ao supor que todos os poetas são tolos.

---

3   Em latim no original: "Termo médio não distribuído".

— Mas é realmente esse o poeta? — perguntei. — São dois irmãos, eu sei, e ambos adquiriram reputação nas letras. O ministro, creio, escreveu com excelência sobre cálculo diferencial. Ele é matemático, não poeta.

— Você está enganado, eu o conheço bem; ele é *ambas* as coisas. Como poeta e matemático, raciocinaria bem; como mero matemático, não raciocinaria de modo algum e teria ficado à mercê do comissário.

— Você me surpreende com essas opiniões — falei — pois elas contrariam o senso comum. Decerto não pretende invalidar uma noção ancestralmente cristalizada. O raciocínio matemático é há muito considerado como *o* raciocínio *par excellence*.

— *Il y a à parier* — retrucou Dupin, citando Chamfort — *que toute idée publique, toute convention reçue, est une sottise, car elle a convenu au plus grand nombre*.⁴ Os matemáticos, reconheço, empenharam-se ao máximo para propagar o erro popular ao qual você se refere, que, embora reproduzido como verdade, continua sendo um erro. Com uma arte digna de causas melhores, por exemplo, introduziram o termo "análise" na aplicação à álgebra. Os franceses são os autores desse equívoco em particular, mas, se um termo possui qualquer importância que seja, se as palavras extraem algum valor de sua aplicabilidade, então "análise" significa "álgebra" tanto quanto, em latim, *ambitus* significa "ambição", *religio* pode ser traduzido como "religião" e *homines honesti*, um grupo de cavalheiros honrados.⁵

— Você vai comprar uma briga com alguns algebristas de Paris, mas prossiga.

— Eu contesto a utilidade e, por conseguinte, o valor desse raciocínio que é cultivado em qualquer outra forma especial que não a lógica abstrata. Contesto, em particular, o raciocínio doutrinado pelo estudo matemático. A matemática é a ciência da forma e da quantidade; o raciocínio é meramente a lógica aplicada à observação da forma e da quantidade. O grande erro jaz na suposição de que até

---

4   Em francês no original: "Pode apostar que toda ideia pública e toda convenção recebida é uma bobagem, pois atendeu a maioria".
5   *Ambitus* significa "desvio", "suborno"; *religio*, "superstição" e *homines honesti* era um epíteto ciceroniano para os partidários.

mesmo as verdades do que chamamos álgebra *pura* são verdades abstratas ou gerais. E esse equívoco é tão flagrante que fico abismado com a universalidade com a qual tem sido recebido. Os axiomas matemáticos *não* são axiomas de uma verdade geral. O que é verdade no que diz respeito à *relação* de forma e quantidade costuma, com frequência, ser tremendamente falso no que diz respeito à moral, por exemplo. Nesta última ciência, não é *verdade* que a soma das partes seja equivalente ao todo. Em química, o axioma também não se sustenta. Na consideração dos motivos, não se sustenta; pois dois motivos, cada qual com um valor diferente, não apresentam necessariamente, quando somados, um valor equivalente à soma de seus valores em separado. Existem muitos outros fatos matemáticos que são verdades apenas dentro dos limites da *relação*. Porém, por uma questão de hábito, o matemático argumenta suas *verdades finitas* como se tivessem uma aplicabilidade geral absoluta, tal como o mundo as supõe. Bryant, em sua muito erudita análise da mitologia, menciona uma fonte de erro análoga ao afirmar que "embora não acreditemos nas fábulas pagãs, vivemos esquecendo disso e delas extraímos inferências como se fossem realidades". Os algebristas, entretanto, sendo eles próprios pagãos, *acreditam* nas "fábulas pagãs" e extraem delas inferências, não tanto por um lapso de memória, mas por uma inexplicável confusão mental. Resumindo, jamais encontrei um matemático em quem pudesse confiar para além das equações de raízes iguais ou um que, ainda que clandestinamente, não considere uma questão absoluta de fé que $x^2 + px$ equivale, absoluta e incondicionalmente, a q. À guisa de experimento, diga a um desses senhores que acredita que, em determinadas ocasiões, é possível que $x^2 + px$ *não* seja exatamente equivalente a q. Faça-o compreender o que você quer dizer e saia de seu alcance o mais depressa possível, pois não resta a menor dúvida de que ele vai partir para a agressão física.

"O que quero dizer", continuou Dupin enquanto eu ria de seus últimos comentários, "é que se o ministro fosse apenas matemático, o comissário não teria sido obrigado a dar esse cheque. Como eu o conhecia como matemático e poeta, adaptei minhas medidas às habilidades dele, no que diz respeito às circunstâncias que o cercavam. Também sabia que era membro da corte e adepto à audaciosas intrigas. É impossível que um homem como ele, ponderei, não tenha ciência das ações habituais da polícia. Ele dificilmente deixaria de antecipar, e os acontecimentos comprovam o que digo, as revistas às quais o sujeitaram. Creio que deve ter previsto inclusive as investigações secretas em sua residência. As frequentes ausências durante a noite, que o comissário julgou como um bom auxílio para as investigações, em minha opinião não passavam de um *ardil* para permitir que a polícia fizesse uma busca minuciosa e, assim, levar os agentes a se convencerem, como G. de fato acabou fazendo, de que a carta não estava no local. Também acho que todo esse encadeamento de ideias, que me esforcei em detalhar para você agora, com relação ao princípio invariável da ação policial em buscas por objetos escondidos, julguei que tudo isso fosse passar, necessariamente, pela cabeça do ministro. Isso o levaria a evitar todos os *esconderijos* mais óbvios. Ele não seria tolo a ponto de não levar em consideração que os recantos mais recônditos e remotos de sua residência seriam tão devassáveis quanto seus armários destrancados para os olhos, as sondas, as verrumas e os microscópios do comissário. Percebi, afinal, que seria impelido, por uma questão de direção, à *simplicidade*; se não diretamente induzido, por uma questão de escolha. Você talvez se lembre de como o comissário riu quando sugeri, em nossa primeira conversa sobre o assunto, que era possível que o mistério o incomodasse tanto por ter uma explicação óbvia *demais*."

— Sim — respondi. — Lembro-me bem de como isso o divertiu. Pensei que fosse ter um ataque de tanto rir.

— O mundo material — prosseguiu Dupin — está repleto de analogias bem estritas com o imaterial; deste modo, um toque de verdade foi dado ao dogma retórico e, assim, a metáfora pôde ser empregada para fortalecer um argumento ou embelezar uma descrição. O princípio da *vis inertiae*,[6] por exemplo, parece ser idêntico tanto na física quanto na

---

6   Em latim no original: "A força da inércia".

metafísica. Não é menos verdadeiro na física que um corpo volumoso tenha mais dificuldade de se lançar em movimento do que um pequeno, e que seu impulso subsequente seja proporcional a essa dificuldade, do que é, na metafísica, o fato de intelectos de capacidade mais ampla, embora mais fortes, constantes e significativos em seus movimentos do que os de grau inferior, sejam os que menos se mobilizam de pronto, tendo os primeiros passos de seu progresso marcados por constrangimentos e hesitações. Você já reparou quais placas de rua, sobre as portas dos estabelecimentos comerciais, chamam mais a atenção?

— Nunca parei para pensar nisso.

— Existe um jogo de enigmas — continuou ele — que é jogado sobre um mapa. Um dos jogadores pede ao outro que encontre uma determinada palavra: o nome de uma cidade, um rio, um estado ou um império; qualquer palavra, em suma, na superfície variada e complexa do mapa. Um jogador novato geralmente busca confundir seus adversários dando-lhes as palavras com letras mais miúdas, mas o jogador mais experiente escolhe palavras que atravessam, com letras grandes, toda a extensão do mapa. Estas, assim como os sinais e as placas de rua que possuem muitas letras, escapam à observação por serem muito óbvias, e aqui o lapso físico é precisamente análogo à incompreensão moral pela qual o intelecto deixa passar despercebidas as considerações que são notável e palpavelmente óbvias demais. Contudo, esse é um ponto, ao que parece, muito além ou muito aquém da compreensão do comissário. Ele jamais julgou provável, ou possível, que o ministro tenha escondido a carta bem debaixo do nariz de todos justamente para evitar que fosse encontrada.

"Porém, quanto mais eu refletia sobre o caráter ousado, arriscado e perspicaz da inventividade de D., sobre o fato de o documento estar sempre *ao seu alcance*, se pretendia usá-lo satisfatoriamente e sobre a evidência decisiva, obtida pelo comissário, de que o esconderijo da carta não estava nos limites da busca tradicional realizada pela polícia, mais eu me convencia de que, para esconder a carta, o ministro recorrera ao compreensível e sagaz expediente de não tentar escondê-la de modo algum.

"Com essas ideias em mente, preparei-me com um par de óculos verdes e, em uma bela manhã, fui fazer uma visita, como se por acaso, aos aposentos ministeriais. Encontrei D. em casa, bocejando, repousando e matando tempo; como sempre, fingindo estar no estágio máximo de *ennui*. Ele talvez seja o sujeito mais enérgico do mundo, mas apenas quando ninguém está por perto para vê-lo em ação.

"Para nivelar-me com ele, queixei-me de meus olhos fracos e lamentei a necessidade de usar óculos, aproveitando o disfarce para examinar o cômodo de maneira atenta e minuciosa, enquanto fingia estar interessado somente na conversa com meu anfitrião.

"Prestei atenção, em especial, a uma grande escrivaninha próxima ao local onde D. estava sentado, sobre a qual estavam dispostas, em desalinho, diversas cartas e outros papéis, um ou dois instrumentos musicais e alguns livros. No entanto, após uma investigação longa e deliberada, não notei nada suspeito.

"Por fim, meus olhos, vasculhando o quarto, recaíram sobre um ostensivo porta-cartas filigranado de cartolina, pendurado por uma fita azul encardida em uma pequena maçaneta de metal, bem no meio da lareira. Nesse porta-cartas, que possuía três ou quatro compartimentos, havia cinco ou seis cartões de visita e uma única carta. A carta estava suja, amassada e rasgada pela metade — como se alguém, considerando-a inútil, tivesse tido a intenção inicial de destruí-la, mudando de ideia em pleno ato. Trazia um grande selo negro com a letra 'D' bem *visível* e estava endereçada, em uma caligrafia miúda e feminina, ao próprio ministro. Parecia ter sido lançada de maneira descuidada e até mesmo desdenhosa em uma das divisões superiores do porta-cartas.

"Assim que bati os olhos nessa carta, concluí ser a que eu buscava. É bem verdade que tinha uma aparência radicalmente diferente daquela descrita com tantos detalhes pelo comissário. O selo era grande e preto, com a letra 'D'; na descrição do comissário, o selo era pequeno, vermelho e trazia as armas ducais da família S. O sobrescrito, endereçado ao ministro, era diminuto e feminino; na descrição, era destinada a uma figura ilustre da realeza com caligrafia ousada e decidida; a única coisa em comum era o tamanho. Todavia, a diferença entre as cartas era tão *radical* a ponto de parecer excessiva; o estado do papel, que estava sujo, manchado e rasgado, tão incompatível com os *verdadeiros* hábitos metódicos de D., traíam um desejo de ludibriar o observador, levando-o a crer que o documento em questão não tinha valor algum; todas essas coisas, aliadas à localização altamente visível da carta, exposta ao olhar de qualquer visitante e assim em consonância com as conclusões às quais eu chegara previamente; todas essas coisas, veja bem, pareciam suspeitas aos olhos de alguém que até lá se dirigira na intenção de suspeitar.

"Prolonguei minha visita o máximo que pude e, enquanto mantinha uma discussão bastante animada com o ministro sobre um assunto que sabia bem que jamais falhava em despertar seu interesse e entusiasmo, mantive a atenção fixa na carta. Nessa observação, guardei na memória a aparência externa e a disposição no porta-cartas; por fim, uma descoberta acabou com qualquer mínima dúvida que eu pudesse ter levado em consideração. Ao examinar as bordas do papel, observei que estavam mais *desgastadas* do que o normal. Tinham a aparência *quebradiça* característica de um papel duro que, tendo sido dobrado e prensado, é novamente dobrado na direção contrária, seguindo as marcações anteriores. Essa descoberta foi suficiente. Estava claro para mim que a carta havia sido virada do lado contrário, como uma luva, sendo então sobrescrita e selada novamente. Despedi-me do ministro desejando-lhe um bom dia e parti logo em seguida, deixando uma caixa de rapé de ouro sobre a mesa.

"Na manhã seguinte, apareci para buscar a caixa de rapé e retomamos, com bastante entusiasmo, a conversa da véspera. Porém, enquanto estávamos assim entretidos, fomos interrompidos por um som de disparo, como o de uma pistola, bem abaixo do aposento, seguido por uma série de terríveis gritos e grande algazarra. D. correu até uma das janelas e a abriu, olhando para baixo. Nesse ínterim, fui até o porta-cartas, apanhei a carta, coloquei-a no bolso e a substitui por uma reprodução idêntica (no que diz respeito à sua aparência externa), confeccionada cuidadosamente em casa, usando miolo de pão para imitar o selo com a letra 'D'.

"A algazarra na rua fora causada pela conduta frenética de um homem com um mosquete. Ele disparara em meio a uma multidão de mulheres e crianças. Atestaram, porém, que a arma não estava carregada e o sujeito pôde seguir caminho, tachado apenas de lunático ou bêbado. Quando ele se foi, D. saiu de perto da janela, para onde eu o havia seguido tão logo executara a troca das cartas. Logo depois, me despedi e fui embora. O pretenso lunático era um homem contratado por mim."

— Mas por que você substituiu a carta por uma reprodução? — indaguei. — Não teria sido melhor, em sua primeira visita, ter levado a carta roubada de uma vez?

— D. — retrucou Dupin — é um homem desesperado e audacioso. E, em sua residência, não faltam criados devotos aos seus interesses. Se eu tivesse feito a manobra ousada que você sugeriu, talvez não lograsse em deixar a presença ministerial com vida. A boa gente de Paris nunca mais teria ouvido falar de mim. Mas eu tinha outro motivo além dessas considerações. Você conhece minhas inclinações políticas. Nesse caso, sou partidário da senhora envolvida. Por dezoito meses, ela esteve à mercê do ministro. Agora, a coisa mudou de figura; ignorando não ter mais a carta, ele continuará a agir como se ainda a tivesse. Está, portanto, inevitavelmente fadado à ruína política. A queda dele será tão precipitada quanto constrangedora. É natural falar em *facilis descensus averni*,[7] mas, em qualquer tipo de escalada, como disse Catalani a respeito do canto, é mais fácil subir do que descer. Assim sendo, não tenho simpatia nem piedade daquele que desce. Ele é um *monstrum horrendum*, um homem genial, mas sem princípios. Confesso, entretanto, que gostaria de saber exatamente o que passará por sua cabeça quando, desafiado por aquela a quem o comissário

---

7   Em latim no original: "É fácil descer ao inferno".

se refere como "uma figura ilustre", abrir a reprodução que deixei em seu porta-cartas.

— Por quê? Você escreveu algo de especial nela?

— Ora, não me pareceu correto deixar o interior da carta em branco, teria sido insultante. Certa vez, em Viena, D. aprontou uma comigo e eu lhe disse, não sem bom humor, que nunca me esqueceria do fato. Como sei que ele há de ficar curioso em relação à identidade da pessoa que o tapeou, achei que seria uma pena não lhe deixar uma pista. Ele conhece bem minha letra e apenas copiei, no centro do papel em branco, as seguintes palavras, tiradas do *Atrée*, de Crébillon:

Un dessein si funeste,
S'il n'est digne d'Atrée, est digne de Thyeste.[8]

---

8   Em francês no original: "Um desígnio tão funesto, se não é digno de Atreu, é digno de Tiestes". A citação vem de *Atrée et Thyeste* (1707), peça trágica do dramaturgo francês Prosper Jolyot de Crébillon. Thyestes seduz a esposa de Atreus e planeja assassiná-lo. Ao tomar conhecimento desta maquinação, Atreus mata os filhos de Thyestes e os serve a ele em um banquete. Após isso, Thyestes roga uma maldição na família de Atreus. A sugestão que Dupin faz é que o ministro D. não se planejou com o cuidado necessário.

Mulheres etéreas

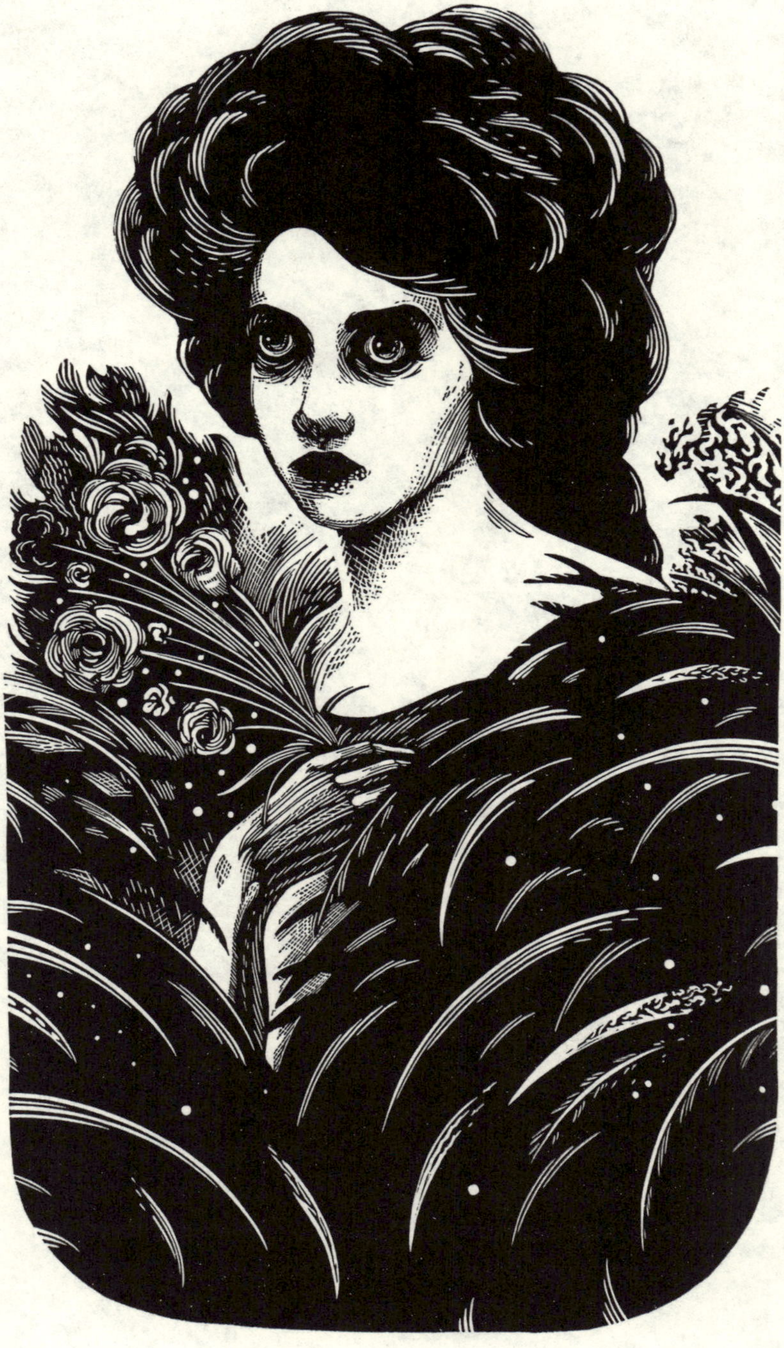

◀ MULHERES ETÉREAS ▶

BERENICE

EDGAR ALLAN POE
1835

Dicebant mihi sodales, si sepulchrum amicae visitarem,
curas meas aliquantulum fore levatas.[1]
— Ebn Zaiat —

A infelicidade é múltipla. A desgraça se alastra na terra em variadas formas. Espraiando-se pelo horizonte como um arco-íris, com a mesma variedade multicor — identificáveis mas ao mesmo tempo amalgamadas. Espraiando-se pelo horizonte como um arco-íris! Como pude extrair da beleza uma espécie de desencanto? De um pacto de paz, uma reprodução de pesar? Porém, como na ética o mal é a consequência do bem, assim, de fato, o pesar nasce do júbilo. Ou a lembrança da

---

[1] Em latim no original: "Meus companheiros me disseram que se eu visitasse o túmulo de minha amada, meu sofrimento seria, de alguma forma, aliviado".

alegria passada é a angústia do presente, ou as agonias *atuais* têm sua origem nos êxtases que *poderíamos ter desfrutado*.

Meu nome de batismo é Egeu; o de família, não revelarei. Contudo, não existem nestas terras torres cuja antiguidade seja mais reverenciada do que os melancólicos e cinzentos salões que herdei de meus antepassados. Nossa linhagem já foi chamada de raça de visionários; e, em diversos detalhes notáveis — no caráter da mansão familiar, nos afrescos do salão principal, nas tapeçarias dos aposentos, nos entalhes de alguns contrafortes na sala de armas — mas, sobretudo, na galeria de pinturas antigas, no estilo da biblioteca e, por fim, na própria natureza peculiar dos livros que lá estavam, existem provas mais do que suficientes para embasar essa crença.

As recordações de meus primeiros anos estão ligadas à biblioteca e aos seus volumes, dos quais não direi mais nada. Foi lá que minha mãe morreu. Foi onde nasci. No entanto, é mera indolência dizer que não vivera antes — que a alma não goza de existência prévia. Você discorda? Não discutiremos o assunto. Estando convencido, não busco convencer. Recordo-me, porém, de formas aéreas — olhos espirituais, expressivos —, de sons, musicais, embora pesarosos: uma recordação incapaz de ser extirpada; uma lembrança como uma sombra, vaga, variável, indefinida, instável; e como uma sombra, também, por minha incapacidade de me livrar dela enquanto o raio de sol de minha lucidez ainda existir.

Neste cômodo, nasci. Despertando assim da longa noite do que parecia, mas não era, um vácuo, para logo adentrar as regiões dos contos de fada em um palácio da imaginação nos bravios domínios do pensamento monástico e da erudição. Não é de se admirar que tenha contemplado o ambiente ao meu redor com um olhar surpreso e febril, que tenha perdido a mocidade nos livros e dissipado a juventude em desvarios; mas é peculiar que, com o passar dos anos, já com idade madura, ainda me encontrasse na mansão de meus antepassados. É *espantoso* perceber como a estagnação da casa ceifou minhas primaveras, espantoso como a natureza do pensamento mais trivial invertia-se por completo. As realidades do mundo afetavam-me como visões, e nada mais do que isso, enquanto as loucas ideias da terra dos sonhos tornavam-se, por sua vez, não o material de minha existência cotidiana, mas minha própria existência em si.

Berenice e eu éramos primos e crescemos juntos na mansão de minha família. Contudo, crescemos bem diferentes. Eu, adoentado e melancólico; ela, ágil, graciosa e transbordando energia. Ela, passeando pelas colinas; eu, enclausurado estudando. Eu, limitado aos confins de meu próprio coração, viciado de corpo e alma às meditações mais intensas e dolorosas; ela, vagando displicente pela vida, sem pensar nas sombras em seu caminho, nem no voo silencioso das nigérrimas asas das horas. Berenice — o nome dela invoco — Berenice! E das ruínas encanecidas da memória, milhares de recordações tumultuosas despertam com o som! Ah! Tenho sua imagem vívida diante de mim agora, como nos velhos tempos de leveza e alegria! Ah! Uma beleza deslumbrante, ainda que estranha! Ah! Sílfide entre os arbustos de Arnheim! Ah! Náiade em suas fontes! E então... então tudo é mistério e terror, e um conto que não deveria ser contado. Uma doença — uma doença fatal — desceu como um simum[2] sobre ela e, diante de meus olhos, o espírito da transformação a fustigou, impregnando sua mente, seus hábitos e seu modo de ser e, de maneira ainda mais sutil e tenebrosa, modificando até mesmo a sua própria personalidade! Ai de mim! O destruidor veio e foi embora, e a vítima... Onde ela estava? Eu não mais a reconhecia — ou não a reconhecia mais como Berenice!

Entre a numerosa sucessão de enfermidades acarretadas pela primeira, fatal, que operara uma transformação tão horrenda na constituição moral e física de minha prima, devo mencionar como a mais perturbadora e obstinada uma espécie de epilepsia que, não raro, culminava em um *transe* — um transe que se assemelhava deveras com a morte e cuja recuperação se dava, na maior parte das vezes, de maneira assombrosamente abrupta. Entrementes, minha própria doença

---

[2] Vento quente que sopra da região central da África para o norte, provocando tempestades de areia.

— pois me disseram que assim devo chamá-la — minha própria doença se agravou, adotando, por fim, um caráter monomaníaco de forma inédita e extraordinária, piorando a cada hora, a cada instante, e, enfim, tomando-me por completo de maneira incompreensível. Essa monomania, se devo nomeá-la como tal, consistia em uma irritabilidade mórbida das faculdades mentais que a ciência metafísica denomina de *atenção*. É bem provável que eu não seja compreendido; mas receio, de fato, não ser possível, de maneira alguma, transmitir ao leitor comum uma ideia adequada da *intensidade nervosa de interesse* com a qual, em meu caso, as capacidades meditativas (para evitar termos mais técnicos) se ocupavam e se sepultavam, na contemplação até mesmo dos objetos mais prosaicos do mundo.

Meditar por longas horas incansáveis com a atenção fixada em algum artifício frívolo na margem ou na tipografia de um livro; quedar-me absorto durante boa parte de um dia de verão em uma sombra excêntrica projetada de modo oblíquo na tapeçaria ou em uma porta; distrair-me por uma noite inteira observando a chama fixa de uma lamparina ou as brasas de uma fogueira; divagar por dias a fio acerca do perfume de uma flor; concentrar-me na repetição monótona de uma palavra comum, até que o som, por força da repetição frequente, deixasse de transmitir qualquer significado à mente; perder qualquer noção da existência motora e física por meio de uma absoluta imobilidade corporal mantida por longas e obstinadas horas. Tais eram algumas das mais comuns e menos perniciosas excentricidades provocadas por um comprometimento em minhas faculdades mentais que, embora não fossem inéditas, sem dúvida desafiavam qualquer tipo de análise e explicação.

Contudo, não quero ser mal interpretado. A fixação exagerada, severa e mórbida assim incitada por objetos frívolos não deve ser confundida com uma tendência à elucubração comum à toda humanidade, ainda mais pronunciada em pessoas dotadas com uma imaginação febril. Não era sequer, como se poderia imediatamente supor, uma condição extrema ou exagero de tal propensão, mas algo primário e essencialmente distinto. No primeiro caso, o sonhador ou entusiasta interessado por um objeto em geral *não* frívolo, sem perceber perde o foco no objeto em si para engajar-se em um emaranhado de deduções e sugestões por ele provocados até que, ao fim de um *opulento* devaneio, perde de vista o *estímulo* ou a causa primária de suas reflexões, que terminam esquecidas por completo. Em meu caso, o objeto que me capturava era *invariavelmente frívolo*, embora ganhasse, pelo filtro de minha visão distorcida, uma relevância irreal. Pouquíssimas deduções eram feitas; e, quando tal coisa acontecia, elas retornavam de maneira persistente ao objeto original como centro. As meditações nunca eram agradáveis e, ao término de um devaneio, a causa inicial, longe de estar oculta, excitaria um interesse extremamente exagerado, o que constituía a característica predominante da doença. Resumindo, as faculdades mentais mais exercitadas em meu caso eram, como já disse, aquelas relativas à *atenção*, ao passo que o sonhador perdido em devaneios manifesta as faculdades *especulativas*.

Meus livros, na época, se não serviam para agravar ainda mais a doença, compartilhavam, como se pode perceber, em sua natureza imaginativa e inconsequente, as características constitutivas do mal em si. Lembro-me bem, entre outros, do tratado *De Amplitudine Beati Regni Dei*, do nobre italiano Coelius Secundus Curio; da grande obra de Santo Agostinho, *A cidade de Deus* e *De Carne Christi*, de Tertuliano, no qual a frase paradoxal *Mortuus est Dei filius; credible est quia ineptum est; et sepultus resurrexit; certum est quia impossibile est*[3] ocupava-me por completo, em diversas semanas de investigação laboriosa e infrutífera.

Assim, minha razão, abalada em seu equilíbrio tão somente por coisas triviais, assemelhava-se ao penhasco oceânico mencionado por Ptolomeu Hefestião, que resistia bravamente aos ataques da violência humana e à fúria ainda mais feroz dos ventos e dos mares, mas tremia

---

3 Em latim no original: "O filho de Deus está morto; é crível aquilo que está para além da crença; ele se ergueu do túmulo; certo é aquilo que é impossível".

ao toque de uma flor chamada abrótea.[4] E, embora para um pensador indiferente possa parecer inequívoco que a alteração provocada na condição *moral* de Berenice por sua lamentável doença fosse capaz de me fornecer diversos objetos para o exercício daquela meditação intensa e anormal, cuja natureza estou tentando penosamente explicar, não foi o caso. Nos intervalos lúcidos de minha enfermidade, a desgraça me trouxe intenso sofrimento e, sentindo profundamente a destruição completa de sua vida delicada e bela, não deixei de ponderar amiúde e com muita consternação sobre as causas assombrosas capazes de produzir uma transformação tão estranha e repentina. Todavia, essas reflexões se destacavam da idiossincrasia de minha doença e teriam ocorrido, em circunstâncias semelhantes, a qualquer pessoa comum. Fiel à sua própria natureza, a enfermidade ocupava-se com as mudanças menos importantes, porém mais surpreendentes, que alteraram a constituição *física* de Berenice — na distorção singular e assustadora de sua personalidade.

Nos dias mais fulgurantes de sua beleza sem par, estou certo de que jamais a amara. Na estranha anomalia de minha existência, meus sentimentos *nunca* foram do coração, sendo minhas paixões *sempre* circunscritas à mente. Pelo cinza da aurora — pelas sombras da floresta que filtravam pela treliça ao meio-dia — no silêncio de minha biblioteca durante a noite, ela adejara diante de meus olhos e eu a contemplara; não como a Berenice de carne e osso, mas como uma Berenice onírica; não como um ser da terra, mas como a abstração de tal ser; não como algo a se admirar, mas analisar; não como um objeto de amor, mas como o tema da especulação mais impenetrável, ainda que despretensiosa. E *súbito*, súbito, pus-me a estremecer em sua presença, empalidecer quando ela de mim se aproximava; embora lamentando sua decadência e desolação, lembrei que ela há muito me amava e, em um momento funesto, falei em casamento.

---

4   Segundo a mitologia grega, a abrótea (Asphodelus ramosus) era a flor predominante no reino de Hades, estando assim vinculada aos mortos e seus domínios.

A ocasião de nossas núpcias se aproximava, quando, em uma tarde de inverno — um daqueles dias extemporâneos, cálidos, serenos e brumosos que protegem o ninho da bela ave Alcíone[5] —, estava eu sentado (e julgava estar só) no gabinete interno da biblioteca. Porém, erguendo os olhos, vi que Berenice estava parada à minha frente.

O que teria me causado uma impressão de silhueta vacilante e indistinta? Seria minha própria imaginação agitada? Ou a influência nebulosa da atmosfera, a indefinição crepuscular do aposento? Quiçá as vestes cinzentas que lhe pendiam do corpo? Não consegui precisar. Ela não disse uma palavra — e não pude, por nada neste mundo, proferir uma única sílaba. Um gélido calafrio percorreu meu corpo; uma ansiedade intolerável me oprimia; uma curiosidade voraz consumia minha alma; reclinando-me na cadeira, permaneci por alguns instantes paralisado, sem fôlego, com os olhos fixados na aparição diante de mim. Sua magreza era lamentavelmente excessiva e não restara, aninhado em um mísero recanto de sua silhueta, um só vestígio da antiga aparência. Por fim, meus olhos ardentes detiveram-se em seu rosto.

A fronte era alta, muito pálida e de singular placidez; o cabelo, outrora negro, agora cobria parcialmente a testa, obscurecendo as têmporas encovadas com uma profusão de cachos de um amarelo-vivo que, em seu caráter fantástico, destoava com a melancolia que predominava em seu semblante. Os olhos, mortiços e opacos, pareciam não ter pupilas distinguíveis, e desviei os meus, involuntariamente, de seu olhar vítreo para contemplar os lábios finos e enrugados. Eles se entreabriram e, em um sorriso peculiar, os *dentes* da Berenice assim alterada revelaram-se aos poucos para mim. Quisera Deus que eu nunca os tivesse visto ou, tendo-os visto, que tivesse morrido!

A batida de uma porta distraiu-me, mas, erguendo o olhar em seguida, percebi que minha prima havia deixado o cômodo. Porém, infelizmente, não deixara o desordenado cômodo de meu cérebro, e o *espectro*

---

5   Como Júpiter, durante o inverno, oferece mais catorze dias de calor, os homens batizaram essa época de clima clemente e temperado de "ninho da bela Alcíone". — Simônides. [NA]

alvo e macabro de seus dentes tampouco me abandonara. Nenhuma mácula em sua superfície, nenhuma nódoa em seu esmalte, nenhuma falha em seus contornos — o instante de seu sorriso fora suficiente para cravá-lo em minha memória. Eu os via *agora* ainda com mais nitidez do que *antes*, quando os tivera bem diante de mim. Os dentes — os dentes — estavam aqui, ali, por toda parte, visíveis e palpáveis diante de mim; longos, estreitos e excessivamente brancos, com os lábios pálidos contorcendo-se sobre eles, como se no tenebroso instante de seu primeiro desvendar. Então adveio a fúria violenta de minha *monomania* e travei uma luta inglória contra sua estranha e irresistível influência. Nos objetos multiplicados de meu mundo externo, só conseguia pensar nos dentes. Desejava-os com um ardor frenético. Todos os demais assuntos e interesses amalgamaram-se em sua simples contemplação. Eles — apenas eles estavam presentes no olho de minha mente e apenas eles, em sua individualidade única, tornaram-se a essência de minha vida mental. Eu os analisava sob todos os aspectos. Imaginava-os de todas as maneiras. Sondava-os em suas características. Detinha-me em suas peculiaridades. Ponderava sobre sua conformação. Divagava acerca da alteração em sua natureza. Estremecia ao atribuir-lhes em imaginação sentimento e senciência e, mesmo sem o auxílio dos lábios, uma capacidade de expressão moral. Já foi dito, com razão, sobre *mademoiselle* Sallé, *que tous ses pas étaient des sentiments*; e sobre Berenice, acreditava ainda com mais razão que *toutes ses dents étaient des idées*.[6] *Des idées!* — ah, aqui jaz o pensamento imbecil que me levou à destruição! *Des idées!* — ah, *por isso* eu os desejava tão loucamente! Sentia que a paz e a razão apenas me seriam restituídas quando os possuísse.

E então a noite desceu sobre mim. A escuridão chegou, demorou-se e foi embora, o dia mais uma vez raiou e logo as brumas de outra noite agruparam-se no céu, e eu permanecia sentado, imóvel, naquele cômodo solitário, ainda enclausurado a meditar, e o espectro dos

---

6   Marie Sallé foi uma bailarina francesa. Em relação à artista, escreve, em francês: "Todos os seus passos eram sentimentos". Já sobre Berenice, afirma que "todos os seus dentes eram ideias".

dentes mantinha sua terrível ascendência sobre mim, com a nitidez mais intensa e tenebrosa, como se flutuasse pelas luzes cambiantes e sombras do aposento. Por fim, um grito alucinado penetrou à força meus devaneios; seguido, após uma pausa, pelo som de vozes consternadas que se alternavam com gemidos de pesar e de dor. Levantei-me às pressas e, abrindo uma das portas da biblioteca, deparei-me com uma criada no vestíbulo, aos prantos. Ela informou que Berenice se fora — estava morta. Tomada por um ataque epilético, sucumbira pela manhã e agora, com a chegada da noite, o túmulo já estava pronto para recebê-la e todos os preparativos do velório haviam sido devidamente executados.

Com o coração cheio de pesar, ainda que relutante e oprimido pelo pavor, dirigi-me aos aposentos da morta. O quarto era amplo, muito escuro, e a cada passo em sua atmosfera lúgubre, deparava-me com os aparatos do sepultamento. O esquife, segundo me dissera um criado, jazia cercado pelas cortinas do leito e, em seu interior, garantiu-me em um sussurro, tudo o que restara de Berenice. Quem me perguntou se eu não queria olhar a morta? Ouvi essa pergunta e, no entanto, não vi lábio algum se movendo; o eco de suas sílabas ainda pairava no cômodo. Era impossível recusar; e com uma sensação de asfixia, arrastei-me até o leito. Suspendi então, com cuidado, os negros panos das cortinas.

Quando tornei a soltá-las, caíram-me sobre os ombros, alijando-me assim dos vivos, encerrando-me em estreita comunhão com a morta.

A atmosfera estava impregnada de morte. O odor peculiar do caixão enojava-me; julguei sentir um cheiro desagradável exalando do cadáver. Eu teria dado mundos para escapar, para fugir da influência perniciosa da morte, para respirar mais uma vez o ar puro dos céus perenais. Contudo, não possuía mais forças para me mover — os joelhos falhavam — e permaneci enraizado no local, contemplando fixamente o cadáver estendido no ataúde negro e descoberto.

Deus do céu! Seria possível? Estaria meu cérebro me pregando uma peça — ou o dedo da defunta de fato se movera na mortalha que o envolvia? Hirto de inexprimível pavor, ergui lentamente os olhos para fitar o rosto do cadáver. Seu queixo fora envolvido em uma faixa de tecido que, não sei como, se soltara. Os lábios lívidos estavam contorcidos em uma espécie de sorriso e, em meio às trevas que o envolviam, brancos e luzidios, os dentes sinistros de Berenice expunham-se diante de meus olhos com palpável realidade. Em um espasmo, afastei-me do leito e, sem pronunciar palavra, fugi como um louco daquele cômodo triplamente assombrado pelo horror, pelo mistério e pela morte.

Encontrei-me sentado na biblioteca, mais uma vez, à sós. Sentia como se tivesse acordado há pouco de um sonho confuso, agitado. Sabia já ser meia-noite e tinha plena consciência de que, desde o pôr do sol, Berenice havia sido enterrada. Porém, não tinha nenhuma recordação definida a respeito do que se dera nesse tenebroso intervalo. Minha memória, contudo, estava repleta de horror — horror ainda mais horrível por ser vago, terror ainda mais terrível por sua ambiguidade. Era uma página atemorizante no registro de minha existência, escrita com lembranças turvas, assombrosas, incompreensíveis. Esforcei-me para decifrá-las, mas em vão — de vez em quando, como o espírito de um som finado, um grito feminino, penetrante e pungente, parecia ressoar em meus ouvidos. Eu havia feito algo — mas o quê? E os ecos do aposento respondiam-me: "Mas o quê?".

Na mesinha ao meu lado ardia um candeeiro e, junto dele, havia uma pequena caixa negra como ébano. Não era particularmente notável e eu já a vira várias vezes em outras ocasiões, pois pertencia ao médico da família; porém, como viera parar *ali*, na minha mesa, e por que eu estremecia ao contemplá-la? Não sabia explicar de modo algum; meus olhos, por fim, pousaram sobre as páginas abertas de um livro, onde havia uma frase sublinhada. Eram as simples, ainda que singulares, palavras do poeta Ebn Zaiat: *Dicebant mihi sodales si sepulchrum amicae visitarem curas meas aliquantulum fore levatas*. Por quê, ao perscrutá-las, um arrepio erguia-me os cabelos e o sangue congelava-me nas veias?

Ouvi uma batida suave na porta e, pálido como um defunto, um criado entrou pé ante pé. Estava visivelmente transtornado e se dirigiu a mim com uma voz trêmula, rouca e sussurrante. O que estava dizendo? Ouvi apenas frases truncadas. Contou sobre um grito lancinante que cortara o silêncio da noite e sobre como a criadagem se reunira em busca da origem do som. Então sua voz tornou-se tenebrosamente distinta, e ele me falou, murmurando, sobre um túmulo violado e sobre um cadáver desfigurado encontrado no local — um corpo envolto em uma mortalha, mas ainda respirando, palpitante, *vivo*!

Ele, então, apontou para minhas vestes. Estavam enlameadas, com respingos de sangue coagulado. Estando eu em silêncio, o criado me pegou pela mão com gentileza — notei que minhas mãos traziam marcas de unhas humanas. Ele chamou minha atenção para um objeto apoiado contra a parede. Fitei-o por alguns instantes: era uma pá. Com um grito, lancei-me sobre a mesa e agarrei a caixa que estava sobre ela. Porém, não consegui abri-la e, com as mãos trêmulas, deixei que escorregasse de meus dedos. Ela caiu com um pesado baque, partindo-se em pedaços e, de seu interior, com um som estridente, espalharam-se instrumentos de extração dentária, misturados com pequeninos objetos brancos e luzidios que se dispersaram pelo assoalho.

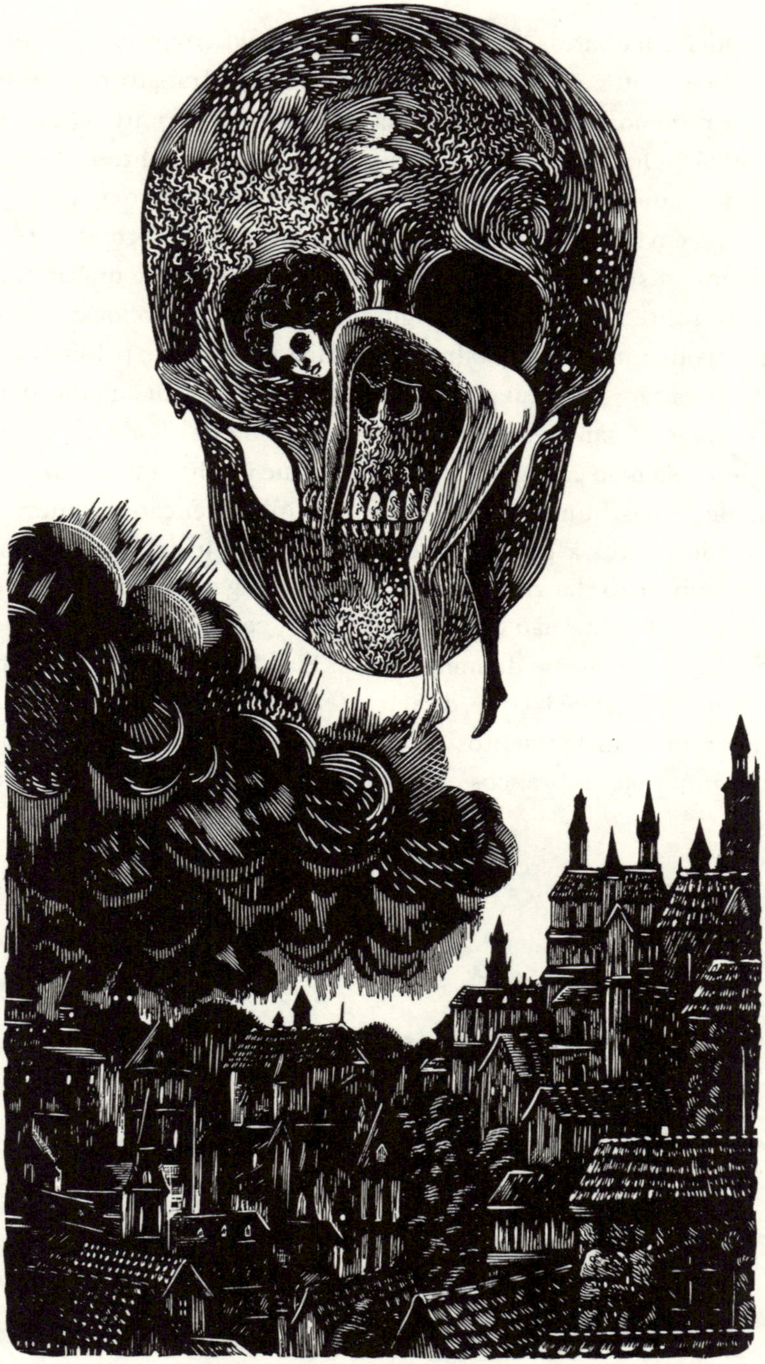

◀ MULHERES ETÉREAS ▶

LIGEIA

EDGAR ALLAN POE
1838

E a vontade ali dentro habitava, sem perecer.
Quem conhece os mistérios da vontade, com seu vigor?
Pois Deus nada mais é do que uma vontade suprema penetrando todas as coisas
por força de sua intenção. O homem não se entrega aos anjos, nem à morte
por completo, exceto através da fraqueza de sua débil vontade.
— Joseph Glanvill —

Não consigo, por minha alma, recordar-me como, quando ou onde exatamente encontrei lady Ligeia pela primeira vez. Longos anos se passaram desde então, e minha memória enfraqueceu-se com tantos sofrimentos. Ou, talvez, eu não consiga *no momento* trazer esses detalhes à tona porque, na verdade, a personalidade de minha amada, sua rara erudição, sua singular, embora plácida, beleza e a eloquência comovente e arrebatadora de sua linguagem musical trilharam seu caminho até meu coração em passos tão firmes e furtivos que sequer os notei, tampouco tomei conhecimento deles. Contudo, creio tê-la visto primeiro e com frequência em alguma cidade grande, velha e decadente próxima ao Reno. Sua família — ela muito me contou ao seu respeito. De que se tratava de uma antiquíssima linhagem, não tenho a menor dúvida. Ligeia! Ligeia! Absorto em estudos de uma natureza acima de tudo adaptada a amortecer as impressões do mundo exterior, é somente evocando esta doce palavra — Ligeia — que posso remontar em minha imaginação a imagem daquela que já não existe mais. E agora, enquanto escrevo, dou-me conta, em retrospecto, que *jamais soube* o sobrenome daquela que foi minha amiga, minha noiva, minha parceira de estudos e, finalmente, minha adorada esposa. Seria uma pilhéria de minha Ligeia? Ou era um teste da força de meu afeto que eu nunca perguntasse a respeito? Ou quiçá um capricho de minha parte — uma oferenda desarrazoadamente romântica no templo da devoção mais apaixonada? Pouco me recordo do fato em si — não é de se admirar que tenha esquecido por completo das circunstâncias que o originaram e que, a partir dele, se desdobraram. No entanto, se algum dia a pálida Astarte, deusa de sombrias asas idolatrada no Egito, presidiu de fato sobre casamentos fadados à desgraça, decerto esteve presente no nosso.

Há, no entanto, um assunto que me é muito caro, para o qual não me falha a memória. É sobre Ligeia *em si*, sua aparência e personalidade. Era alta, levemente esguia e, no fim da vida, chegou a ficar emaciada. Seria vã qualquer tentativa de retratar seu porte majestoso e sereno ou a incompreensível leveza e a elasticidade de seus passos. Ela aparecia e desaparecia como uma sombra. Eu nunca percebia quando ela entrava em meu gabinete de estudos e apenas me dava conta de sua presença ao ouvir o adorável tom musical de sua doce voz, enquanto ela pousava seu toque de mármore em meu ombro. A beleza de seu rosto era ímpar. Assemelhava-se ao fulgor de um sonho de ópio — uma visão etérea e inspiradora, mais insanamente divina do que as fantasias que pairavam nas almas dormentes das filhas de Delos. Contudo, seus traços não pertenciam ao molde tradicional que fomos erroneamente ensinados a cultuar nas obras clássicas pagãs. "Não existe beleza suprema", disse Francis Bacon, discorrendo sobre todas as formas e gêneros de beleza, "sem uma certa *estranheza* na proporção." Porém, embora eu reconhecesse que as feições de Ligeia não se enquadravam no padrão clássico — embora percebesse que seu encanto era de fato "peculiar" e sentisse que havia nele bastante "estranheza", ainda assim tentei em vão detectar a irregularidade e elucidar em sua origem minha própria percepção do que julgava "estranho". Examinava o contorno de sua fronte altiva e pálida — era impecável; quão fria é essa palavra quando usada para descrever tão divina majestade! A pele rivalizava com o marfim mais puro, a extensão imponente e serena, a delicada proeminência das regiões acima das têmporas; e então os cachos naturais, nigérrimos, lustrosos, exuberantes, evocando com pungência o epíteto homérico: "Jacintino!". Eu fitava os contornos delicados do nariz — e jamais vira alhures, a não ser nos graciosos medalhões hebraicos, semelhante perfeição. Possuía a mesma superfície lisa e elegante, a mesma tendência quase imperceptível ao formato aquilino, as mesmas narinas de harmoniosa curvatura, característica dos espíritos livres. Fitava seus doces lábios. Ali reuniam-se em triunfo todas as glórias celestiais, a magnífica curva do lábio superior, o contorno delicado e voluptuoso do inferior, a graça das covinhas, a expressão de sua cor, os dentes que despontavam com um brilho quase assustador, cada raio de luz abençoada sobre eles refletido no mais sereno, plácido e, não obstante, radiante dos sorrisos. Eu examinava a formação do queixo — e ali também reconhecia a largura delicada, a suavidade e a majestade, a plenitude e a espiritualidade dos gregos — o contorno que o deus Apolo revelou apenas em sonho para Cleômenes, o filho do ateniense. E então contemplava os olhos grandes de Ligeia.

Para os olhos, não temos modelos na Antiguidade Clássica. É possível que o segredo ao qual Bacon fez alusão estivesse oculto nos olhos de minha amada. Eram, creio eu, muito maiores do que os olhos comuns de nossa raça. Mais expressivos do que os mais expressivos olhos das gazelas da tribo do vale de Nourjahad. No entanto, era somente em intervalos — em momentos de intensa euforia — que essa peculiaridade se tornava mais do que discretamente perceptível em Ligeia. Nesses momentos, sua beleza — ou talvez assim me parecia, em meu febril devaneio — era a beleza dos seres acima ou além da terra, a beleza das fabulosas Houri dos turcos. A tonalidade das órbitas era de um preto fulgurante e, acima delas, pairavam longos cílios muito negros. As sobrancelhas, um pouco irregulares em seu contorno, eram da mesma cor. A "estranheza", contudo, que eu identificava nos olhos era de natureza distinta de sua formação, cor e do esplendor de suas feições e deveria ser atribuída à sua *expressão*. Ah, palavra sem significado! Atrás de sua vasta latitude de mero som, entrincheiramos nossa ignorância do mundo espiritual. A expressão dos olhos de Ligeia! Como me detive longas horas a ponderar sobre ela! Como lutei, durante uma noite inteira de solstício de verão para compreendê-la! O que poderia — algo mais profundo do que o poço de Demócrito — jazer no fundo das pupilas de minha amada? O *que* era? O desejo de descobrir me possuía por completo. Aqueles olhos! Grandes, brilhantes, divinos! Pareciam-me as estrelas gêmeas de Leda, e eu me tornei, diante deles, o mais devoto dos astrólogos.

Nenhum outro aspecto, entre as inúmeras e incompreensíveis anomalias da ciência da mente, desperta mais eufórico entusiasmo do que o fato — jamais, creio eu, observado nas escolas — de que, em nossos esforços para trazer à memória uma lembrança há muito esquecida, amiúde nos encontremos *prestes a lembrá-la* sem, afinal, conseguirmos. Dessa forma, quantas vezes, em meu ferrenho escrutínio dos olhos de Ligeia, sentia que estava a um passo de compreender sua expressão por completo — a um mero passo — e, todavia, ela me escapava para, por fim, fugir totalmente! E (estranho, ah, o mistério mais insondável de todos!) eu notava, nos objetos mais comuns do universo, uma gama de analogias para tal expressão. O que quero dizer é que, no período posterior ao qual a beleza de Ligeia adentrou em meu espírito, lá permanecendo como em um altar, extraí de muitas existências do mundo material um sentimento semelhante ao que seus olhos grandes e luminosos me proporcionavam. Não obstante, isso não me ajudou a definir o sentimento que eles causavam, a analisá-lo ou até mesmo tomá-lo como natural. Eu os reconhecia, permitam-me repetir, às vezes na contemplação de uma vinha que crescia célere ou de uma mariposa, uma borboleta, uma crisálida, em um riacho de água corrente. Diante do oceano, na queda de um meteoro. No olhar fugidio de pessoas de extraordinária velhice. E em uma ou duas estrelas no céu (uma, em específico, uma estrela de sexta magnitude, dupla e mutável, que se encontra na vizinhança da estrela maior em Lyra) quando examinava o céu com um telescópio. Alguns sons de instrumentos de corda também me remetiam a eles e, com frequência, determinados trechos de livros. Entre outros exemplos inumeráveis, lembro-me bem de uma passagem em um volume de Joseph Glanvill que (talvez por sua natureza excêntrica, quem sabe?) nunca falhou ao trazer-me tal sentimento: "E a vontade ali dentro habitava, sem perecer. Quem conhece os mistérios da vontade, com seu vigor? Pois Deus nada mais é do que uma vontade suprema penetrando todas as coisas por força de sua intenção. O homem não se entrega aos anjos nem à morte por completo, exceto através da fraqueza de sua débil vontade".

O decorrer de muitos anos, aliado a subsequentes reflexões, permitiram-me rastrear, de fato, alguma conexão remota entre essa passagem do filósofo moralista inglês com uma parcela da personalidade de Ligeia. Sua *intensidade* de pensamento, ação e fala era, possivelmente, o resultado — ou, pelo menos, um indicador — de um anseio gigantesco que, durante nossa longa convivência, não exibiu nenhuma outra evidência mais imediata de sua existência. De todas as mulheres que conheci, ela — a que possuía a mais perfeita aparência de calma, a sempre plácida Ligeia — era a mais passível de ser violentamente tomada pelos tumultuosos abutres da paixão implacável. E eu mal podia aferir tal paixão, a não ser pela expressão miraculosa daqueles olhos que me fascinavam e aterrorizavam na mesma medida — pela melodia, modulação, distinção e placidez quase mágica de sua voz muito baixa e pela energia feroz (que se tornava duplamente eficaz pelo contraste com o modo como as proferia) das palavras desarrazoadas que costumava dizer.

Já mencionei a erudição de Ligeia: era imensa, do tipo que jamais encontrei em uma mulher. Ela era proficiente nas línguas clássicas e, até onde meu próprio conhecimento dos dialetos modernos europeus alcançava, também os dominava com perfeição. Para falar a verdade, que tema dos mais admirados, simplesmente por ser de mais difícil compreensão na esfera acadêmica, Ligeia *não* dominava com perfeição? Com que singularidade, com que entusiasmo esse traço da natureza de minha esposa, apenas em seu período tardio, chamou-me a atenção! Disse que nunca encontrei em uma mulher um conhecimento que rivalizasse com o dela — mas onde está o homem que tenha atravessado, e com tamanho êxito, *todas* as vastas áreas das ciências morais, físicas e matemáticas? Naquela época, eu não enxergava o que hoje percebo com clareza, que os conhecimentos de Ligeia eram gigantescos, impressionantes; no entanto, tinha consciência suficiente de sua infinita superioridade para me resignar, com a confiança de um jovem pupilo, a me deixar guiar por ela pelo mundo caótico das investigações metafísicas com as quais me ocupava com empenho nos primeiros anos de nosso casamento. Com que imenso triunfo, com que vívido deleite, com todos os componentes etéreos da esperança, *sentia* Ligeia debruçada sobre mim em estudos tão pouco explorados, tão pouco conhecidos, e via, expandindo-se aos poucos diante de mim, o admirável panorama, o longo, esplêndido e inédito caminho pelo qual eu poderia, finalmente, alcançar uma sabedoria preciosa demais para não ser proibida!

Com que dor pungente vi, após alguns anos, minhas esperanças tão bem fundadas ganharem asas e levantarem voo! Sem Ligeia, eu não passava de uma criança tateando a escuridão. A presença e leituras dela iluminavam os diversos mistérios do transcendentalismo em que estávamos imersos. Sem o brilho radiante de seus olhos, os livros, outrora luminosos e dourados, tornavam-se maçantes, mais pesados do que o chumbo saturnino. E cada vez menos e menos aqueles olhos pousavam nas páginas que eu decifrava. Ligeia ficou doente. Seus estranhos olhos ardiam com um resplendor glorioso; os dedos pálidos adquiriram um matiz transparente e cadavérico e as veias azuladas em sua alta fronte pulsavam ao sabor das marés da emoção mais tênue. Eu percebia que a morte era iminente — e lutava, em desespero, contra o soturno Azrael. E a luta de minha adorada esposa era, para meu próprio espanto, ainda mais enérgica do que a minha. Diversas peculiaridades de sua natureza inabalável levaram-me a crer que, para ela, a morte não inspirava temores, mas eu estava enganado. Nenhuma palavra é capaz de descrever com precisão a resistência feroz com a qual ela combateu a Sombra. Eu gemia em angústia perante o espetáculo deplorável. Eu a teria acalmado, eu teria contemporizado; porém, na intensidade de sua ânsia ferina pela vida — pela vida, pela vida e *nada mais* —, consolo e razão soariam como tolices. Não obstante, até o último minuto, a despeito das convulsões mais violentas que contorceram seu bravo espírito, ela manteve a habitual placidez aparente. A voz tornou-se mais gentil — o tom, mais baixo —, mas não desejo me deter no significado louco das palavras que pronunciava de modo tão suave. Sentia minha cabeça girar quando ouvia, arrebatado, uma melodia mais do que mortal: suposições e aspirações até então desconhecidas pela mortalidade.

Que ela me amava, não deveria duvidar; era fácil tomar consciência de que, em um coração como o dela, o amor não poderia reinar como uma paixão comum. Contudo, foi somente na morte que a potência de seu afeto me impressionou por completo. Por longas horas, segurando minha mão, ela despejou uma torrente de amor cuja devoção mais do que passional chegou às raias da idolatria. O que eu fizera para ser abençoado por tais confissões? O que fizera para ser amaldiçoado com a perda de minha amada enquanto ela as proferia? No entanto, não suporto me deter nesse assunto. Direi apenas que, no feminino abandono de Ligeia ao amor, infelizmente sem que eu o merecesse, sem que dele fosse digno, por fim reconheci o motivo pelo qual agarrava-se com tamanha ferocidade à vida que dela escapava tão rapidamente. É este desejo feroz — esta ânsia veemente de viver, de viver e *nada mais* — que tanto me custa relatar, que minhas palavras fracassam em sua tentativa de expressar.

À meia-noite da madrugada na qual faleceu, exortando-me que ficasse ao seu lado, Ligeia suplicou que eu repetisse os versos que compusera poucos dias antes. Obedeci. Ei-los:

    Vês! É uma noite luxuosa
    Os últimos e ermos anos já passados!
    Uma horda alada de anjos gloriosa
    Em véus e em pranto inundados
    Senta em um teatro a assistir
    Uma obra de esperanças e enfados,
    Enquanto a orquestra arqueja irregular
    A música dos orbes ovalados.

    Mímicos, no papel de Deus grandioso,
    Murmuram e é baixo o ciciar,
    Aqui e ali voam sem pouso —
    Reles títeres, a andar
    Ao comando de sombras vastas e amorfas
    Que alteram o cenário ali e cá,
    Ruflando de suas asas de condor
    Invisível agoniar!

    Desse drama tão plural — com certeza,
    Ninguém se esquecerá jamais!
    de seu Fantasma perseguido e da presteza
    De uma turba que alcançá-lo nunca faz,
    E do ciclo que tende sempre a voltar
    Para o mesmíssimo lugar em que jaz,
    E o tanto de loucura e de pecado,
    E horror que seu enredo à alma traz.

    Mas veja, ali, na pantomima
    Uma forma rastejante intrusa!
    Uma coisa rubra esgueira-se para cima
    Da solidão que a cena acusa!

> E se esgueira! — e se esgueira! — com angústia mortal
> E com os mímicos se lambuza
> Às presas de parasitas choram os serafins
> Em torrente de sangue profusa.
>
> Findas — findas as luzes — tudo falha!
> E, sobre toda forma que jaz em tremor
> As cortinas, uma mortalha,
> Desabam como um temporal desolador
> Enquanto os anjos, lívidos e alvos,
> Voam e anunciam em um louvor
> Que essa peça é a tragédia, "O Homem"
> e seu herói, o Verme Vencedor!

— Oh, Deus! — exclamou Ligeia, em voz alta, levantando-se em um ímpeto e erguendo os braços com um gesto espasmódico quando cheguei nos derradeiros versos do poema. — Oh, meu Deus! Pai Celestial! Será esse destino incontornável? Será que esse Vencedor jamais poderá ser vencido? Não somos nós parte e parcela do Senhor? Quem... quem conhece os mistérios da vontade, com seu vigor? O homem não se entrega aos anjos, *nem à morte por completo*, exceto através da fraqueza de sua débil vontade.

E então, como se exausta pela emoção, abaixou os braços de alabastro e retornou, solene, para seu leito de morte. E, enquanto dava os últimos suspiros, deixou escapar dos lábios um murmúrio. Inclinei-me, aproximando o ouvido e percebi que repetia as últimas palavras do trecho de Glanwill:

— "O homem não se entrega aos anjos, nem à morte por completo, exceto através da fraqueza de sua débil vontade."

Ligeia morreu. E eu, reduzido a pó pelo sofrimento, não pude mais suportar a desolação solitária de minha morada na cidade sombria e decadente próxima ao Reno. Não me faltava o que o mundo chama de fortuna. Ligeia trouxera-me ainda mais, muito mais do que costumam possuir os meros mortais. Após alguns meses perambulando sem rumo, exausto, comprei e restaurei uma abadia, cujo nome não revelarei, em uma das áreas mais selvagens e menos frequentadas da bela Inglaterra. O esplendor lúgubre e sombrio da construção, o aspecto quase selvagem do local, as inúmeras memórias melancólicas e consagradas conectadas a ambos combinavam com os sentimentos de profundo desamparo que me conduzira àquela região remota e pouco gregária do país. No entanto, embora a parte externa da abadia, com sua verdejante deterioração, tenha sido bem pouco alterada, não pude deixar de exibir — com uma perversidade infantil e, talvez, uma vaga esperança de assim aliviar meu sofrimento — uma magnificência mais do que suntuosa em seu interior. Desde a infância, nutrira um gosto por essas extravagâncias e, naquele momento, elas tomaram conta de mim, visto que o sofrimento do luto me tornara inconsequente. Pobre de mim, sinto que é possível até mesmo detectar uma certa loucura incipiente nas tapeçarias vistosas e fantásticas, nas solenes esculturas do Egito, nas cornijas e nos móveis esdrúxulos, nos desenhos dos carpetes com tufos de ouro! Eu me tornara um escravo do ópio, agrilhoado ao vício, e todos as minhas atividades e orientações haviam adquirido o colorido delirante de meus sonhos opiáceos. Entretanto, não devo perder tempo detalhando esses absurdos. Deixe-me descrever apenas um cômodo, desde o início amaldiçoado, no qual, em um momento de alienação mental, conduzi ao altar, como minha noiva — a sucessora da inesquecível Ligeia —, lady Rowena Trevanion, de Tremaine, com seus cabelos loiros e seus olhos azuis.

Não há sequer um detalhe da arquitetura e da decoração da câmara nupcial que me escape à memória. Onde estavam as almas da abastada família da noiva quando, sedentos por ouro, permitiram que uma donzela tão amada cruzasse a soleira de um aposento *tão* enfeitado? Disse que recordo com minúcias os detalhes do cômodo — contudo, minha infeliz memória por vezes não retém coisas mais importantes; não havia ordem ou harmonia alguma naquela fantástica exibição capaz de detê-la em minhas lembranças. O cômodo, de formato pentagonal e ampla dimensão, encontrava-se na torre mais alta da abadia encastelada. Sua única janela ocupava toda a fachada ao sul do pentágono — uma placa de vidro inquebrável, de origem veneziana —, tingida com uma tonalidade plúmbea que fazia com que os raios do sol ou da lua, quando por ela filtrados, recaíssem sobre os objetos no interior do aposento com um brilho sinistro. Na parte superior dessa imensa janela, estendia-se a treliça de uma vinha antiga, que subia pelas paredes maciças da torre. O teto, de um carvalho sombrio, era excessivamente alto, abobadado e ornado com os entalhes mais bizarros e grotescos de estilo meio gótico, meio druida. Do nicho mais central desse melancólico teto, pendia, de uma única corrente de ouro com largos elos, um enorme turíbulo do mesmo metal, de inspiração sarracena, com incontáveis perfurações rebuscadas, por onde era possível vislumbrar, contorcendo-se em vitalidade serpentina, uma contínua sucessão de chamas multicores.

Otomanas e candelabros dourados, de estilo oriental, ornavam aqui e ali o aposento, e havia também um leito — o leito nupcial — de modelo indiano, baixo, esculpido em ébano maciço, composto por um dossel que evocava uma mortalha. Em cada canto do cômodo havia um gigantesco sarcófago de granito negro, oriundo das tumbas dos reis nas imediações de Luxor, com suas antiquíssimas tampas cobertas por esculturas imemoriais. Porém, o grande desvario do aposento — ai de mim! — encontrava-se em suas tapeçarias. As portentosas paredes, de dimensão gigantesca, beirando a falta de proporção, haviam sido cobertas de cima a baixo com pesadas tapeçarias de aspecto exagerado, confeccionadas em um material semelhante ao que revestia o assoalho e estofava as otomanas, o leito de ébano, o dossel da cama e as volutas das cortinas que ofuscavam parcialmente a janela. O material era o mais rico tecido feito de ouro, estampado em intervalos irregulares com figuras arabescas de aproximadamente vinte centímetros, moldadas no tecido em modelos muito negros. No entanto, tais figuras só tomavam parte do real caráter intrincado quando contempladas de um único ponto de vista. Por um expediente hoje bastante comum, que podemos rastrear até um período bem remoto da Antiguidade, haviam sido confeccionadas para mudar de aspecto. Para os que entravam no aposento, tinham a aparência de meras monstruosidades; mas, à medida que se avançava, essa aparência dissipava-se aos poucos e, a cada passo, conforme o visitante adiantava-se pelo local, via-se cercado por uma interminável sucessão de formas horripilantes que pareciam saídas das superstições dos normandos ou dos sonhos culpados dos monges. O efeito fantasmagórico era intensificado pela introdução artificial de uma corrente de vento vigorosa e contínua por detrás das tapeçarias, dando à cena um movimento grotesco e inquietante.

Em um aposento como esse, em um aposento conjugal como esse, passei, com lady Rowena, as primevas e profanas horas de nosso primeiro mês de matrimônio — passei-as com muita aflição. Que minha mulher temia a instabilidade violenta de meu comportamento — que me repelia e não nutria muito amor por mim — eram fatos que não podia deixar de perceber; porém, isso me dava mais prazer do que desgosto. Eu a detestava com um ódio mais demoníaco do que humano. Minha memória voltava-se (e, ah, com que profundo pesar!) para Ligeia, adorada, sagrada, bela, morta. Perdia-me em lembranças de sua pureza, sua sabedoria, sua natureza sublime e etérea, seu amor passional e devotado. Em tais momentos, meu espírito, pleno e livre, abrasava-se com uma chama mais ardente do que as da própria Ligeia. No arroubo de meus sonhos de ópio (pois vivia agrilhoado às algemas da droga), gritava seu nome, rompendo o silêncio da noite; ou então de dia, entre os recantos protegidos dos vales, como se meu desejo pela falecida, em sua louca ânsia, sua paixão solene e seu ardor visceral, pudesse trazê-la de volta — *quiçá* eternamente? — para a vereda que abandonara na terra.

No começo de nosso segundo mês de casamento, lady Rowena foi acometida por uma doença súbita, de lenta convalescença. A febre que a consumia agitava suas noites; em seu estado inquieto de modorra, falava sobre sons e vultos no aposento da torre; atribuí esses relatos à enfermidade que a perturbava ou, talvez, às influências fantasmagóricas do quarto em si. Finalmente, ela se recuperou — curada, enfim. No entanto, após um breve período, uma segunda doença mais violenta a mandou de volta à cama em sofrimento; seu corpo, que sempre fora frágil, nunca mais se recuperou por completo do ataque. Depois dessa época, suas crises tornaram-se alarmantes; igualmente alarmante era a recorrência com a qual a afligiam, desafiando o conhecimento e o empenho dos médicos. Com o agravamento da doença crônica que, ao que parecia, havia se instaurado em seu corpo com uma tenacidade impossível de ser erradicada por meios humanos, não pude deixar de observar uma piora semelhante na irritação nervosa que pontuava seu comportamento, tornando-a vulnerável às causas mais triviais de medo. Tornou a mencionar, de maneira mais frequente e contumaz, os sons — até mesmo os mais sutis — e os vultos estranhos que distinguia entre as tapeçarias.

Certa noite, já no fim de setembro, ela insistiu nesse assunto perturbador com mais ênfase do que de costume. Acordara de um sono inquieto, e eu estivera observando, com um misto de ansiedade e terror impreciso, as expressões que agitavam seu rosto emaciado. Sentei à cabeceira da cama de ébano, em uma das otomanas da Índia. Ela ergueu o corpo e sussurrou-me com muita seriedade que ouvira *mais uma vez* os sons que eu não ouvia e discernira *mais uma vez* os vultos que eu não enxergava. O vento soprava agitado por trás das tapeçarias, e tentei lhe mostrar (embora, preciso confessar, *nem eu* estivesse acreditando) que aqueles sons quase inarticulados e aquelas sutis variações nas figuras sobre a parede eram apenas efeitos naturais do vento soprando. Contudo, uma palidez mortal, espalhando-se em sua face, convenceu-me de que meus esforços para tranquilizá-la seriam em vão. Ela parecia estar desfalecendo e não havia criado algum por perto para acudi-la. Lembrei-me de uma garrafa de vinho suave, que fora receitada pelos médicos, e corri para buscá-la. No entanto, assim que passei sob a luz do turíbulo, duas circunstâncias de natureza assustadora atraíram meu olhar. Senti que algo palpável, embora invisível, passara rapidamente por mim e percebi que jazia no tapete dourado, no centro da claridade emanada pelo turíbulo, um vulto — diáfano e indefinido, de aspecto angelical — que parecia ser a sombra de um fantasma. Porém, como estava tomado pelo desvario de uma dose imoderada de ópio, não dei muita atenção ao fato, bem como não comentei nada com Rowena. Tendo localizado o vinho, voltei para junto dela, servi um cálice e o conduzi aos lábios da dama desfalecida. Já mais recuperada, ela segurou o cálice sozinha, enquanto afundei-me na otomana, com os olhos fixos nela. Foi então que ouvi com nitidez um rumor de passos no carpete próximo ao leito; logo em seguida, enquanto Rowena levava o vinho aos lábios, vi, ou imaginei ter visto, três ou quatro gotas de um líquido brilhante e escarlate caindo dentro do cálice, provenientes de uma fonte invisível suspensa na atmosfera do quarto. Se eu vi, Rowena nada percebeu. Bebeu o vinho sem hesitar e me abstive de comentar com ela algo que, no fim das contas, deve ter sido apenas o efeito de uma imaginação fértil e sugestionável, morbidamente intensificada pelo terror da mulher, o ópio e a hora tardia.

Contudo, não pude deixar de perceber que, logo após a visão dos pingos escarlates, uma súbita mudança para pior agravou a doença de minha esposa; três noites depois, os criados a preparavam para o túmulo e, na quarta, vi-me a sós com seu cadáver amortalhado, no aposento grotesco onde a tomara como noiva. Aparições fantásticas, engendradas pelo ópio, vagavam como sombras errantes diante de meus olhos. Contemplei, com o olhar inquieto, os sarcófagos nos quatro cantos do quarto, as imagens tremeluzentes nas tapeçarias e o contorcer das chamas multicores no turíbulo. Meus olhos recaíram então, ao lembrar-me do ocorrido naquela noite pregressa, no local iluminado onde julgara ter visto a débil silhueta de uma sombra. Ela, porém, não estava mais lá; respirando aliviado, voltei a fitar a figura pálida e rígida que jazia na cama. De repente, fui acometido por uma miríade de recordações de Ligeia — e desceu sobre meu coração, com a violência tumultuosa de uma torrente, toda a pungência do indizível pesar que experimentei ao vê-la, na ocasião da morte *dela*, igualmente amortalhada. A noite avançava e, com o peito repleto de memórias amargas de minha insubstituível e suprema amada, permaneci com os olhos fixos no cadáver de Rowena.

Devia ser por volta da meia-noite, não recordo se antes ou depois, pois não estava atento às horas, quando um soluço, baixo, suave, mas muito distinto, despertou-me do devaneio. *Senti* que vinha da cama de ébano — o leito de morte. Agucei os ouvidos em uma angústia de terror supersticioso, mas o som não se repetiu. Apurei a visão buscando detectar algum movimento no cadáver, mas não havia nada perceptível. No entanto, não poderia ter me enganado. *Ouvira* o som, embora fraco, e minha alma despertara dentro de mim. De maneira resoluta e perseverante, mantive a atenção fixa no cadáver. Muitos minutos se passaram até que surgisse algum indício capaz de elucidar o mistério. Por fim, tornou-se evidente que uma coloração discreta, bastante suave e quase imperceptível, tingira as bochechas, espraiando-se pelas pequenas e enrugadas veias das pálpebras. Com um misto inexprimível de horror e espanto, para o qual a língua dos mortais não oferece expressão suficientemente enérgica, senti que meu coração parava enquanto meu corpo enrijecia. Fui despertado da paralisia do pânico por um senso de dever. Não restavam dúvidas de que tínhamos nos precipitado nos preparativos funerários — Rowena estava viva. Era necessário tomar alguma providência imediata; a torre, no entanto, ficava apartada da área da abadia onde alojavam-se os criados — não havia nenhum por perto —, e eu não podia buscá-los para me ajudar sem deixar o quarto por vários minutos, o que não ousaria fazer. Esforcei-me sozinho, portanto, para trazer de volta o espírito que pairava sobre o corpo sem nele pousar. Por alguns momentos, pareceu-me, porém, que meus esforços seriam em vão; a cor desaparecera das pálpebras e das bochechas, deixando, em seu lugar, uma palidez superior à alvura do mármore; os lábios enrugaram-se ainda mais, contorcendo-se em um esgar funesto; uma viscosidade repulsiva e uma frieza espalharam-se depressa pela superfície de seu corpo; a rigidez característica retornou ao cadáver. Trêmulo, tombei novamente na poltrona de onde levantara-me tão sobressaltado e tornei a evocar imagens passionais de Ligeia.

Assim, uma hora se passou quando (seria possível?) mais uma vez distingui um som vago vindo do leito. Escutei-o tomado de horror. O som se repetiu — era um suspiro. Correndo até o cadáver, vi, vi distintamente um tremor em seus lábios. Em seguida, eles relaxaram, revelando a luminosidade de seus dentes perolados. O assombro agora rivalizava em meu peito com o temor profundo que reinara sozinho até então. Senti que a visão ficou turva e o raciocínio, vago; foi apenas com um esforço violento que consegui, afinal, tomar coragem para realizar a tarefa que o dever me obrigava a executar pela segunda vez. Havia um brilho parcial em sua testa, nas bochechas e na garganta; um calor perceptível penetrara o corpo inteiro; havia até mesmo uma leve batida no coração. *Estava viva*; e com redobrado ardor, engajei-me na tarefa de reanimá-la. Esfreguei e umedeci as têmporas e as mãos, valendo-me de cada recurso que a experiência e um acúmulo de leituras sobre medicina poderiam sugerir. Mas em vão. De repente, a cor se esvaiu, a pulsação cessou, os lábios assumiram uma expressão cadavérica e, logo depois, o corpo todo recobrou a frieza gélida, o tom lívido, a rigidez intensa, seu contorno encovado e todas as repulsivas peculiaridades de quem fora, por muitos dias, uma habitante do túmulo.

Dessa forma, deixei-me inundar novamente por visões de Ligeia — e mais uma vez (não é de se admirar que estremeça ao escrever), *mais uma vez* chegou aos meus ouvidos um discreto soluço, vindo do leito de ébano. No entanto, por que descrever com tamanha minúcia os horrores inefáveis daquela noite? Por que me deter para relatar como, sem cessar, até a hora da cinzenta alvorada, este drama tenebroso de reanimação se repetiu; como cada terrível recaída a circunscrevia a uma morte aparentemente mais inexorável? Como cada agonia possuía o aspecto de um combate com um inimigo invisível e como cada luta era sucedida por uma insondável mudança brusca na aparência do cadáver? Deixe-me apressar a conclusão.

A maior parte dessa noite pavorosa havia transcorrido e ela, que estivera morta, mais uma vez se agitara — de modo ainda mais vigoroso do que antes, embora despertando de um estado de inconsciência mais assustador em sua completa desesperança do que os anteriores. Há muito desistira de lutar ou me mexer e permanecia estático na poltrona, vítima indefesa de um turbilhão de emoções violentas, das quais um extremo espanto era quiçá a menos terrível e desgastante. O cadáver, repito, movera-se e, desta vez, de maneira mais vivaz do que antes. As tonalidades da vida regressaram com singular energia ao seu rosto — os membros relaxaram — e, exceto pelas pálpebras que se mantinham pesadamente cerradas e os panos que a amortalhavam rendendo à sua figura um ar tumular, eu poderia sonhar que Rowena lograra em romper, por completo, os grilhões da Morte. Porém, se tal ideia não me parecia crível naquele momento, não tive mais dúvidas quando, levantando-se trôpega da cama, com passos débeis e os olhos fechados, como se atordoada em um sonho, a coisa envolta na mortalha avançou ousada e palpavelmente até o centro do aposento.

Não tremi — não me movi —, pois uma turba de devaneios inexprimíveis ligados ao jeito, à estatura e aos modos daquela figura invadiu minha mente, paralisando-me, congelando-me em pétrea acinesia. Não conseguia me mover, apenas contemplar a aparição. Havia uma louca desordem em meus pensamentos, um tumulto inquieto. Seria, realmente, Rowena *viva* quem me confrontava? Seria *de fato* Rowena, a loira lady Rowena Trevanion, de Tremaine, com seus olhos azuis? Por que, *por que* haveria de duvidar? Um dos panos cobria-lhe a boca — mas não poderia ser a boca inspiradora de lady de Tremaine? E as faces — rosadas como quando em vida — sim, não seriam as faces da lady de Tremaine restaurada da morte? E o queixo, com sua covinha, como quando tinha saúde, não era o queixo dela? *Porém, teria ficado mais alta desde que fora acometida pela doença?* Que indizível loucura me tomara com tal pensamento? Avancei em sua direção! Recuando de meu toque, ela deixou cair a sinistra mortalha que a envolvia, libertando uma espessa massa de cabelos longos e despenteados, *mais negra do que as asas da meia-noite*! E, bem devagar, a figura à minha frente *abriu os olhos*.

— Nisso, pelo menos, jamais, jamais poderei me enganar! — exclamei em voz alta. — Esses são os olhos grandes, negros e tempestuosos de meu amor perdido: de lady... de *lady Ligeia*.

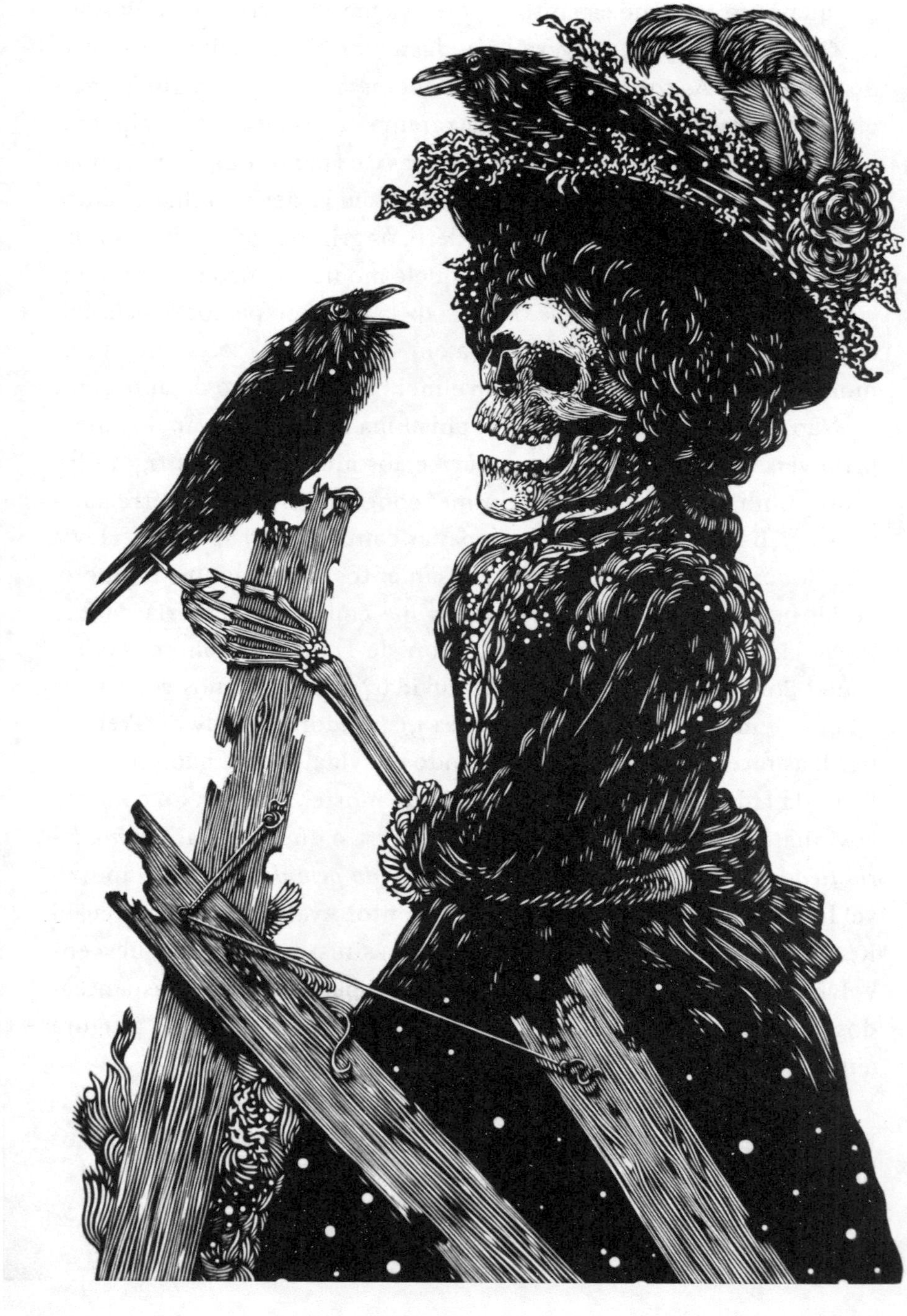

ELEONORA

EDGAR ALLAN POE
1841

Sub conservatione formae
specificae salva anima.[1]
— Raymond Lully —

Venho de uma raça notória por sua imaginação vigorosa e ardente temperamento passional. Muitos já me tomaram por louco; mas a questão permanece sem resposta, se a loucura representa ou não uma inteligência superior — se muito do que é glorioso, se tudo o que é profundo não advém de uma doença do pensamento, de *temperamentos* mentais exaltados em detrimento do intelecto comum. Àqueles que sonham de dia, é dado a conhecer muito do que escapa aos que sonham apenas à noite. Em suas visões cinzentas, obtêm vislumbres

---

[1] Em latim no original: "Sob cuidados de um certo tipo, a alma está salva".

da eternidade e, despertando, vibram ao descobrir que estiveram no limiar de um grande segredo. Aos poucos, aprendem algo da sabedoria, o que é bom, e mais do mero conhecimento, o que é ruim. Penetram, contudo, sem leme e sem bússola, no vasto oceano de "luz inefável" e, como nas aventuras do geógrafo Núbio, *agressi sunt mare tenebrarum, quid in eo esset exploraturi.*[2]

Digamos, então, que sou louco. Admito, pelo menos, que existem duas condições distintas de minha existência mental — a do raciocínio lúcido, incontestável, relativa à lembrança dos acontecimentos que formam a primeira época de minha vida, e a da sombra e da dúvida, correspondente ao meu presente e às recordações do que compõem a segunda grande era de minha existência. Assim, acreditem em meu relato sobre o primeiro período; sobre o que posso vir a contar a respeito do período posterior, deem o crédito que os convir ou duvidem de tudo; ou, se não puderem duvidar, façam como Édipo diante do enigma.

Ela, a quem amei na juventude e cujas recordações agora escrevo, de maneira calma e distinta, era a filha única da única irmã de minha mãe, há muito falecida. Eleonora era o nome de minha prima. Sempre estivemos juntos, sob um sol tropical, no Vale da Relva Multicor. Nenhum passo errante jamais penetrou esse vale; encontrava-se elevado e protegido entre uma cadeia de portentosas colinas que, ao redor, impediam que a luz do sol penetrasse em seus mais doces e recônditos recantos. Nenhum caminho em sua vizinhança era percorrido e, para alcançar nossa feliz morada, era preciso desbastar com força a folhagem de milhares de árvores e esmagar as glórias de inúmeras flores olentes. Assim, vivíamos sós, desconhecendo o mundo fora do vale — eu, minha prima e sua mãe.

Das regiões obscuras além das montanhas, na extremidade mais alta de nossos protegidos domínios, corria um rio estreito e profundo, cujo brilho só não era maior do que o dos olhos de Eleonora; ondulando furtivo em enredados meandros, desembocava em uma

---

2 Em latim no original: "Rumaram para o Mar da Escuridão para que pudesse ser explorado".

garganta obscurecida, entre colinas ainda mais sombrias do que as que lhe davam origem. Nós o chamávamos de "rio Silente", pois parecia fluir em silêncio. Nenhum murmúrio brotava de seu leito e corria tão manso que as pedrinhas brancas como pérolas que adorávamos contemplar, alojadas em suas profundezas, jamais se moviam, para sempre luzidias e gloriosas.

A margem do rio, e dos diversos riachos deslumbrantes que deslizavam oblíquos para seu canal, assim como os espaços que se estendiam das margens até suas entranhas, alcançando o leito de pedrinhas no fundo. Tais locais, assim como a superfície do vale, do rio às montanhas que o circundavam, eram recobertos por uma relva verde e macia, espessa, curta e de simetria perfeita, com perfume de baunilha, salpicada em toda a extensão com botões de ouro amarelos, margaridas brancas, violetas púrpuras e abróteas vermelhas — e, em sua exorbitante beleza, proclamava em altas vozes, em nossos corações, o amor e a glória de Deus.

Aqui e ali, nos bosques espraiados na relva, como uma floresta de sonhos, brotavam árvores fantásticas cujos troncos altos e esguios curvavam-se graciosos em direção à luz que perscrutava o centro do vale ao meio-dia. Faíscas vívidas de ébano e prata cintilavam alternadamente na casca de seus troncos, que só não eram mais macios do que as faces de Eleonora; assim, não fossem as enormes folhas lustrosas que espalhavam as copas em linhas compridas e trêmulas, flertando com os Zéfiros, as árvores poderiam ser tomadas por serpentes gigantes da Síria prestando homenagem ao soberano Sol.

Durante quinze anos, vagamos de mãos dadas por esse vale, Eleonora e eu, até que o Amor entrou em nossos corações. Certa tarde, ao fim do terceiro lustro de sua vida e no quarto da minha, nós nos sentamos, cerrados em um abraço, sob as árvores que pareciam serpentes, fitando nas águas do rio Silente o reflexo de nossas imagens. Não pronunciamos uma palavra sequer até o fim daquele doce dia e, mesmo no dia seguinte, nossas palavras soaram trêmulas e escassas. Removêramos o deus Eros daquela vaga e sentíamos que ele acendera em nosso âmago as almas ardentes de nossos antepassados. Os ardores que haviam por séculos distinguido nossa raça acudiram em profusão com todas as fantasias pelas quais tornaram-se igualmente notórios e, juntos, sopraram um êxtase delirante sobre o Vale da Relva Multicor. Uma mudança recaiu sobre todas as coisas. Flores estranhas e brilhantes, em forma de estrelas, reluziam em árvores até então sem flores. O gramado se tornou mais verde e quando, uma por uma, as margaridas brancas encolheram, floriram em seu lugar dezenas e dezenas de abróteas vermelhas. A vida brotava em nossos caminhos; os flamingos, até então jamais vistos, na companhia de aves fulgurantes, exibiam sua plumagem carmim diante de nossos olhos. Peixes dourados e prateados frequentavam o rio de onde vinha, aos poucos, um murmúrio que se transformava em uma melodia mais divinal do que a harpa eólica — perdendo em doçura apenas para a voz de Eleonora. Uma nuvem volumosa, que há muito contemplávamos nas regiões de Hesper, de lá flutuou, majestosa, em vermelho e dourado, pairando pacífica sobre nós e descendo mais e mais a cada dia, até encostar as extremidades nos cumes das montanhas, transformando em magnificência suas sombras e nos encapsulando, como se para sempre, em um cárcere mágico de esplendor e glória.

Eleonora tinha a beleza de um serafim, mas era uma donzela tão ingênua e inocente quanto a vida breve que desfrutara entre as flores. Não empregava artimanha alguma para disfarçar o amor fervoroso que pulsava em seu coração e examinava comigo os recantos mais recônditos enquanto passeávamos juntos no Vale da Relva Multicor, comentando as mudanças extraordinárias que nele se passavam.

Por fim, tendo discorrido um dia, aos prantos, sobre a derradeira mudança infeliz da qual nenhum ser humano pode escapar, desde então, ocupou-se somente desse lamentável tema, encaixando-o em todas as nossas conversas — como, nas canções do bardo de Schiraz, as mesmas imagens se repetem, à exaustão, em cada impressionante variação de frase.

Ela deve ter percebido o dedo da Morte tocando-lhe o peito — compreendendo que, como tudo que é efêmero, fora feita perfeita apenas para morrer. No entanto, os temores do túmulo para ela jaziam em uma consideração que me revelou, em certa tarde crepuscular, às margens do rio Silente. Ela sofria ao pensar que, após sepultá-la no Vale da Relva Multicor, eu fosse abandonar para sempre suas alegres paragens, transferindo o amor que a ela dedicava tão fervorosamente a outra donzela do mundo exterior e cotidiano. Atirei-me às pressas, ali mesmo, aos pés de Eleonora, jurando a ela e aos Céus que jamais me casaria com qualquer filha da Terra — que não seria, de modo algum, à sua estimada memória ou à recordação da afeição devota com a qual me abençoara. Convoquei o Poderoso Rei do Universo a testemunhar a solenidade piedosa de meu juramento. E a maldição que invoquei, em nome *Dele* e dela, uma santa no Paraíso, caso traísse minha promessa, envolvia um castigo de tamanho horror que sequer ouso relatar aqui. Os olhos brilhantes de Eleonora reluziram ainda mais com minhas palavras; ela suspirou como se um fardo mortal tivesse sido removido de seu peito; tremeu e chorou amargamente, mas aceitou o juramento (pois o que era, senão uma criança?), que apaziguou a perspectiva de seu leito de morte. Disse-me, alguns dias depois, ao morrer em paz, que, graças ao que eu tinha feito para confortar seu espírito, ela continuaria a me proteger mesmo depois de morta. Afirmou que, se fosse permitido, voltaria em forma visível para guardar-me todas as noites; mas, se tal feito estivesse, de fato, acima do poder das almas no Paraíso, que me daria, ao menos, indicações frequentes de sua presença; suspirando em meu rosto junto com os ventos vespertinos ou preenchendo o ar que eu respirava com o perfume do turíbulo dos anjos. E, com essas palavras a pairar nos lábios, extinguiu-se sua inocente existência, colocando fim à primeira época de minha vida.

Até aqui, meu relato foi fidedigno. Porém, à medida que atravesso a barreira na estrada no Tempo, constituída pela morte de minha amada, e prossigo rumo à segunda era de minha vida, sinto que uma sombra me obscurece a mente e já não confio na perfeita sanidade de minhas lembranças. Contudo, deixem-me seguir adiante. Os anos se arrastaram pesadamente e permaneci no Vale da Relva Multicor, onde uma segunda mudança ocorrera em todas as coisas. As flores estreladas murcharam nos caules das árvores e nunca mais floresceram. O verde do gramado desbotou e, uma por uma, as abróteas carmim evanesceram; em seu lugar, surgiram violetas escuras que se retorciam inquietas, sempre cobertas de sereno. E a Vida desapareceu de nossos caminhos; os flamingos não mais exibiam a plumagem vermelha diante de nossos olhos, tendo fugido do vale para as colinas, junto com todas as aves fulgurantes que haviam chegado em sua companhia. Os peixes dourados e prateados nadaram para longe de nosso domínio e nunca mais adornaram o doce riacho. E a melodia mais suave do que uma harpa eólica, mais divinal do que qualquer outro som, exceto a voz de Eleonora, fenecera aos poucos em murmúrios mortiços até que o rio, por fim, regressou à absoluta solenidade de seu silêncio original. Finalmente, a nuvem volumosa ergueu-se no céu e, abandonando os cumes das montanhas à escuridão de outrora, regressou às regiões de Hesper, levando consigo todas as incontáveis glórias esplendorosas do Vale da Relva Multicor.

No entanto, as promessas de Eleonora não foram esquecidas, pois eu escutava os sons dos turíbulos angelicais se movendo e torrentes de perfume celestial inundavam o vale; nas horas solitárias, quando meu coração disparava, os ventos que me banhavam a fronte acudiam-me repletos de suspiros e murmúrios indistintos que inundavam o ar da noite. Certa vez — ah, apenas uma única vez! —, despertei de um sono, semelhante à modorra da morte, sentindo o toque de lábios invisíveis junto aos meus.

Todavia, o vácuo em meu peito recusava-se a ser preenchido. Ansiava pelo amor que outrora o enchera até transbordar. Por fim, o vale me trazia *dor* por causa das lembranças de Eleonora e acabei por deixá-lo para sempre, indo em busca das vaidades e turbulentos triunfos mundanos.

Vi-me em uma cidade estranha, onde todas as coisas serviam para apagar da memória os doces sonhos que eu nutrira por tanto tempo no Vale da Relva Multicor. Uma corte majestosa, com pompa e riqueza, o som estridente das armas e a beleza radiante das mulheres atordoaram e inebriaram meu cérebro. Entretanto, minha alma permanecia fiel ao juramento e ainda recebia os indícios da presença de Eleonora nas horas silenciosas da noite. De repente, as manifestações cessaram;

o mundo escureceu diante de meus olhos e fiquei perplexo perante os pensamentos que me consumiam — as terríveis tentações que perturbavam; pois, vinda de uma terra distante e desconhecida para a alegre corte do rei a quem eu servia, surgiu uma donzela cuja beleza levou meu coração infiel a capitular de imediato — diante dela me prostrei sem protesto, na adoração mais ardente e abjeta. O que, de fato, seria a paixão dedicada à jovem menina do vale comparada ao fervor, ao delírio, ao êxtase da adoração que me fazia verter a alma inteira em lágrimas, jogado aos pés da etérea Ermengarde? Ah, Ermengarde, radiante serafim! E, assim, não me sobrava mais espaço para outra. Ah, Ermengarde, anjo divinal! E, fitando as profundezas de seus olhos, só pensava neles — e *nela*.

Casei-me. Não temi a maldição que invocara e tampouco fui acometido por sua amargura. E uma vez — apenas uma vez, no silêncio da noite, ouvi pela treliça da janela os suaves suspiros que haviam me abandonado e, em seguida, uma voz familiar e doce me disse:

— Durma em paz! Pois o Espírito do Amor reinou e, abrigando em seu apaixonado coração esta que se chama Ermengarde, está absolvido, por razões que lhe serão reveladas no Céu, das promessas feitas à Eleonora!

Ímpeto aventureiro

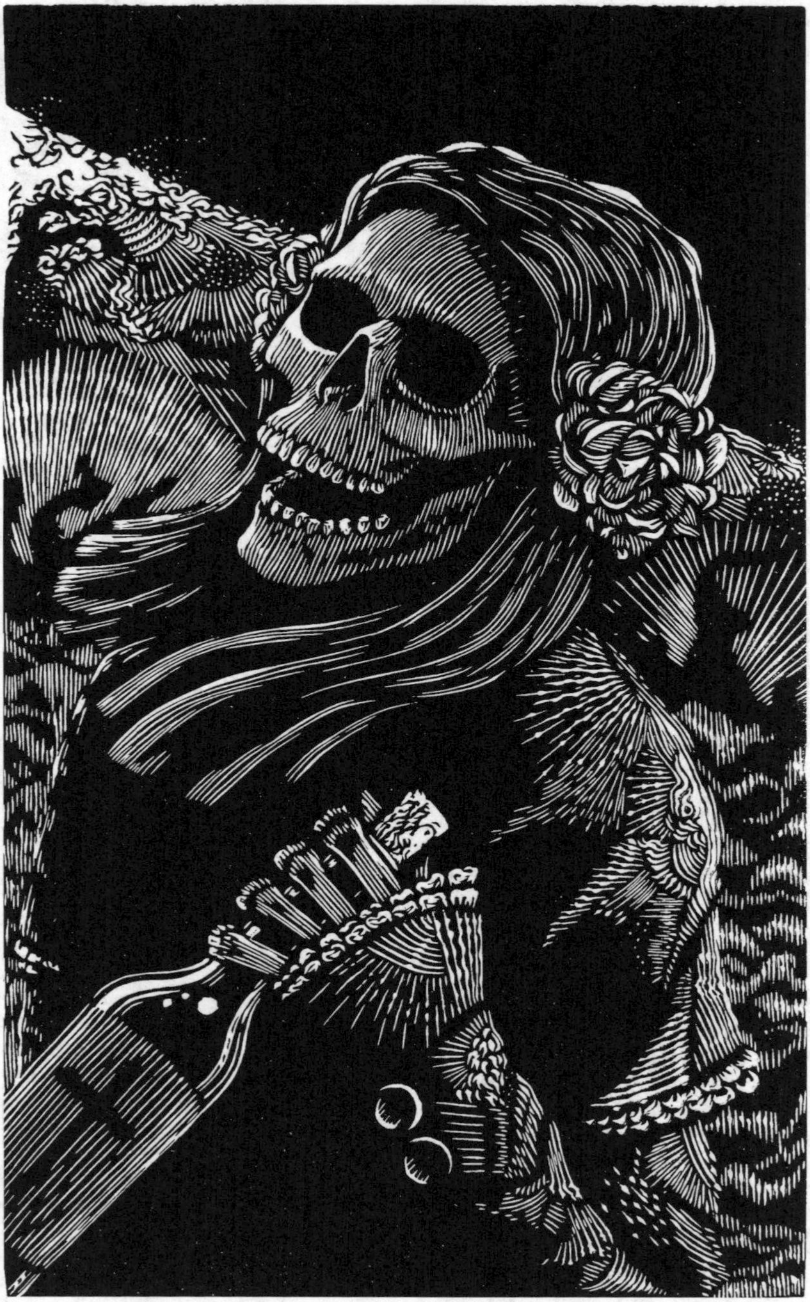

◆ ÍMPETO AVENTUREIRO ◆

MANUSCRITO
encontrado
EM UMA GARRAFA

EDGAR ALLAN POE
1833

Qui n'a plus qu'un moment à vivre
N'a plus rien à dissimuler.[1]
— *Atys*, Quinault —

De meu país e minha família, tenho pouquíssimo a dizer. Maus-tratos e o passar dos anos me apartaram do primeiro e alijaram da segunda. Uma abastada herança me proporcionou uma educação extraordinária, e uma disposição contemplativa facultou-me a organizar metodicamente o aprendizado que estudos precoces me levaram a acumular com muita diligência. Acima de tudo, as obras dos moralistas alemães me proporcionaram imensa satisfação; não por uma insensata admiração por sua loucura eloquente, mas pela facilidade com que meus

---

1   Em francês no original: "Quem possui apenas um fugaz momento para viver não tem mais nada a esconder". Trecho escrito por Philippe Quinault para o livreto da ópera *Atys*, de Lully.

hábitos de raciocínio rígido me permitiram detectar suas falsidades. Com frequência, fui repreendido pela aridez de meu gênio; imputaram-me como um crime uma deficiência de imaginação e tornei-me célebre pelo ceticismo pirrônico de minhas opiniões. De fato, receio que uma inquestionável predileção pela ciência natural tenha tingido minha mente com um equívoco bastante comum nestes tempos — refiro-me ao hábito de atribuir ocorrências, até mesmo as menos suscetíveis de referência, aos princípios dessa ciência. De modo geral, nenhuma pessoa poderia ser menos suscetível do que eu a ser afastada dos severos preceitos da verdade pelo *ignes fatui* da superstição. Julguei apropriado começar o relato inacreditável que tenho para contar com esta introdução para que não seja considerado o devaneio de uma imaginação fértil, e sim a experiência concreta de uma mente para qual os enleios da fantasia sempre foram irrelevantes e nulos.

Após passar muitos anos viajando no estrangeiro, embarquei no ano de 18—, partindo do porto da Batávia, na ilha próspera e populosa de Java, em uma viagem para o arquipélago das ilhas Sunda. Viajei como passageiro, não tendo propósito específico algum para minha jornada a não ser uma inquietação nervosa que me assombrava como um fantasma.

Nossa embarcação era um belo navio de aproximadamente quatrocentas toneladas, revestido em cobre e que fora construído em Bombaim com teca de Malabar. Estava carregado com algodão e óleo das ilhas Laquedivas. Também tínhamos a bordo fibras de coco, cana de açúcar, *ghee*, cocos e algumas caixas de ópio. O armazenamento fora feito de maneira desajeitada e a embarcação estava, consequentemente, instável.

Uma mera rajada nos pôs em movimento e, durante muitos dias, permanecemos ao longo da costa oriental de Java, sem que algum incidente perturbasse a monotonia do curso, a não ser o encontro ocasional com alguns barcos menores do arquipélago para onde nos destinávamos.

Certa tarde, debruçado no parapeito, observei uma nuvem isolada, bastante singular, a noroeste. Era admirável, tanto pela coloração como por ser a primeira que víamos desde nossa partida da Batávia. Observei-a com atenção até o pôr do sol, quando de súbito se espraiou ao leste e ao oeste, cingindo o horizonte com uma cinta estreita de vapor, semelhante à faixa comprida de uma praia. Logo em seguida, minha atenção foi atraída para a aparência sombria e avermelhada da lua e o aspecto peculiar do mar. Este estava sofrendo uma rápida alteração e a água parecia mais transparente do que de costume. Embora eu pudesse enxergar o fundo com distinção, constatei, deitando a sonda, que o navio estava a quase trinta metros de profundidade. O ar tornara-se intoleravelmente quente e estava carregado com exalações em espiral, semelhantes às que se desprendem do ferro aquecido. À medida que a noite caía, os sopros de vento se extinguiam, até que desceu sobre nós a calmaria mais profunda que se pode imaginar. A chama de uma vela ardia sobre a popa sem o menor movimento perceptível e um fio de cabelo longo, segurado entre o indicador e o polegar, pendia sem que se pudesse nele detectar a menor vibração. O capitão, entretanto, afirmou não discernir indicação de perigo alguma e, como estávamos sendo arrastados pela correnteza para a costa, ordenou que recolhessem as velas e lançassem a âncora. Não estipulou nenhum vigia e a tripulação, composta em sua maioria de malaios, repousava à vontade no convés. Desci, tomado por um pressentimento terrível de catástrofe. Todos os indícios me levavam a antecipar um simum. Compartilhei meus medos com o capitão, mas ele não prestou atenção ao que eu dizia e partiu sem se dignar a me dar uma resposta. Minha inquietação, no entanto, impedia-me de pegar no sono e, por volta da meia-noite, subi até o convés. Assim que coloquei o pé no último degrau da escada da escotilha, sobressaltei-me com um zumbido alto, semelhante ao produzido pela rotação acelerada de uma roda de moinho e, antes que pudesse compreender de onde vinha, senti que o navio trepidava desde o centro. No instante seguinte, uma torrente furiosa de espuma nos adernou e, cobrindo-nos por inteiro, varreu o convés da proa à popa.

A fúria desenfreada da rajada foi, em grande medida, a salvação do navio. Embora alagado por completo, com os mastros quebrados e dispersos no mar, a embarcação reergueu-se pesadamente e, vacilando um pouco sob a imensa pressão da tempestade, por fim tornou a se alinhar.

É impossível dizer que tipo de milagre me fez escapar da morte. Atordoado pelo choque da água, encontrei-me, ao recobrar os sentidos, prensado entre o cadaste e o leme. Foi com grande dificuldade que consegui ficar de pé e, olhando ao redor ainda zonzo, contemplei pela primeira vez a hipótese de estarmos presos na arrebentação, pois o redemoinho produzido por aquele oceano montanhoso e espumante no qual estávamos imersos era aterrorizante e sobrepujava a mais desvairada das imaginações. Pouco depois, ouvi a voz de um velho sueco, que embarcara conosco no momento em que deixamos o porto. Gritei para ele com todas as forças e, em seguida, ele veio, cambaleante, em minha direção. Logo descobrimos que éramos os únicos sobreviventes. Exceto por nós dois, todos no convés haviam sido lançados ao mar; o capitão e seus imediatos deviam ter perecido enquanto dormiam, pois as cabines estavam inundadas de água. Sem assistência, não podíamos esperar fazer muito para salvaguardar a segurança do navio, e nossos esforços se viram em princípio paralisados pela expectativa de que pudéssemos afundar a qualquer momento. O cabo da âncora, é claro, partira-se como um barbante ao primeiro sopro do furacão; caso contrário, teríamos submergido de imediato. O mar nos arrastava com assustadora velocidade e a água rebentava em ondas sobre nós. A estrutura da popa estava bastante despedaçada e, em quase todos os aspectos, havíamos sofrido danos consideráveis; mas, para nossa extrema alegria, encontramos as bombas desobstruídas e vimos que o lastro não sofrera nenhum deslocamento irrecuperável. A investida mais furiosa da rajada já havia passado e não detectávamos mais muito perigo na violência do vento; não obstante, aguardávamos assustados que cessasse por completo, acreditando, em nosso estado de devastação, que haveríamos de perecer inevitavelmente na terrível ondulação que se seguiria. Contudo, não parecia provável que essa apreensão, por mais justa que fosse, se concretizasse tão cedo. Por cinco dias e cinco noites — durante os quais nossa única fonte de subsistência foi uma módica quantidade de açúcar de cana, adquirido com grande dificuldade no castelo de proa —, o casco adejou em uma velocidade que desafiava a razão, castigado por rajadas de vento que se sucediam rapidamente e que, apesar de não se igualarem à violência inicial do simum, ainda eram mais assustadoras do que qualquer tempestade que testemunhara antes. Nosso curso, nos primeiros quatro dias, com variações insignificantes, foi do sudeste para o sul; é possível que tenhamos descido pelo litoral da Nova Holanda. No quinto dia, sofremos com um frio intenso, embora o vento tenha se direcionado para o norte. O sol surgiu com um mortiço brilho amarelado e ergueu-se alguns poucos graus no horizonte, sem emitir claridade acentuada. Não avistamos nuvens, mas o vento aumentava aos poucos, soprando com uma fúria intermitente e instável. Por volta do meio-dia, de acordo com nossos cálculos aproximados, a aparição do sol mais uma vez atraiu nossa atenção. Não irradiava luz propriamente dita, mas um brilho opaco e sombrio sem reflexos, como se todos os raios estivessem polarizados. Pouco antes de mergulhar no mar túrgido, suas chamas nucleares apagaram-se de súbito, como se extintas apressadamente por uma potência inexplicável. Era apenas um aro turvo e estreito, abocanhado pelo oceano insondável.

Esperamos em vão pela chegada do sexto dia — este dia para mim ainda não chegou; para o sueco, não chegará mais. Desde então, fomos envolvidos pelas mais tenebrosas trevas, incapazes de enxergar um objeto a quinze metros do navio. Uma noite eterna continuava a nos circundar, sem o alívio do fulgor fosfórico do oceano, ao qual estávamos acostumados nos trópicos. Observamos também que, embora a tempestade continuasse a nos fustigar com violência incessante, não havia mais indícios da habitual aparição da arrebentação ou da espuma que nos seguira até ali. Ao redor, tudo era horror, densa escuridão e um escaldante deserto negro. Aos poucos, um terror sobrenatural tomou conta do espírito do velho sueco e minha própria alma também se viu envolta em silencioso assombro. Desistimos de cuidar do navio, uma vez que qualquer cuidado seria inútil, e nos concentramos em nos segurar, com muita dificuldade, no toco do mastro de mezena, de onde contemplávamos com pesar um mundo de águas furiosas. Não dispúnhamos de meios para calcular o tempo, tampouco era possível arriscar palpites sobre nossa situação. Estávamos, no entanto, plenamente conscientes de termos avançado mais para o sul do que qualquer navegador já avançara antes e a ausência dos usuais obstáculos de gelo nos causava grande espanto. Enquanto isso, cada segundo ameaçava ser o último — cada vaga montanhosa se precipitava sobre nós para nos aniquilar. A ondulação superava tudo que eu imaginara possível e é um milagre que não tenhamos sido sepultados de imediato por ela. Meu companheiro argumentou que nossa carga era leve e recordou as excelentes qualidades do navio, mas eu não podia evitar um sentimento absoluto de desesperança, preparando-me, com tristeza, para uma morte que julgava inevitável e que nos ceifaria em menos de uma hora, já que, à medida que o navio avançava, a movimentação do estupendo mar negro se tornava ainda mais lúgubre e apavorante. Às vezes, ficávamos sem ar, suspensos em uma elevação que excedia o voo do albatroz; às vezes, sentíamos a vertigem da descida brusca em direção a algum inferno marítimo, onde o ar se estagnava e nenhum som perturbava o sono do kraken.[2]

Estávamos no fundo de um desses abismos quando um grito súbito de meu companheiro irrompeu temerosamente na noite.

— Olhe! Olhe! — gritava ele, seus berros lancinantes ressoando em meus ouvidos. — Meu Deus do céu, olhe! Olhe!

Enquanto ele falava, atinei para o brilho opaco e sombrio de uma luz vermelha que banhava as laterais do abismo profundo em que nos encontrávamos, lançando um clarão intermitente no convés. Erguendo os olhos, contemplei um espetáculo de gelar o sangue. Em uma altura apavorante, diretamente sobre nós e prestes a precipitar-se no abismo, pairava um navio gigantesco, de umas quatro mil toneladas. Embora erguido pela crista de uma onda cuja altura devia ser cem vezes superior à sua, o tamanho aparente da embarcação ainda excedia o de qualquer navio de linha ou da Companhia das Índias já existente. Seu enorme casco, nigérrimo e roto, não apresentava os habituais entalhes de um navio. Uma fileira solitária de canhões de bronze irrompia de umas portinholas abertas que espelhavam, em suas superfícies

---

2   Cefalópode presente na mitologia nórdica, teria o tamanho de uma ilha e cem tentáculos e habitava as águas profundas do Mar da Noruega, podendo migrar por todo o Atlântico Norte. Tinha fama de destruir navios e provavelmente era confundida com a lula gigante.

polidas, as chamas de inúmeras lanternas de batalha a oscilar no cordame. Porém, o que mais nos inspirou horror e assombro foi perceber que se mantinha, à força de vela, naquele mar sobrenatural e em meio a um furacão incontrolável. Quando o detectamos, era possível ver apenas sua proa enquanto a embarcação se erguia lentamente do abismo turvo e tenebroso. Por um instante de intenso terror, o navio se deteve no vertiginoso pináculo, como se apreciasse a própria grandeza, e então estremeceu, vacilou — e despencou sobre nós.

Neste momento, fui tomado por um súbito autocontrole inexplicável. Cambaleando em direção à popa, afastando-me o máximo possível, aguardei indômito a catástrofe que haveria de nos soterrar. Nosso próprio navio estava finalmente desistindo de resistir e afundava de cabeça no mar. A embarcação que despencava atingira a nossa na parte da estrutura que já estava submersa, lançando-me, com inevitável violência, no cordame do navio misterioso.

Quando caí, o navio virou de bordo e prosseguiu; acho que foi graças à confusão gerada que passei despercebido da tripulação. Com pouca dificuldade, avancei, sem ser notado, até a escotilha principal, que estava parcialmente aberta, e logo encontrei oportunidade para me esconder no porão. Não sei explicar por que fiz isso. Um vago senso de pavor, que me acometera assim que vi a tripulação do navio, talvez tenha sido o motivo pelo qual busquei esconderijo. Não estava disposto a confiar em um tipo de gente que me transmitira, mesmo quando vista de relance, tantas impressões de vaga novidade, dúvida e apreensão. Sendo assim, julguei sensato arrumar um esconderijo. Dessa forma, removi uma parte das tábuas de escora de carga para garantir um retiro conveniente entre as vigas do navio.

Eu mal terminara de construir meu retiro quando o som de passos no porão me obrigou a utilizá-lo. Um homem passou por meu esconderijo com um andar frágil e trôpego. Não pude ver seu rosto, mas tive a oportunidade de observar sua aparência geral. Havia nela um aspecto evidente de idade avançada e enfermidade. Seus joelhos vacilavam sob o peso dos anos e o corpo inteiro fraquejava com o fardo. Ele resmungou consigo mesmo, em um tom de voz baixo e entrecortado, algumas palavras em uma língua que não pude compreender e pôs-se a vasculhar algo em um canto entre uma pilha de instrumentos de aparência curiosa e mapas de navegação deteriorados. Seus modos compunham uma mistura extravagante de rabugice vetusta e dignidade solene de um deus. Por fim, voltou para o convés e não mais o vi.

Um sentimento inominável apossou-se de minha alma — uma sensação que não permite nenhum tipo de análise, para a qual as lições do passado são inadequadas e, receio, o futuro não ofertará resposta alguma. Para uma mente constituída como a minha, essa última consideração é uma infelicidade. Jamais poderei — tenho certeza — me satisfazer no que diz respeito à natureza de minhas concepções. Contudo, não é de se admirar que tais concepções sejam indefinidas, uma vez que se originaram em fontes absolutamente novas. Uma nova sensação — uma nova entidade foi acrescentada à minha alma.

Muito tempo se passou desde que pela primeira vez caminhei pelo convés deste terrível navio, e os raios de meu destino estão, creio eu, começando a ganhar foco. Homens incompreensíveis! Absortos em meditações de um gênero que não posso adivinhar, eles passam sem se dar conta de minha presença. Permanecer escondido é uma tolice de minha parte, pois eles *não me veem*. Ainda há pouco passei diante dos olhos do imediato; não faz muito tempo, aventurei-me na cabine particular do capitão e apanhei o material com que escrevo essas linhas. De tempos em tempos, darei continuidade a esse diário. É bem verdade que posso não encontrar oportunidade para transmiti-lo ao mundo, mas não vou deixar de fazer uma tentativa. No último momento, vou inserir o manuscrito em uma garrafa e atirá-la ao mar.

Um incidente conduziu-me a uma nova reflexão. Seriam tais acontecimentos obras de um acaso desgovernado? Aventurara-me pelo convés e deitara, sem ser notado, entre uma pilha de enfrechates e velas antigas, no fundo do escaler. Enquanto divagava sobre a singularidade de meu destino, rabisquei distraidamente com um pincel de alcatrão as extremidades de uma vela dobrada com cuidado, que jazia perto de mim sobre um barril. A vela agora está içada e minhas pinceladas impensadas formaram a palavra DESCOBERTA.

Nos últimos tempos, observei bastante a estrutura da embarcação. Embora bem armada, não creio que se trate de um navio de guerra. O cordame, a estrutura e os equipamentos em geral endossam tal suposição. Posso distinguir com facilidade o que o navio *não é*; o que ele é, no entanto, é impossível dizer. Não sei explicar, mas ao examinar seu estranho modelo e singular mastreação, seu gigantesco tamanho e velas exageradas, a rígida simplicidade de sua proa e a popa antiquada, às vezes sou acometido por uma sensação de familiaridade e há sempre, mesclada com tais sombras indistintas de recordação, a memória inexplicável de antigas crônicas estrangeiras de eras passadas.

Tenho observado a estrutura de madeira do navio. Foi construído com um material que desconheço. Há um caráter peculiar na madeira que a faz parecer inapta para a finalidade a que se propõe. Refiro-me à sua extrema *porosidade*, considerando-a a despeito de ter sido devorada pelos vermes — consequência da navegação nos mares — e da podridão causada pelo tempo. Essa observação pode parecer detalhista demais, mas a madeira apresentaria todas as características do carvalho espanhol, se o carvalho espanhol pudesse ser distendido por meios artificiais.

Ao ler a sentença acima, o curioso aforismo de um velho navegador holandês me atingiu em cheio: "É tão certo", dizia ele quando alguém duvidava de sua veracidade, "quanto a existência de um mar em que o navio aumenta de tamanho como o corpo vivo de um marinheiro".

Há cerca de uma hora, fui ousado e me lancei entre um grupo de tripulantes. Aparentemente, não me notaram e, embora estivesse bem no meio deles, pareciam ignorar completamente minha presença. Como o primeiro que avistara no porão, todos tinham uma encanecida aparência de idade avançada. Seus débeis joelhos fraquejavam; os ombros curvavam-se, decrépitos; as peles enrugadas crepitavam no vento; suas vozes eram baixas, trêmulas e entrecortadas; os olhos reluziam com a reuma dos anos; seus cabelos grisalhos agitavam-se terrivelmente na tempestade. Ao seu redor, em todos os cantos do convés, jaziam espalhados instrumentos matemáticos de construção excêntrica e obsoleta.

Mencionei, há algum tempo, o içar de uma vela. Desde então, o navio, assolado pelo vento, prosseguiu seu curso aterrorizante rumo ao sul, com cada remendo de vela sendo aproveitado, do garlindéu à retranca das velas leves inferiores, e balançando, o tempo todo, as vergas do mastaréu no mais assustador inferno marítimo que a mente humana já pôde conjurar. Acabo de deixar o convés, onde não consegui manter o equilíbrio, embora a tripulação não pareça experimentar grandes inconvenientes. Parece-me o milagre dos milagres que nosso enorme casco ainda não tenha sido engolido de uma vez por todas. Decerto estamos condenados a pairar continuamente à beira da eternidade, sem nos precipitarmos em um derradeiro mergulho no abismo. Fustigados por ondas mil vezes mais assombrosas do que as que já vi, deslizamos com a velocidade fácil da gaivota e as águas colossais erguiam suas cabeças sobre nós como demônios das profundezas, mas como demônios limitados a simples ameaças e proibidos de nos destruir. Atribuo essas frequentes evasões da catástrofe derradeira à única causa natural que pode justificar tal efeito. Sou levado a crer que o navio se encontra sob a influência de alguma forte corrente ou de uma impetuosa ressaca.

Estive face a face com o capitão, na cabine dele — mas, como eu esperava, ele não me notou. Embora em sua aparência não exista nada, para um observador casual, que possa denunciá-lo como mais ou menos humano, não obstante fui acometido por um sentimento de reverência irrepreensível e temor, misturado a uma sensação de assombro ao contemplá-lo. Ele tem praticamente minha altura, isto é, um metro e setenta. De corpo, é sólido e compacto, não era robusto nem franzino. No entanto, o que despertou em meu espírito uma sensação inefável foi a singularidade da expressão predominante em seu rosto; a evidência intensa, admirável e emocionante da velhice, tão absoluta e extrema. A fronte, embora pouco enrugada, trazia a marca de uma miríade de anos. Seus cabelos grisalhos são registros do passado; os olhos cinzentos, sibilas do futuro. O chão da cabine estava coberto por estranhos in-fólios, com fechos de ferro, instrumentos científicos mofados e mapas obsoletos, há muito esquecidos. Tinha a cabeça apoiada nas mãos e examinava, com um olhar ardente e inquieto, um papel que julguei ser um documento oficial e que trazia, de todo modo, a assinatura de um monarca. Murmurava consigo mesmo — como o marinheiro que vi no porão — algumas palavras em um tom baixo e rabugento, em uma língua estrangeira; e embora estivesse ao meu lado, sua voz parecia vinda de um ponto muito distante.

O navio e tudo nele estão imbuídos com o espírito da Antiguidade. A tripulação desliza de um lado para o outro como uma turba espectral de séculos sepultados; os marinheiros têm olhos ávidos e inquietos e, quando seus vultos cruzam meu caminho, no fulgor fantástico das lanternas de batalha, sou tomado por uma sensação inédita, embora a vida inteira tenha sido negociante de antiguidades, nutrindo-me das sombras das colunas caídas em Balbec, Tadmor e Persépolis até que minha própria alma se tornasse uma ruína.

Quando olho ao meu redor, sinto vergonha de minhas antigas apreensões. Se estremeci com a rajada que nos assolou até agora, com que pavor não contemplarei vento e o oceano em guerra, quando as palavras "tornado" e "simum" serão triviais e insuficientes para transmitir qualquer ideia? Na vizinhança imediata do navio, predominam as trevas da noite eterna e o caos da água sem espuma; mas, aproximadamente a uma légua das laterais da embarcação, é possível avistar, de forma indistinta e intermitente, muralhas colossais de gelo, erguendo-se imponentes no céu desolado, como se fossem as muralhas do próprio universo.

Como imaginei, o navio está em uma corrente — se assim podemos denominar uma maré que, uivando, urrando e guinchando pelo gelo branco, troveja rumo ao sul com a velocidade de uma queda d'água.

É absolutamente impossível, presumo, conceber o horror de minhas sensações; no entanto, uma curiosidade para penetrar nos mistérios destas terríveis searas ainda sobrepuja meu desespero e me faz resignar até mesmo com o aspecto mais horrendo da morte. É evidente que estamos avançando rapidamente rumo a algum conhecimento excitante — um tipo de segredo que jamais poderá ser compartilhado, que decerto nos destruirá quando o alcançarmos. Talvez esta corrente nos conduza ao próprio polo sul. Devo confessar que uma suposição aparentemente tão desarrazoada tem todas as probabilidades ao seu favor.

A tripulação caminha pelo convés com passos inquietos e trôpegos; mas, em seus semblantes, há uma expressão que mais parece ávida esperança do que desespero apático.

Entrementes, o vento ainda permanece em nossa popa e, como carregamos uma vastidão de velas, o navio por vezes ergue-se inteiro do mar! Ah, horror por cima de horror! O gelo de repente se rompe à direita e à esquerda e rodopiamos tontamente, em imensos círculos concêntricos, em torno das margens de um gigantesco anfiteatro, o ápice cujas muralhas se perdem em escuridão e distância. Contudo, resta-me pouco tempo para ponderar sobre meu destino! Os círculos diminuem, acelerados — estamos mergulhando loucamente nas garras de um redemoinho — e, na colisão estrondosa e bramante de oceano e tempestade, o navio está estremecendo — ah, meu Deus! — e... afundando!

Nota: "Manuscrito encontrado em uma garrafa" foi originalmente publicado em 1831 e, somente muitos anos depois, tomei conhecimento dos mapas de Mercator, nos quais o oceano é representado como se precipitasse, por quatro bocas, para o golfo polar (do norte), para ser absorvido nas entranhas da terra. O polo em si é representado por uma rocha negra que se ergue em prodigiosa altura.[3]

---

3   A nota aparece pela primeira vez na edição de 1850, organizada por Rufus Wilmot Griswold. Griswold, rival declarado de Allan, escreveu a primeira biografia sobre o autor e ficou responsável por sua obra literária após a morte de Poe em 1849.

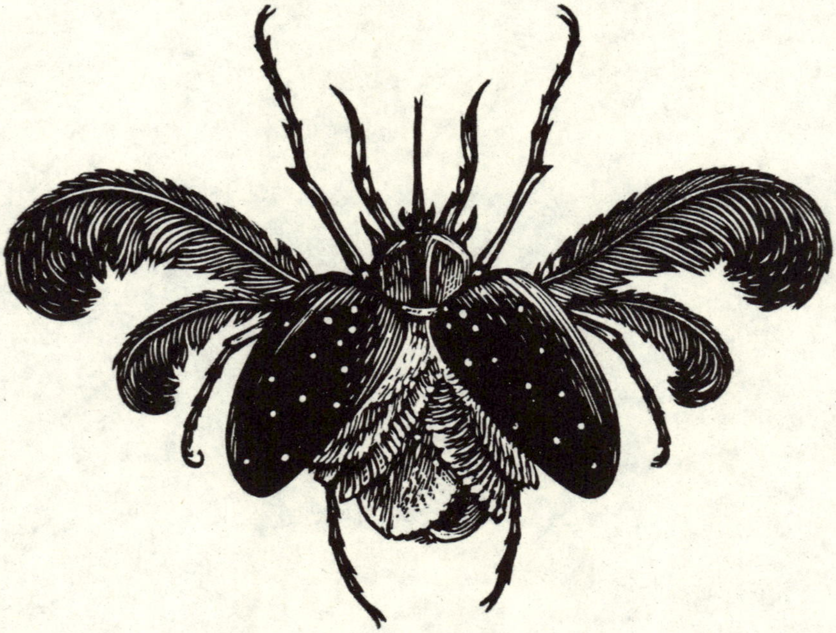

ÍMPETO AVENTUREIRO

O ESCARAVELHO
de
OURO

EDGAR ALLAN POE
1843

What ho! what ho! this fellow is dancing mad!
He hath been bitten by the Tarantula.[1]
— All in the Wrong —

Há muitos anos, fiz amizade com um certo sr. William Legrand. Pertencia a uma antiga família huguenote e fora muito rico, mas uma série de infortúnios o reduziram à miséria. Para evitar a humilhação decorrente de suas adversidades, deixou New Orleans, o lar de seus antepassados, e se mudou para Sullivan's Island, próxima de Charleston, na Carolina do Sul.

Essa ilha é bastante peculiar. Consiste quase exclusivamente de areia do mar e tem aproximadamente cinco quilômetros de extensão.

---

1   Em inglês no original: "Este camarada está insano/ Foi picado pela tarântula".
    All in the Wrong (1761) é uma comédia de autoria do dramaturgo irlandês Arthur Murphy.

Sua largura não ultrapassa, em ponto algum, os quatrocentos metros. Fica apartada do continente por um riacho quase imperceptível, que escoa por uma mata de juncos e limo, o recanto favorito das galinhas d'água. A vegetação, como se pode supor, é escassa ou, no mínimo, de proporção reduzida. Não se veem árvores de grande porte. Perto da extremidade ocidental, onde fica Fort Moultrie e onde existem algumas miseráveis construções ocupadas durante o verão por aqueles que buscam escapar da poeira e do calor de Charleston, é possível encontrar palmeiras. Entretanto, com exceção desse ponto e de uma faixa de praia branca no litoral, a ilha inteira é coberta pela densa vegetação rasteira da doce murta, tão apreciada pelos horticultores ingleses. Na ilha, os arbustos costumam alcançar a altura de cinco ou seis metros e formam um bosque quase impenetrável, carregando o ar com sua fragrância.

Nos recantos mais recônditos desse bosque, não muito longe da área oriental e mais remota da ilha, Legrand construiu uma pequena cabana, onde morava quando o conheci por acidente. Logo surgiu entre nós uma amizade, pois havia muito no recluso Legrand para despertar interesse e estima. Era bem-educado e possuía rara inteligência, mas misantropo convicto e sujeito a uma perniciosa alternância de humor, que o conduzia do entusiasmo à melancolia. Tinha diversos livros, mas raramente lia. Suas maiores distrações eram a caça e a pesca; gostava também de passear na praia e pelas murtas, buscando conchas ou espécimes entomológicos — sua coleção de insetos era de fazer inveja a um Swammerdam.[2] Nessas excursões, era geralmente acompanhado por um velho negro chamado Júpiter, que fora alforriado antes das revezes da família, mas não podia ser convencido, nem por ameaças ou promessas, a abandonar o que considerava seu direito de seguir os passos do jovem "sinhô Will". Não é improvável que os familiares de Legrand, julgando Júpiter meio *detraqué*, tenham

---

[2] Jan Swammerdam (1637-1680), biólogo holândes, autor da obra *História geral dos insetos* (1669).

incutido nele tal obstinação, a fim de que não descuidasse da supervisão e guarda do jovem mestre, afeito às andanças a esmo.

Os invernos na latitude de Sullivan's Island não costumavam ser muito severos e, no outono, é um acontecimento raro a necessidade de uma fogueira. No entanto, em meados de outubro de 18—, fez-se um dia de extraordinária friagem. Pouco antes do pôr do sol, trilhei meu caminho pelos bosques até a cabana de meu amigo, a quem não visitava há várias semanas — na época, eu morava em Charleston, que ficava a quinze quilômetros da ilha, mas as conveniências do trajeto de ida e volta, ao contrário dos dias de hoje, eram bastante precárias. Ao chegar na cabana, bati como de costume, mas, como ninguém atendeu, procurei a chave em seu esconderijo, abri a porta e entrei. Um fogo aconchegante crepitava na lareira. Era uma novidade, mas de forma alguma desagradável. Tirei meu casaco, acomodei-me em uma poltrona ao lado da lenha que crepitava e aguardei pacientemente o retorno de meus anfitriões.

Após o anoitecer, eles regressaram e me saudaram calorosamente. Júpiter, sorrindo de orelha a orelha, apressou-se para preparar galinhas para o jantar. Legrand estava em um de seus acessos — qual outro termo posso empregar? — de entusiasmo. Havia encontrado um bivalve desconhecido, formando um novo gênero e, mais do que isso, havia caçado e capturado, com a ajuda de Júpiter, um escaravelho que acreditava ser totalmente novo, sobre o qual gostaria de saber minha opinião no dia seguinte.

— E por que não hoje à noite? — indaguei, esfregando as mãos sobre as chamas da lareira e desejando que todos os escaravelhos do mundo fossem para o inferno.

— Ah, se ao menos soubesse que você estaria aqui! — respondeu Legrand. — Mas já faz tanto tempo que nos vimos, como poderia imaginar que você me visitaria justamente esta noite? No caminho para casa, encontrei com o tenente G., do forte, e caí na tolice de lhe emprestar o escaravelho; assim, você só poderá vê-lo amanhã de manhã. Fique conosco esta noite e amanhã mando Jup buscá-lo assim que o sol nascer. É a coisa mais fascinante da natureza!

— O quê? O nascer do sol?

— Não, claro que não! O escaravelho. Tem uma coloração dourada, lustrosa, é mais ou menos do tamanho de uma noz grande, com duas manchinhas pretas em uma extremidade do dorso e outra, mais alongada, na outra extremidade. O tórax...

— Num é tora de madeira, não, sinhô Will — interrompeu Júpiter. — O bicho é todo de ôro, cada pedacinho dele, dento e fora, só num sê nas asa, nunca vi um caravéio pesado assim na vida.

— Sim, é bem verdade, Jup — respondeu Legrand com mais seriedade do que me parecia exigir o caso. — Mas isso é motivo para você deixar nosso jantar queimar? — Virando-se para mim, ele prosseguiu: — A cor realmente dá ensejo à ideia que Júpiter fez dele. Nunca vi um brilho metálico tão dourado quanto o daquelas escamas, mas você poderá julgar por conta própria amanhã. Enquanto isso, posso lhe dar uma noção do formato.

Assim dizendo, sentou-se em uma escrivaninha, onde havia caneta e tinta, mas não papel. Ele procurou em uma gaveta, mas não encontrou.

— Deixe estar — disse ele, por fim. — Isso vai servir. — Então tirou do bolso do colete um pedaço do que imaginei ser uma folha imunda de papel almaço e rabiscou nela um desenho. Enquanto fazia isso, retomei à minha poltrona ao lado da lareira, pois ainda estava com frio. Quando meu amigo terminou o desenho, entregou-me sem se erguer. Assim que o apanhei, ouvimos um rosnado alto, sucedido por um arranhar na porta. Júpiter a abriu e o cachorro de Legrand, um enorme terra-nova, entrou correndo e foi direto ter comigo, pulando em meu colo e me enchendo de afagos, pois eu sempre o tratara muito bem nas visitas anteriores. Quando o cão terminou de fazer festa, examinei o papel e, para ser sincero, fiquei bastante intrigado com o que vi no desenho.

— Bem — comentei após contemplá-lo por alguns minutos — esse é um escaravelho estranho, devo confessar. É novo para mim, nunca vi nada semelhante. Parece mais um crânio. Sim, ele lembra mais uma caveira do que qualquer outra coisa que *eu* já observei.

— Uma caveira! — repetiu Legrand. — Sim, bem, no papel realmente parece uma. As duas manchas pretas superiores parecem olhos, não é mesmo? E a maior, na extremidade posterior, assemelha-se a uma boca. E o formato é, de fato, oval.

— Talvez — respondi. — Mas, Legrand, receio que não seja um bom desenhista. Devo aguardar até que possa ver o escaravelho com meus próprios olhos antes de formar qualquer ideia sobre sua aparência.

— Bem, não sei — disse ele um pouco irritado. — Desenho razoavelmente ou, pelo menos, *deveria*. Tive bons professores e me orgulho de não ser um boçal.

— Meu caro amigo, então você está brincando comigo — falei. — Este é um *crânio* bem passável; na verdade, posso dizer que é um *excelente* crânio, de acordo com as noções comuns sobre tais espécimes da fisiologia. Agora, se for parecido com esse desenho, seu escaravelho é o mais bizarro do mundo. Podemos até conjurar uma superstição bem empolgante a seu respeito. Suponho que vá chamá-lo de *Scarabaeus caput hominis*[3] ou algo do tipo; existem muitos nomes assim nos livros de história natural. Mas onde estão as antenas?

— As antenas! — exclamou Legrand, que parecia estar tomado por um interesse incompreensível pelo assunto. — Tenho certeza de que pode vê-las. Eu as desenhei bem visíveis, tal como estão dispostas no inseto, e presumo que seja suficiente.

— Bem — respondi — talvez você até tenha desenhado, mas não consigo vê-las mesmo assim. — Devolvi o papel sem fazer mais comentários, com receio de irritá-lo. Estava, porém, bastante surpreso com o rumo que a conversa havia tomado e intrigado com o mau humor de Legrand. Quanto ao desenho do escaravelho, não havia nenhuma antena visível e, de modo geral, parecia *realmente* o esboço de uma caveira humana.

Ele tomou o papel com um ar contrariado e estava prestes a amassá-lo, aparentemente para atirá-lo ao fogo, quando um relance casual no desenho de repente pareceu chamar sua atenção. Um rubor violento

---

3 Em latim no original: "Escaravelho cabeça de homem".

espalhou-se em seu rosto, dando lugar, em seguida, a uma extrema palidez. Por alguns minutos, permaneceu sentado examinando o desenho, com minuciosa concentração. Por fim, levantou-se, apanhou uma vela sobre a mesa e dirigiu-se para o canto extremo do aposento, onde se sentou em um baú. Pôs-se novamente a examinar com inquietação o desenho, virando-o de um lado para o outro. Não disse palavra; seu comportamento, contudo, causou-me grande perplexidade. Ainda assim, não julguei prudente exacerbar seu crescente mau humor tecendo algum comentário a respeito. Finalmente, sacou uma carteira do bolso do casaco, acomodou o papel cuidadosamente e os guardou em uma escrivaninha, que fechou à chave. Seu comportamento se tornou mais sereno, mas o ar de entusiasmo havia desaparecido por completo. Parecia, entretanto, mais distraído do que amuado. À medida que a noite avançava, foi ficando cada vez mais absorto em seus devaneios, de onde nenhuma de minhas investidas foi capaz de tirá-lo. Eu planejara passar a noite na cabana, como já fizera inúmeras vezes, mas, vendo meu anfitrião naquele estado de espírito, achei melhor ir embora. Ele não insistiu para que eu ficasse, mas, quando me despedi, apertou minha mão de maneira ainda mais calorosa do que de costume.

Mais ou menos um mês depois (durante o qual não estive com Legrand), recebi em Charleston a visita de Júpiter. Jamais vira o bom e velho negro tão desanimado e temi que meu amigo tivesse sofrido algum desastre.

— Diga, Jup — disse eu. — O que houve? Como está o patrão?

— Bem, pra falá a verdade, sinhô, ele num anda muito bem, naum.

— Não anda bem! Sinto muito em saber disso. De que tem se queixado?

— Ah, ele num se queija de nada, mas tá muito adoente só.

— *Doente*, Júpiter! Por que não disse logo? Está confinado a cama?

— Não, finado num tá, tá vivo, mas aí que mora o perdido, eu ando é com a cabeça pesada de procupação cum o sinhô Will.

— Júpiter, eu gostaria de entender o que você está falando. Disse que seu patrão está doente. Ele não falou o que o aflige?

— Sinhô, num precisa ficá nervoso com eu. Sinhô Will num diz qual é o pobrema com ele, mas que tem coisa, tem. Pru quê que ele anda de cabeça pra baixo, cum os ombú pra cima, branco que nem alma pintada? E vive agarraldo numa cifa o tempo toldo...

— Agarrado em que, Júpiter?

— Numa cifa, cum os numos na lôsa, os numos mais quisito que já vi. Tô ficano cum medo, num sabe. E de ôio nele os tempo toldo. Ôtro dia, ele me tapiô e sumiu antes do só nascê, ficô fora o dia intêro. Eu tinha panhado até uma vara pra batê nele, batê de verdade cando ele voltasse, mas sô tão bobo que num tive corazi foi de fazê nada... ele tava tão adoente.

— Hã? O quê? Olha, de modo geral, acho que você não deve ser tão severo com seu pobre patrão; não bata nele, Júpiter, pode ser que ele não suporte. Mas você não faz ideia do que causou essa doença, ou melhor, essa mudança de comportamento? Aconteceu algo desagradável desde que os vi da última vez?

— Nada, sinhô, num conteceu nada desgradável *despois*, acho que foi *antes*, foi no próprio dia que o sinhô tava lá.

— Como assim?

— Ué, sinhô, o caravéio lá.

— O quê?

— O caravéio. Tenho cêteza que sinhô Will foi murdido na cabeça pelo caravéio de ôro.

— E que motivos você tem para se agarrar nisso, Júpiter?

— Garra sim, sinhô, e dente também. Nunca vi um caravéio assim, ele chuta e morde tudo que chega perto dele. Sinhô Will prendô ele primêro, mas teve que soltá despois depressa, num sabe, aí que deve de tê levado a murdida. Eu num gosto de oiá pra boca dele, então num pego ele cum o dedo, eu pego papêr. Eu embrulho ele no papêr e boto um pedaço na boca dele, é o jeito.

— Então você acha que seu patrão foi realmente picado pelo escaravelho e que a picada o deixou doente?

— Eu num acho nada, não sinhô, eu tenho cetreza. O que faz ele sonhá tanto com ôro, se num foi a murdida do caravéio de ôro? Eu já tinha ôvido dos caravéios de ôro antes.

— Mas como você sabe que ele sonha com ouro?

— Comu que eu sei? Pruquê que fala do ôro quando tá drumindo, purisso que eu sei.

— Bem, Jup, talvez você tenha razão; mas a que circunstância fortuita devo atribuir a honra de sua visita hoje?

— Cunstância do que, sinhô?

— Você trouxe alguma missiva do sr. Legrand?

— Não, sinhô só, truce uma carta. — E então Júpiter me entregou a seguinte mensagem:

>Meu caro,
>Por que não o vejo há tanto tempo? Espero que não tenha sido tolo o bastante para ficar ofendido com alguma *grosseria* de minha parte; não, isso é improvável.
>
>Desde a última vez em que estivemos juntos, tenho vivido em profunda angústia. Tenho algo a lhe dizer, mas não sei como, não sei sequer se devo lhe contar.
>
>Há dias que não me sinto muito bem, e o pobre e velho Jup me perturba, às beiras da impaciência, com sua bem-intencionada preocupação. Você não vai acreditar, mas ele, outro dia, chegou a arrumar uma vara bem comprida para me açoitar por tê-lo tapeado e escapado de suas vistas. Quis passar o dia *sozinho*, entre as colinas do continente. Acredito piamente que só escapei de ser castigado por ele graças à minha aparência lastimável.
>
>Não fiz acréscimo algum à coleção desde que nos vimos.
>
>Se puder, se lhe for conveniente, volte junto com Júpiter. *Por favor*. Gostaria de vê-lo *hoje à noite* para tratar de um assunto importante. Garanto que é de *máxima* importância.
>
>   Seu amigo,
>   William Legrand

Algo no tom daquela mensagem me encheu de inquietação. Seu estilo diferia substancialmente do estilo habitual de Legrand. Que sonhos poderiam estar lhe atormentando? Que nova excentricidade possuíra seu impressionável cérebro? Qual seria o tal assunto "de máxima importância"? O relato de Júpiter sobre o estado de meu amigo não era muito auspicioso. Temia que a pressão contínua de suas vicissitudes tivesse, finalmente, perturbado sua razão. Portanto, sem um instante de hesitação, preparei-me para acompanhar o negro.

Ao chegarmos no cais, notei uma foice e três pás, todas com aparência de novas, no fundo do barco que nos conduziria.

— Para que tudo isso, Jup? — indaguei.

— São uma fôce, sinhô, e trêis páis.

— Estou vendo, mas o que estão fazendo aqui?

— São a fôce e as páis que o sinhô Will me briga a comprá pra ele na cidaide, são cara pra diabo e eu que tenho que pagá.

— Mas que coisa tão misteriosa o "sinhô Will" pretende fazer com a foice e as pás?

— Isso *eu* num sei, e o diabo que me carregue se tô errado, mas acho que sinhô Will num sabe também. É tudo pru causa do bicho.

Percebendo que não conseguiria extrair nenhuma informação útil de Júpiter, que parecia estar com uma fixação no "caravéio", entrei no barco e icei a vela. Com uma brisa constante e forte, logo alcançamos a pequena enseada ao norte de Fort Moultrie e uma caminhada de aproximadamente três quilômetros nos conduziu à cabana. Era por volta das três horas da tarde quando chegamos. Legrand nos aguardava com ansiosa expectativa. Segurando minha mão, pressionou-a em um aperto *nervoso*, o que me alarmou bastante e serviu para fortalecer ainda mais minhas suspeitas. Sua fisionomia exibia uma palidez fantasmagórica e seus olhos profundos emitiam um brilho sobrenatural. Após algumas perguntas sobre sua saúde, sem saber o que dizer, perguntei se o tenente G. lhe devolvera o escaravelho.

— Ah, sim — respondeu ele, corando violentamente. — O tenente me devolveu na manhã seguinte. Não me separo deste escaravelho por nada neste mundo. Sabe que Júpiter tem razão ao seu respeito?

— Em que sentido? — eu perguntei com um triste pressentimento no peito.

— Ao supor que o escaravelho é feito de *ouro verdadeiro* — respondeu ele com um ar de profunda seriedade.

Fui tomado por um choque inexprimível.

— Esse escaravelho vai me deixar rico — prosseguiu Legrand com um sorriso triunfante. — Permitirá que eu recupere todas as posses de minha família. É de se admirar, então, que o estime tanto? Já que a Fortuna julgou apropriado concedê-lo a mim, basta que eu saiba usá-lo com discernimento e obterei o ouro que ele promete. Júpiter, traga-me o escaravelho!

— O quê? O caravéio, sinhô? Eu prifiro não incomodá aquele bicho, meió o sinhô pegá.

Legrand levantou-se, com um ar sério e compenetrado, e trouxe-me o escaravelho, que estava em um estojo de vidro. Era um belo inseto e, na época, desconhecido pelos naturalistas — sem dúvida, de valor inestimável sob o ponto de vista científico. Tinha duas manchinhas redondas e negras em uma das extremidades do dorso e uma longilínea na outra. As escamas eram de fato muito rígidas e brilhantes, com perfeita aparência de ouro polido. O peso do inseto era de fato impressionante e, guardadas as devidas proporções, não se podia culpar Júpiter por sua opinião a respeito. Porém, o que levara Legrand a concordar com essa opinião, por mais que me esforçasse, não conseguia compreender.

— Pedi que você viesse — disse ele, em um tom grandiloquente, depois que terminei de examinar o escaravelho — pedi que viesse para que eu pudesse contar com seu conselho e sua orientação e aprofundar minhas considerações sobre o Destino e o inseto...

— Meu caro Legrand — interrompi — você decerto não passa bem e deve tomar algumas precauções. Deve ir para cama. Vou ficar alguns dias com você até que melhore disso. Está febril e...

— Toque em minha testa — pediu ele.

Toquei e, para ser sincero, não detectei o menor vestígio de febre.

— Mas você pode muito bem estar doente e não ter febre. Permita-me que o aconselhe uma vez na vida. Em primeiro lugar, vá para a cama. Em segundo...

— Você está enganado — interveio. — Sinto-me tão bem quanto poderia esperar estar em meio à agitação que me consome. Se me quer bem de verdade, vai aliviar meu desassossego.

— E como posso fazer isso?

— É fácil. Júpiter e eu vamos fazer uma expedição nas colinas, até o continente, e precisaremos do auxílio de alguém em quem possamos confiar. Você é o único que nos transmite confiança. Não importa se obteremos sucesso ou fracasso, a agitação que você agora percebe em mim há de ser amainada.

— Estou ansioso para ajudá-lo, da maneira que for — respondi. — Mas, por acaso, esse escaravelho infernal tem algo a ver com sua expedição nas colinas?

— Sim.

— Então, Legrand, não posso participar de um empreendimento tão absurdo.

— Eu sinto muito, muito mesmo. Dessa forma, teremos que tentar sozinhos.

— Sozinhos! Você só pode estar louco! Mas espere... quanto tempo pretende ficar ausente?

— A noite toda, provavelmente. Vamos partir agora e voltamos, aconteça o que acontecer, ao nascer do sol.

— E você me promete, me dá sua palavra de honra, que, quando essa maluquice terminar e você tiver resolvido, de uma vez por todas, essa história do inseto (queira Deus!), vai voltar para casa e seguir todas as minhas recomendações, como se eu fosse seu médico?

— Sim, prometo; agora, vamos, não temos tempo a perder.

Com o coração pesado, acompanhei meu amigo. Saímos por volta das quatro da tarde — Legrand, Júpiter, o cachorro e eu. Júpiter carregava com ele a foice e as pás — insistira em levar tudo sozinho —, mais por medo de deixá-las ao alcance de seu patrão do que por excesso de zelo ou condescendência. Parecia bastante determinado e as únicas palavras que escaparam de seus lábios durante o trajeto foram "esse caravéio dos diabo". Eu, por minha vez, carregava duas lanternas, enquanto Legrand levava o escaravelho, que carregava amarrado na ponta de uma corda de chicote, girando-a para lá e para cá com ares de mágico. Quando percebi essa última e óbvia evidência de insanidade em meu amigo, mal pude conter as lágrimas. Achei melhor, porém, satisfazer seu delírio, pelo menos por enquanto, ou até que pudesse adotar algumas medidas mais enérgicas de forma bem-sucedida. Nesse ínterim, procurei em vão sondar qual era o propósito da expedição. Depois de ter me persuadido a acompanhá-lo, ele não parecia disposto a conversar amenidades e, para todas as minhas perguntas, concedia apenas a mesma resposta: "Veremos!".

Atravessamos o riacho na ponta da ilha usando um batel e, subindo a costa do continente, avançamos rumo ao norte por uma região selvagem e muito deserta, onde nenhum vestígio de passos humanos podia ser encontrado. Legrand nos guiava com decisão; detinha-se aqui e ali apenas para consultar o que pareciam ser determinados pontos de referência marcados por ele em uma ocasião anterior.

Prosseguimos assim por cerca de duas horas e o sol começava a se pôr quando chegamos em uma região infinitamente mais sombria do que qualquer outra. Era uma espécie de planalto, próximo ao topo de uma colina quase inacessível, com mata cerrada da base ao cume e entremeado por imensos penhascos que pareciam soltos do solo e, em vários casos, a única coisa que os impedia de se precipitarem nos vales abaixo era o apoio das árvores sobre as quais se inclinavam. Ravinas profundas, em várias direções, davam um ar de solenidade austera à paisagem.

A plataforma natural para onde havíamos subido estava coberta por espinheiros e descobrimos que seria impossível continuar sem fazer uso da foice; Júpiter, conduzido pelo patrão, abriu para nós uma trilha até o pé de um gigantesco tulipeiro que, entre oito ou dez carvalhos, destacava-se em beleza de folhagem e forma, na largura ampla de seus galhos e na majestade de sua aparência, superando qualquer árvore que já tenha visto na vida. Quando alcançamos essa árvore, Legrand virou-se para Júpiter e perguntou se ele podia subir nela. O velho pareceu meio confuso com a pergunta e, por alguns instantes, não respondeu. Finalmente, aproximou-se do imenso tronco, contornou-o em passos lentos e o examinou em seus mínimos detalhes. Quando terminou o escrutínio, limitou-se a dizer:

— Sim, sinhô, Jup sobe em qualqué árvre que vê na vida.

— Então suba o quanto antes, pois logo ficará escuro demais para vermos o que estamos prestes a ver.

— Tem que subí muito alto, sinhô? — indagou Júpiter.

— Suba no tronco principal primeiro, daí eu lhe digo para onde ir... e aqui... volte! Leve o escaravelho junto com você.

— O caravéio, sinhô Will! Esse caravéio dos diabo! — gritou o negro, dando um passo para trás, contrariado. — Pru quê que vô levá o caravéio pra cima da árvre? Mas num vô nem pelo diabo!

— Se você, Jup, um negro grande e forte, está com medo de segurar um insetozinho morto e inofensivo, pode levá-lo preso a essa corda. Porém, se não levá-lo de maneira alguma, vou ser obrigado a arrebentar sua cabeça com essa pá.

— Quê isso, sinhô? — reagiu Jup, concordando na mesma hora, visivelmente envergonhado. — Ocê cisma em querê arrumá confusão com o véio nego aqui, num é? Eu tava é caçoando do sinhô. *Eu*, cum medo de inseto! Num ligo pra ele, naum. — Então, segurando uma das extremidades da corda com muito cuidado e mantendo o inseto o mais afastado possível do corpo, preparou-se para subir na árvore.

Quando jovem, o tulipeiro, ou *Liriodendron tulipifera*, a mais magnífica das árvores florestais americanas, possui um tronco de maciez peculiar e costuma alcançar uma altura expressiva sem galhos laterais. No entanto, quando mais maduro, a casca se torna nodosa e irregular e vários galhos curtos surgem na extensão do tronco. Assim, a dificuldade para a subida, como constatamos, era mais aparente do que real. Abraçando o enorme cilindro com braços e joelhos, Júpiter grudava-se o máximo que podia, alcançando alguns galhos com as mãos e descansando os pés descalços em outros. Após um ou dois resvalos que quase o levaram ao chão, ele enfim conseguiu se encarapitar na primeira grande forquilha e parecia dar a tarefa como quase concluída. O *risco* do empreendimento de fato ficara para trás, embora ele estivesse a uma altura de quase vinte metros do chão.

— Pra que lado vô agora, sinhô Will? — perguntou ele.

— Vá pelo galho maior, deste lado aqui — instruiu Legrand. O negro o obedeceu na mesma hora e, ao que parecia, sem muita dificuldade, subia cada vez mais alto, até que não podíamos mais discernir sua figura agachada por trás da densa folhagem que o encobria. Logo em seguida, a voz dele nos alcançou com um som abafado.

— Tem que subí mais?

— Você já subiu muito alto? — perguntou Legrand.

— Alto que só — respondeu Jup. — Dá pra vê o céu dos topo da árvre.

— Esqueça o céu e preste atenção em mim. Olhe para o tronco e conte os galhos abaixo de você, do lado em que está. Passou por quantos?

— Um, dôs, três, quatru, cincu... passei pru cincu gáio grande, sinhô, desse lado.

— Então suba mais um.

Mais alguns minutos e tornamos a ouvir a voz de Jup anunciando que chegara ao sétimo galho.

— Agora, Jup — gritou Legrand, visivelmente eufórico — quero que você avance sobre esse galho e afasta-se o quanto puder do tronco. Se perceber algo estranho, me avise.

A essa altura, eu já não nutria mais a menor dúvida quanto à insanidade mental de meu pobre amigo. Não me restava alternativa alguma a não ser aceitar que estava louco, então comecei a me inquietar seriamente, preocupado em levá-lo de volta para casa. Enquanto ponderava com meus botões como poderia lograr meu intento, ouvimos mais uma vez a voz de Júpiter.

— Tô cum medo de me arriscá muito mais longe nesse gáio; ele tá todo morto.

— Você disse que o galho está *morto*, Júpiter? — perguntou Legrand com a voz trêmula.

— Sim, sinhô, tá morto qui nem difunto, tenha cetreza, mortinho.

— Por Deus, o que devo fazer? — perguntou Legrand, aparentemente muito perturbado.

— Fazer? — perguntei, satisfeito com a oportunidade de um deixa.

— Ora, voltar para casa e se deitar. Vamos, agora! Seja bonzinho. Está ficando tarde e, além do mais, você me prometeu.

— Júpiter — gritou ele, sem me dar a mínima atenção. — Está me ouvindo?

— Tô, sinhô Will, tô ouvino bem.

— Verifique o tronco com sua faca e me diga se acha que está *muito* apodrecido.

— Tá podrecido, sinhô, cum cetreza absoluta — respondeu o negro, alguns segundos depois. — Mas não tão podre quantu podia tá. Possu me riscá um pôco sozinhu no gáio.

— Sozinho? Como assim?

— Sem o inseto, esse caravéio *muito* pesadu. Se eu largá ele pra baixo primeiru, o gáio num quebra cum o peso de um nêgo só.

— Seu salafrário dos infernos! — gritou Legrand, parecendo aliviado. — O que você quer dizer com uma tolice dessas? Se deixar o escaravelho cair, quebro seu pescoço. Ouviu, Júpiter? Prestou atenção?

— Prestei, sinhô, num tem necessidade de gritá assim cum o pobre do nêgo.

— Está bem! Escute! Se você se afastar até onde acha seguro no galho, o mais longe do tronco que puder, sem deixar cair o inseto, dou uma moeda de prata de presente a você assim que descer daí.

— Tá bem, sinhô Will, tô indu — respondeu o negro, de pronto. — Quasi no fim agora.

— *No fim?* — gritou Legrand com a voz falha. — Quer dizer que está na ponta do galho?

— Quase na ponta, sinhô. Ahhhhh, meu Deus do céu, o que é *isso* na árvre?

— Diga! — gritou Legrand entusiasmado. — O que é?

— É só uma cavêra, alguém deixô uma cabeça aqui na árvre e os corvo devorô cada pedacinho de carne.

— Uma caveira, você diz, muito bem. Como está presa ao galho? O que a prende nele?

— Está bem, sinhô, vamô vê. Ora, é uma cunstança muito curiosa, fora de brincadêra, tem um prego grande na cavêra, prendendo ela na árvre.

— Está bem, Júpiter, faça exatamente o que eu mandar, entendeu?

— Sim, sinhô.

— Preste atenção, ouviu? Encontre o olho esquerdo da caveira.

— Rá, essa é boa! Ora, num tem mais ôio ninhum sobrano.

— Deixe de ser ignorante! Você sabe diferenciar sua mão direita da esquerda?

— Sim, eu sei isso, sei bem, é cum a mão esquerda que eu corto a lenha.

— Isso mesmo! Você é canhoto. Seu olho esquerdo fica do mesmo lado da sua mão esquerda. Agora, suponho, você consegue localizar o olho esquerdo da caveira, ou o local onde ele costumava ficar. Achou?

Aqui fez-se uma longa pausa. Por fim, o negro perguntou:

— O ôio esquerdo da cavêra fica du mesmo lado da mão esquerda da cavêra também? Pruquê a cavêra num tem mais mão nenhuma, não... Ah! Num faz mal! Achei o ôio esquerdo agora, tá aqui! O que faço cum ele?

— Deixe o inseto passar por ele, até onde a corda alcançar, mas tome cuidado para não largar a corda, ouviu?

— Fiz tudo, sinhô Will, foi bem fáço coloca o bicho pelo buraco, tá vendo ele daí de baixo?

Durante esse diálogo, não se via nem sombra de Júpiter, mas o inseto, que ele conseguira fazer descer, estava visível na ponta da corda e brilhava como uma esfera de ouro polido nos derradeiros raios do sol poente — alguns ainda lançavam uma luz fraca sobre o local onde nos encontrávamos. O escaravelho jazia pendurado, sem encostar em nenhum galho e, se caísse, teria caído aos nossos pés. Legrand logo pegou a foice e abriu uma área circular, de três metros de diâmetro, bem abaixo do inseto. Ao terminar essa tarefa, ele ordenou a Júpiter que soltasse a corda e descesse da árvore.

Enterrando uma cavilha no chão, com grande precisão, no local exato onde o inseto caíra, meu amigo tirou do bolso uma fita métrica. Prendendo uma de suas extremidades no ponto do tronco mais próximo da cavilha, ele a desenrolou até alcançá-la e depois continuou desenrolando, na direção já estabelecida entre os dois pontos da árvore e da cavilha, uma distância de quinze metros. Enquanto isso, Júpiter desbastava os espinheiros com a foice. No ponto assim definido, ele enterrou outra cavilha e, ao seu redor, traçou um círculo rudimentar de cerca de um metro e vinte de diâmetro. Pegando as pás e entregando uma para Júpiter e outra para mim, Legrand nos persuadiu a começar a cavar imediatamente.

Para falar a verdade, não era uma atividade que eu particularmente apreciasse e, naquele momento, ainda por cima, teria recusado de bom grado, pois estava escurecendo e eu me sentia muito cansado pelos esforços físicos já empreendidos. Contudo, não via jeito de escapar e temia perturbar a serenidade de Legrand com uma recusa. Se contasse com a ajuda de Júpiter, não teria hesitado em tentar levar o lunático para casa à força, mas, convencido em relação à disposição do velho negro de não contrariar as vontades do patrão, sabia que não poderia esperar que me auxiliasse, independente das circunstâncias. Não tinha dúvidas de que Legrand fora contaminado pelas inúmeras superstições sulistas sobre tesouros enterrados e que tivera sua fantasia confirmada pela descoberta do escaravelho ou, talvez, pela teimosia de Júpiter em insistir que se tratava de um "inseto de ouro de verdade". Uma mente predisposta à insanidade acaba sendo influenciada por tais sugestões — sobretudo quando coincidem com ideias preconcebidas. Lembrei-me também de como o pobre infeliz tinha dito que o inseto iria deixá-lo rico. De modo geral, sentia-me irritado e confuso, mas, por fim, decidi fazer da necessidade uma virtude. Cavei com boa vontade para que assim pudéssemos convencer o visionário o quanto antes, com uma prova ocular, da falácia de suas opiniões.

Com as lanternas acesas, começamos a trabalhar com o empenho digno de um propósito mais racional e, no clarão que iluminava a nós e às nossas ferramentas, não pude evitar de pensar que formávamos um grupo bastante pitoresco e o quão estranha e suspeita deveria parecer nossa tarefa para qualquer intruso que, por acaso, topasse conosco naquele lugar.

Cavamos em ritmo constante por duas horas. Falamos bem pouco; nosso principal incômodo foram os latidos do cachorro, que demonstrava um ávido interesse em nossas atividades. Por fim, ele se tornou tão escandaloso que receamos que pudesse atrair a atenção de alguns curiosos nas redondezas — na verdade, quem receou foi Legrand; eu teria ficado grato com qualquer interrupção que me permitisse arrastá-lo de volta para casa. O barulho foi afinal silenciado de maneira muito eficaz por Júpiter que, saindo do fosso com um ar obstinado de deliberação, amarrou a mandíbula do animal com um de seus suspensórios e retomou, com uma risadinha maligna, a tarefa.

Após as duas horas de trabalho, havíamos alcançado a profundidade de um metro e meio — e não havia nem sinal de qualquer tesouro. Sucedeu-se uma longa pausa e torci para que a farsa tivesse chegado ao fim. Legrand, entretanto, embora visivelmente desconcertado, enxugou a testa, pensativo, e recomeçou. Cavamos o círculo inteiro de um metro e vinte de diâmetro e, em seguida, ampliamos um pouco o limite e alcançamos a profundidade de meio metro. Ainda assim, não encontramos nada. O caçador de ouro, de quem eu sinceramente sentia pena, por fim ergueu-se do fosso, relevando a mais amarga decepção estampada no rosto, e pôs-se, com gestos lentos e relutantes, a vestir o casaco, que tirara no início do trabalho. Nesse ínterim, não abri a boca. Júpiter, a um sinal do patrão, pôs-se a recolher as ferramentas. Isso feito, e a mordaça do cachorro removida, começamos o retorno a casa em profundo silêncio.

Tínhamos dado, talvez, uma dúzia de passos nessa direção quando, vociferando um xingamento, Legrand partiu para cima de Júpiter e o agarrou pela gola. O negro, estupefato, arregalou o máximo que podia os olhos e a boca, deixou cair as pás e prostrou-se de joelhos no chão.

— Seu patife — acusou Legrand, cuspindo as palavras pelos dentes trincados. — Seu estúpido preto infernal! Diga de uma vez! Responda agora mesmo, sem delongas! Qual é seu olho esquerdo?

— Ah, meu Deus do céu, sinhô Will! Num é esse daqui o meu ôio esquerdo, cum certreza? — gritou o aterrorizado Júpiter, pousando a mão no olho *direito* e mantendo-a no local com desesperada persistência, como se temesse que seu patrão tentasse arrancá-lo a qualquer momento.

— Imaginei! Eu sabia! Viva! — berrou Legrand, largando o negro e dando pulinhos e piruetas, para o assombro de seu criado que, levantando-se do chão e sem dizer nada, olhava ora para o patrão, ora para mim. — Vamos! Precisamos voltar — anunciou. — O jogo não terminou ainda — falou, conduzindo-nos de volta ao tulipeiro.

Quando chegamos no pé da árvore, ele disse:

— Júpiter, venha cá! A caveira estava presa por um prego com o rosto para cima ou colado ao galho?

— O rosto tava pra cima, sinhô, pra que os corvo pudesse pegá os óios sem tê trabáio.

— Muito bem. Foi nesse ou nesse olho pelo qual você desceu a corda com o inseto? — perguntou Legrand, tocando alternadamente nos olhos de Júpiter.

— Foi esse ôio, sinhô, o ôio esquerdo, como ocê me falô — respondeu o negro, tocando no olho direito.

— Já chega, vamos tentar de novo.

Então meu amigo, cuja loucura agora apresentava — ou eu imaginava apresentar — determinados indícios de método, removeu a cavilha que marcava o ponto onde o escaravelho caíra para movê-la cerca de sete centímetros na direção oeste. Esticando a fita métrica do ponto mais próximo do tronco até a cavilha, como fizera antes, e continuando a estendê-la em uma linha reta até a distância de dezesseis metros, calculou um novo ponto, distante em vários metros do local onde estivéramos cavando.

Traçou um círculo, um pouco maior do que o anterior, em volta da nova posição e retomamos o trabalho com as pás. Eu estava exausto, mas — sem compreender ao certo o que ocasionara a mudança em meu estado de espírito — não sentia mais aversão alguma ao trabalho imposto. Estava inexplicavelmente interessado, até mesmo entusiasmado. Talvez houvesse algo no comportamento extravagante de Legrand — um ar de premeditação, de deliberação, que me impressionasse. Continuei cavando com fervor e, vez ou outra, surpreendi-me ansiando, com algo que parecia expectativa, pelo tesouro imaginário cuja ilusão enlouquecera meu pobre amigo. Em um determinado momento, quando tais devaneios tomavam conta da minha mente e já estávamos cavando por mais de uma hora e meia, fomos mais uma vez interrompidos pelos latidos violentos do cachorro. Da outra vez, a inquietação dele decerto não passara de um arroubo brincalhão e caprichoso, mas agora ele parecia feroz e sério. Resistiu furioso à tentativa de Júpiter de amordaçá-lo e, pulando no buraco, pôs-se a lacerar a terra freneticamente com as garras. Em poucos segundos, desenterrou uma quantidade expressiva de ossos humanos, que formavam dois esqueletos completos, misturados com diversos botões de metal e o que pareciam ser os restos de um tecido de lã decomposto. Um ou dois golpes de pá revelaram a lâmina de uma comprida adaga espanhola e, cavando mais um pouco, encontramos três ou quatro moedas de ouro e prata.

Ao ver os itens, Júpiter mal pode conter sua alegria, mas a expressão no rosto de Legrand era de extrema decepção. No entanto, instou que prosseguíssemos em nossos esforços e mal tinha terminado de falar quando a ponta de minha bota ficou presa em uma larga argola de ferro, coberta parcialmente pela terra solta, levando-me a tropeçar e cair para a frente.

Retomamos o trabalho com dedicação renovada e eu jamais passara dez minutos em euforia tão intensa. Nesse intervalo, havíamos desenterrado boa parte de um baú retangular de madeira que, a julgar por sua impecável preservação e surpreendente solidez, certamente fora submetido a algum processo de mineralização, talvez por bicloreto de mercúrio. Esse baú media quase um metro de comprimento, noventa centímetros de largura e setenta e cinco de altura. Estava fixado com muita firmeza por tiras rebitadas de ferro forjado, que formavam uma espécie de treliça na superfície. Em cada lado do baú, perto da tampa, havia três argolas de ferro — seis ao todo — que permitiam segurá-lo com firmeza por seis pessoas. Nossos mais arraigados esforços em conjunto foram suficientes apenas para desalojar de leve o baú de seu leito. Vimos então que seria impossível remover uma peça tão pesada. Por sorte, os únicos fechos da tampa consistiam em dois ferrolhos de correr. Nós os abrimos, trêmulos e ofegantes de ansiedade. Em questão de segundos, um tesouro de valor incalculável cintilou diante de nossos olhos. Assim que a luz das lanternas mergulhou no fosso, o clarão incandescente de uma pilha profusa de ouro e joias refletiu em nossos olhos perplexos.

Não pretendo tentar descrever o que senti ao contemplar tal visão. O sentimento predominante, é claro, era de espanto. Legrand parecia exausto de tanta empolgação e disse pouquíssimas palavras. O semblante de Júpiter, durante alguns minutos, exibiu uma palidez mortal — isto é, ficou tão pálido quanto o rosto de um negro pode ficar, pela natureza das coisas. Ele parecia estupefato, como se atingido por um raio. Súbito, caiu de joelhos no fosso e, enterrando os braços nus até o cotovelo na montanha de ouro, deixou-os assim soterrados, como se desfrutando do requinte de um banho. Por fim, com um profundo suspiro, pôs-se a falar sozinho:

— Tudo isso veio do caravéio de ôro! O caravéio bunitinho de ôro! O caravéio porbrezinho de ôro, qui eu mártratei cum tanto ódio! Num tá cum vergonha docê, naum, nego? Me diz se num tá!

Por fim, tornou-se necessário que eu despertasse tanto patrão quanto empregado do transe, para que pudéssemos proceder à remoção do tesouro. Estava ficando tarde e convinha que nos empenhássemos para que fosse possível levar tudo para casa antes do dia clarear. Era difícil definir como daríamos cabo da tarefa; perdemos bastante tempo deliberando, tão confusas estavam nossas ideias. Finalmente, removendo dois terços de seu conteúdo, conseguimos diminuir o peso do baú e foi possível, com algum esforço, erguê-lo do fosso. Os itens removidos foram depositados entre os espinheiros, com o cão de vigia, tendo recebido ordens severas de Júpiter para, em hipótese alguma, sair de seu posto ou abrir a boca até que retornássemos. Corremos então para casa com o baú, alcançando a cabana a uma hora da manhã, em segurança, mas após muita peleja. Exaustos como estávamos, não tivemos condições de prosseguir. Descansamos até às duas, comemos algo e partimos para as colinas em seguida, munidos com três sacos firmes que, por sorte, encontramos em casa ao nosso alcance. Chegamos ao fosso um pouco antes das quatro, distribuímos o restante da pilhagem da melhor forma possível entre nós e, deixando os buracos descobertos, partimos de volta para a cabana. Lá, pela segunda vez, depositamos o áureo fardo assim que os primeiros raios da aurora despontaram sobre as copas das árvores.

Estávamos completamente esgotados, mas a euforia intensa da descoberta não nos permitia repousar. Depois de um sono inquieto de umas três ou quatro horas, acordamos, como se tivéssemos combinado, e fomos examinar o tesouro.

Por causa do abundante conteúdo do baú, passamos um dia inteiro e boa parte da noite seguinte examinando as riquezas que ele continha. Os itens não haviam sido dispostos obedecendo alguma ordem ou arranjo. Davam a impressão de terem sido amontoados de qualquer jeito. Depois de separar tudo com cuidado, descobrimos que estávamos em posse de uma fortuna ainda maior do que havíamos suposto. Em moedas, havia mais de quatrocentos e cinquenta dólares — estimamos o valor das peças, com o máximo de precisão possível, de acordo com a época. Não havia uma única mísera partícula de prata. Era tudo ouro, e bastante variado — dinheiro francês, espanhol e alemão; alguns guinéus ingleses e algumas espécies que jamais tínhamos visto antes. Havia diversas moedas bem grandes e pesadas, tão gastas que era impossível ler as inscrições. Não encontramos dinheiro americano. Tivemos mais dificuldade para estimar o valor das joias. Havia diamantes — alguns bem grandes e imponentes —, no todo, cento e dez, e nenhum deles pequeno; dezoito rubis de brilho formidável; trezentas e dez esmeraldas, todas muito bonitas; vinte e uma safiras e uma opala. As pedras haviam sido arrancadas de seus engastes e atiradas no baú. Os engastes, espalhados em meio ao ouro, pareciam ter sido batidos com martelo, como se para impedir sua identificação. Além de tudo isso, havia ainda uma grande quantidade de ornamentos sólidos de ouro — quase duzentos anéis e brincos de ouro maciço, riquíssimas correntes (trinta, se me lembro bem), oitenta e três crucifixos grandes e pesados, cinco incensários de alto valor, uma extraordinária poncheira dourada, ricamente ornada com entalhos de folhas de videira e figuras de bacantes, dois punhos de espada com refinadas gravações em relevo e muitos outros artigos menores dos quais não consigo me recordar. O peso desses objetos ultrapassava cento e cinquenta quilos e, nesse cálculo, não incluí cento e noventa e sete magníficos relógios de ouro, sendo que três entre eles valiam quinhentos dólares cada um.

Muitos eram antigos e não serviam mais para marcar o tempo; as engrenagens haviam sofrido variados graus de corrosão, mas eram todos incrustados de joias e estavam guardados em estojos de grande valor. Naquela noite, calculamos que o conteúdo total do baú valia um milhão e meio de dólares e, depois de separarmos alguns enfeites e joias (algumas para uso pessoal), ficamos sabendo que o tesouro valia muito mais do que havíamos calculado.

Quando finalmente concluímos nossa avaliação e a euforia intensa da descoberta, de alguma forma, se aquietara, Legrand, percebendo-me impaciente em relação à solução daquele incrível enigma, relatou de forma minuciosa todas as suas circunstâncias.

— Você deve se lembrar — começou ele — da noite em que lhe mostrei um desenho que fiz do escaravelho. Deve recordar também que fiquei bastante irritado por insistir que meu rascunho parecia uma caveira. Quando você pontuou isso pela primeira vez, pensei que estivesse brincando. Mas, depois, lembrei-me das manchas peculiares no dorso do inseto e fui obrigado a admitir que sua observação não deixava de se basear em um fato. Ainda assim, o deboche aos meus talentos de ilustrador me tirou do sério, pois sou considerado um bom desenhista. Portanto, quando me devolveu o pedaço de pergaminho, eu estava prestes a amassá-lo e, de raiva, atirá-lo ao fogo.

— O pedaço de papel, você quer dizer — corrigi.

— Não, tinha aparência de papel e, de início, supus que fosse, mas quando desenhei nele, logo descobri ser um pedaço bem fino de pergaminho. Estava bem sujo, você deve lembrar. Bem, justamente quando o estava amassando, avistei de relance o desenho que estivera olhando. Pode imaginar minha surpresa quando percebi, de fato, o desenho de uma caveira onde antes, me parecia, eu desenhara o inseto. Por um momento, fiquei surpreso demais para conseguir pensar direito. Sabia que meu desenho era diferente em detalhes, embora houvesse uma certa semelhança no formato geral. Apanhei uma vela e, sentando-me no outro canto do aposento, pus-me a examinar o pergaminho com redobrada atenção. Ao virá-lo, vi meu desenho no verso, exatamente como o tinha feito. Primeiro, fiquei realmente surpreso com a extraordinária semelhança do formato — com a coincidência singular do fato de que, sem que eu soubesse, tivesse uma caveira do outro lado do pergaminho, justamente embaixo do meu escaravelho, e que essa caveira, não apenas no formato, mas no tamanho, se parecesse tanto com meu desenho. A singularidade dessa coincidência me deixou surpreso por um tempo. É este o efeito usual de tais coincidências. A mente se esforça para estabelecer uma conexão, uma sequência de causa e efeito, e, vendo-se incapaz de fazê-lo, sofre uma espécie de paralisia temporária. Porém, quando me recuperei do estupor, começou a nascer em mim, aos poucos, uma convicção que me deixou ainda mais pasmo do que a própria coincidência. Comecei a rememorar, com clareza, de que não havia *nenhum* desenho no pergaminho quando esbocei o escaravelho. Disso, tinha certeza absoluta, pois me lembro de ter virado o pergaminho de um e de outro lado para ver onde estava mais limpo. Se a caveira estivesse lá, é claro que eu a teria visto. Ali estava, de fato, um mistério impossível de ser explicado, mas, mesmo naquele primeiro momento, era como se nos recantos mais remotos e secretos de minha mente, a realidade da aventura que a noite passada comprovou de forma magnífica já lançasse seus pálidos raios fulgurantes em minha imaginação. Levantei-me depressa e, guardando o pergaminho em um local seguro, decidi reservar minhas reflexões para um momento em que estivesse só.

"Depois que você foi embora, e com Júpiter dormindo pesadamente, empreendi uma investigação mais metódica do mistério. Em primeiro lugar, analisei o modo como o pergaminho viera parar em minhas mãos. O local onde descobrimos o escaravelho ficava no litoral do continente, a um quilômetro e meio a leste da ilha, mas a uma curta distância acima do nível do mar. Quando capturei o inseto, ele me deu uma picada incisiva, o que me levou a soltá-lo. Júpiter, com sua habitual precaução, antes de apanhar o inseto, que voara em sua direção, procurou ao seu redor por uma folha ou algo parecido para segurá-lo. Foi então que seus olhos avistaram, assim como os meus, um pedaço de pergaminho que, na ocasião, confundi com papel. Jazia parcialmente enterrado na areia, com um dos cantos para cima. Perto do local em que o encontramos, observei os resquícios de um casco que julguei ter pertencido ao escaler de um navio. A ruína parecia estar no local há muito tempo, pois quase não era possível discernir a estrutura da embarcação.

"Bem, Júpiter apanhou o pergaminho, embrulhou o escaravelho e o entregou para mim. Logo em seguida, partimos de volta para casa e, no caminho, encontramos o tenente G. Mostrei-lhe o inseto e ele me implorou que o deixasse levar até o forte. Ao obter meu consentimento, imediatamente o inseriu no bolso de seu colete, sem o pergaminho que até então embalara o escaravelho e que ficara em minha mão durante todo o tempo em que inspecionara minha descoberta. Talvez, temendo que eu mudasse de ideia, ele tenha achado melhor garantir logo a posse de sua conquista, você sabe como tudo que diz respeito à história natural o deixa entusiasmado. Ao mesmo tempo, sem perceber conscientemente, devo ter colocado o pergaminho em meu próprio bolso.

"Você se lembra de que, quando fui até a escrivaninha com a intenção de fazer um desenho do escaravelho, não encontrei papel onde costumo deixar. Procurei na gaveta e também não achei. Apalpei meus bolsos, na esperança de encontrar alguma carta antiga, e foi então que o pergaminho me voltou à mente. Estou detalhando minuciosamente como foi que ele chegou às minhas mãos porque as circunstâncias me impressionaram com uma força fora do comum.

"Você decerto me considera fantasioso, mas eu enfim conseguira estabelecer uma *conexão*. Unira os elos de uma grande corrente. Havia um barco na costa e, não muito distante dele, um pergaminho, *não um papel*, com uma caveira desenhada. Você, é claro, vai perguntar: 'Onde está a conexão?'. Ora, a caveira é o conhecido emblema dos piratas. A bandeira com a caveira é içada em todos os seus combates.

"Falei que o pedaço era de pergaminho, não de papel. Pergaminhos são duráveis, praticamente imperecíveis. Assuntos corriqueiros não costumam ser confiados ao pergaminho, uma vez que, para os meros propósitos comuns de desenho e escrita, ele não serve tão bem quanto o papel. Esta constatação imprimiu algum significado, alguma relevância, à caveira. Não pude também deixar de observar o *formato* do pergaminho. Embora um dos cantos tenha sido destruído por algum acidente, era possível verificar que seu formato original era retangular. O tamanho era adequado para um memorando, para o registro de algo que merecia ser lembrado e cuidadosamente preservado."

— Mas — interrompi — você diz que a caveira *não* estava no pergaminho quando desenhou o escaravelho. Por que então traça uma conexão entre o barco e a caveira, já que a caveira, você mesmo reconhece, deve ter sido desenhada, sabe Deus como e por quem, em um período posterior ao seu desenho?

— Ah, é a partir daí que o mistério todo se desenrola, embora, a essa altura, eu tenha tido menos dificuldade em solucionar o enigma. Meus passos foram certeiros e só podiam mesmo alcançar um único resultado. Raciocinei, por exemplo, assim: quando desenhei o escaravelho, não havia nenhuma caveira visível no pergaminho. Quando completei o desenho, entreguei-o a você e o tive diante de meus olhos o tempo todo até você me devolver. *Você*, portanto, não desenhou a caveira e não havia mais ninguém presente que pudesse tê-la desenhado. Assim, não pode ter sido feito por mãos humanas. E, não obstante, o desenho surgiu logo depois.

"Nesse estágio de minhas reflexões, tentei recordar, e acabei *conseguindo*, com clareza absoluta, cada incidente ocorrido no período em questão. Fazia frio (ah, raro e feliz milagre!) e a lareira estava acesa. Eu sentia calor, por causa da caminhada, e sentei-me perto da mesa. Você, contudo, puxou uma poltrona para perto da chaminé. Assim que entreguei-lhe o pergaminho, enquanto você o examinava, meu cão, Lobo, entrou correndo e pulou em cima do seu colo. Você o acariciou com a mão esquerda, mantendo-o afastado, enquanto a direita, que ainda segurava o pergaminho, pendia imóvel entre seus joelhos, bem próxima ao fogo. Houve um momento em que cheguei a pensar que uma chama tivesse atingido o pergaminho e estava prestes a avisá-lo, mas, antes mesmo que pudesse falar, você recolheu a mão e continuou a inspeção. Quando levei todas essas circunstâncias em consideração, não tive mais dúvidas de que o *calor* fora responsável pela aparição da caveira que vi desenhada no pergaminho. Você sabe que existem substâncias químicas, desde tempos imemoriais, que permitem a escrita em papel ou em velino, de modo que as letras só se tornem visíveis quando submetidas à ação do fogo. O óxido de cobalto, misturado à água-régia e diluído em quatro vezes seu volume em água, às vezes é empregado para tal finalidade, formando uma tinta esverdeada. O régulo de cobalto, dissolvido em solução de salitre, resulta em uma tinta vermelha. As cores desaparecem após um intervalo variável, depois que o líquido usado esfria, mas tornam-se visíveis novamente quando submetidas à ação do calor.

"Pus-me então a examinar a caveira com esmero. Seus contornos externos, as extremidades do desenho mais próximas ao canto do velino, eram bem mais *visíveis* do que os demais. Era evidente que a ação do calor fora imperfeita ou desigual. Imediatamente, acendi o fogo e expus o pergaminho inteiro ao calor das chamas. No início, o único efeito foi a acentuação dos traços mais fracos do desenho, mas, insistindo no experimento, vi surgir no canto do pergaminho, diametralmente oposta ao ponto no qual fora delineada a caveira, uma figura que primeiro julguei ser uma cabra. Examinando com mais atenção, percebi que se tratava, na verdade, de um cabrito."

— Ha, ha! É bem verdade que não tenho o direito de rir de você, pois um milhão e meio não é motivo de deboche, mas acho improvável que consiga vincular um terceiro elo à sua corrente! Não existe conexão específica alguma entre piratas e cabras; piratas, você sabe, não têm nada a ver com cabras, pois elas pertencem à agricultura.

— Pois não acabei de dizer que *não* era a figura de uma cabra?

— Ora, um cabrito, que seja. Dá no mesmo.

— Quase, mas não exatamente — respondeu Legrand. — Você já deve ter ouvido falar de um certo capitão Kidd. Ora, em inglês *kid* significa, entre outras coisas, "cabrito". Na mesma hora, passei a ver a figura do animal como uma espécie de trocadilho ou assinatura hieroglífica. Digo isso porque a posição da figura no velino sugeria uma assinatura. A caveira no canto diametralmente oposto indicava, do mesmo modo, a ideia de um selo. No entanto, a ausência de todo o resto, do suposto corpo do texto, estava me deixando aborrecido.

— Presumo que você estivesse esperando encontrar uma carta entre o selo e a assinatura.

— Algo do gênero. O fato é que eu tinha o pressentimento irresistível de uma bela e farta fortuna por trás de tudo aquilo. Não sei dizer por quê. Talvez, no fim das contas, fosse mais um desejo do que uma crença verdadeira. Mas sabe que as palavras tolas de Júpiter, sobre o inseto ser de ouro maciço, tiveram um efeito considerável em minha mente? E depois, aquela série de acidentes e coincidências; era tudo *tão* inacreditável. Você percebe como foi por um mero acidente que esses acontecimentos ocorreram no único dia, do ano inteiro, que fez frio o suficiente para que eu acendesse uma lareira? E que, sem o fogo na lareira ou a interrupção do cachorro, naquele exato momento, eu jamais teria notado a caveira e, assim, nunca tomaria posse do tesouro?

— Prossiga. Sou todo impaciência.

— Bem, você certamente já deve ter ouvido as diversas histórias que correm por aí, os milhares de rumores vagos sobre tesouros enterrados, em algum lugar da costa atlântica, por Kidd e seus companheiros. Esses rumores deviam ter algum fundamento real. E me parecia que o fato de existirem por tanto tempo, e de forma tão contínua, só pudesse significar que o tesouro escondido *permanecia* enterrado. Se Kidd tivesse escondido sua pilhagem por um tempo e a recuperado depois, os rumores dificilmente teriam sobrevivido até os dias de hoje. Você há de notar que as histórias relatadas são todas sobre caçadores de fortunas, nunca sobre aqueles que as encontram. Se o pirata tivesse recuperado seu dinheiro, o assunto teria morrido. Comecei a achar que algum acidente, digamos, a perda de um memorando indicando o local do esconderijo, poderia tê-lo privado dos meios de recuperá-lo. E imaginei que esse incidente tivesse chegado aos ouvidos de seus seguidores que, caso contrário, jamais saberiam que o tesouro fora escondido, e que tais seguidores, esforçando-se em vão para recuperá-lo, mas sem pistas que os guiassem, haviam dado origem e disseminado os boatos tão comuns hoje em dia. Você já ouviu falar sobre algum tesouro importante que fora desenterrado ao longo da costa?

— Nunca.

— Mas todos sabem que a fortuna acumulada por Kidd era imensa. Tomei como certo que o tesouro ainda estava enterrado, e você não se surpreenderá quando confessar que nutri uma esperança, que beirava as raias da certeza, de que o pergaminho encontrado de maneira tão estranha pudesse ser, na verdade, o registro perdido do local onde o tesouro fora depositado.

— Mas como você procedeu?

— Aumentei a chama e expus mais uma vez o velino ao calor do fogo, mas nada apareceu. Comecei a considerar a hipótese de que a camada de sujeira pudesse ter algo a ver com o fracasso de meu experimento, então lavei o pergaminho cuidadosamente com água morna e, após concluir a limpeza, o estirei em uma frigideira de estanho, com o desenho da caveira para baixo, e coloquei-a em uma fornalha. Em questão de minutos, tendo a frigideira se aquecido por completo, removi o pergaminho e, para minha inexprimível alegria, vi que surgiam, em diversos lugares, o que pareciam ser pequenas figuras dispostas em linhas. Tornei a colocá-lo na frigideira e o mantive aquecida por mais um minuto. Ao removê-lo, estava exatamente como vou mostrar-lhe agora.

Legrand me entregou o pergaminho, após reaquecê-lo, para que eu o inspecionasse. Os seguintes caracteres estavam rudemente traçados nele, em tinta vermelha, entre a caveira e o cabrito:

53‡‡†305))6*;4826)4‡.)4‡);806*;48†8¶60))85;;]8*;:‡*8†
83(88) 5*†;46(;88*96*?;8)*‡(;485);5*†2:*‡(;4956*2(5*—
4)8¶8*;40692 85;);)6†8)4‡‡;1(‡9;48081;8:8‡1;48†85;4)485†52
8806*81(‡9;48; (88;4(‡?34;48)4‡;161;:188;‡?;

— Mas — falei, devolvendo o pergaminho — estou mais no escuro do que antes. Se todas as joias de Golconda estivessem à minha espera, dependendo da solução do enigma, tenho certeza de que não iria consegui-las.

— No entanto — disse Legrand — a solução está longe de ser tão difícil quanto você pode ser induzido a acreditar, em uma primeira análise apressada dos caracteres. Estes, como qualquer um pode adivinhar prontamente, formam uma cifra, ou seja, guardam um significado. Porém, pelo que se sabe sobre Kidd, não o imaginei capaz de construir um criptograma dos mais incompreensíveis. Concluí de imediato que se tratava de algo simples, mas que deveria parecer, ao intelecto rudimentar do marinheiro, indecifrável sem a chave do enigma.

— E você o decifrou mesmo?

— Facilmente. Já solucionei enigmas dez mil vezes mais complexos. As circunstâncias da vida e uma certa predisposição mental despertaram meu interesse por tais charadas e devemos sempre duvidar se a engenhosidade humana é capaz de elaborar um enigma que a própria engenhosidade humana não consiga, com a dedicação adequada, solucionar. Para ser franco, uma vez estabelecidos caracteres conectados e legíveis, não encontrei dificuldade alguma para descobrir seu significado.

"No caso em questão; na verdade, em todos os casos de escrita secreta; a primeira coisa a descobrir é o *idioma* usado na cifra, pois os princípios da solução, sobretudo nos enigmas mais simples, dependem disso e variam com a inventividade da língua em questão. Em geral, não há outra alternativa além do teste (dirigido pelas probabilidades) de todas as línguas conhecidas por aquele que tenta decifrar o enigma, até que seja descoberta a que foi usada. Porém, no caso desta cifra, tal dificuldade já foi sanada pela assinatura. O trocadilho da palavra "Kidd" com o cabrito, *kid*, não faz sentido em nenhuma outra língua a não ser a inglesa. Não fosse por essa pista, eu teria começado minhas tentativas com espanhol e francês, idiomas mais comuns em um enigma do tipo, elaborado por um pirata da costa caribenha. Como não era o caso, concluí que o criptograma fora todo elaborado em inglês.

"Perceba que não existem divisões entre as palavras. Nesse caso, a tarefa seria um pouco mais fácil. Eu teria começado com um cotejo e uma análise das palavras mais curtas e, se surgisse uma palavra de uma só letra, teria considerada como certa a solução. Todavia, como não havia divisão alguma, meu primeiro passo foi determinar as letras predominantes, bem como as menos frequentes. Contando todas, elaborei uma tabela assim:

Do caractere	8	existem	33.
	;	"	26.
	4	"	19.
	‡)	"	16.
	*	"	13.
	5	"	12.
	6	"	11.
	†1	"	8.
	0	"	6.
	92	"	5.
	:3	"	4.
	?	"	3.
	¶	"	2.
	]—.	"	1.

"Bem, em inglês, a letra que costuma predominar é o *e*. Depois, a sucessão é a seguinte: *a o i d h n r s t u y c f g l m w b k p q x z*. A letra *e*, no entanto, tem uma predominância tão extraordinária que, não importa o tamanho de uma sentença, ela dificilmente não se apresenta como o caractere dominante.

"Temos aqui, então, logo no começo, a base para algo, e não apenas um mero palpite. O uso geral que pode ser feito da tabela é óbvio, mas, neste caso específico, precisaremos apenas parcialmente de sua ajuda. Como nosso caractere predominante é o 8, começamos supondo que equivalha ao *e* do alfabeto comum. Para averiguar a suposição, vamos observar se o 8 é visto com frequência em dobro, pois, em inglês, é frequente o uso do *e* dobrado, em palavras como *meet, fleet, speed, seen, been, agree* etc. Em nosso enigma, ele aparece dobrado cinco vezes, embora o criptograma seja curto.

"Vamos supor, então, que o 8 seja o *e*. Bem, de todas as *palavras* na língua inglesa, a mais comum é *the*; vejamos, portanto, se não temos repetições de qualquer trio de caractere na mesma ordem de colocação, sendo o 8 último do trio. Se descobrimos repetições dessas letras, agrupadas desse modo, provavelmente representam a palavra *the*. Ao examinarmos o enigma, descobrimos nada menos do que sete caracteres ;48. Podemos, então, supor que o ponto e a vírgula representa o *t*, o 4 representa o *h* e o 8, o *e*, tendo assim confirmado este último. Damos, deste modo, um grande passo rumo à solução.

"Entretanto, tendo desvendado uma única palavra, estamos aptos a estabelecer um ponto muito importante, a saber: os diversos começos e terminações de outras palavras. Vejamos, por exemplo, a penúltima ocorrência da combinação ;48 encontra-se próxima ao fim da cifra. Sabemos que o ponto e vírgula é o começo de uma palavra e, dos seis caracteres subsequentes ao *the*, já conhecemos nada menos do que cinco. Vamos então substituir esses caracteres pelas letras que sabemos representar, deixando um espaço para a desconhecida:

t eeth.

"Podemos então, de pronto, descartar o *th* como parte da palavra que começa com o primeiro *t*, já que, vasculhando o alfabeto inteiro em busca de uma letra que se encaixe no espaço vazio, percebemos que não é possível formar nenhuma palavra da qual o *th* possa fazer parte. Assim, ficamos reduzidos a:

t ee,

e, passando por todo o alfabeto, se necessário, como antes, concluímos que a única possibilidade é a palavra *tree*. Ganhamos assim outra letra, o *r*, representada pelo (, com as palavras *the tree* justapostas.

"Olhando além dessas palavras, vemos novamente a combinação ;48 e a empregamos como a *terminação* da palavra que a precede. Temos então o seguinte arranjo:

the tree ;4(‡?34 the,

ou, substituindo as letras, quando conhecidas:

the tree thr‡?3h the.

"Agora se, no lugar dos caracteres desconhecidos, deixamos espaços em branco ou pontos, teremos:

the tree thr... h the,

o que torna logo evidente a palavra *through*. Tal descoberta nos dá mais três letras novas, *o*, *u* e *g*, representadas por ‡, ? e 3.

"Examinando agora, com atenção, a cifra em busca de combinações de caracteres já conhecidos, encontramos este arranjo, logo no começo:

83(88, ou egree,

em que, claramente, podemos concluir que se trata da palavra *degree*, o que nos dá a letra *d*, representada por †.

"Quatro letras após a palavra *degree*, notamos a combinação:

;4 >>8<< <6> (;88.

"Traduzindo os caracteres conhecidos e representando os desconhecidos por pontos, como fizemos antes, temos:

th . rtee,

um arranjo que imediatamente sugere a palavra *thirteen* e nos dá mais duas letras, o *i* e o *n*, representados por 6 e *.

"Voltando para o início do criptograma, encontramos a combinação:

53‡‡†.

"Traduzindo, como antes, obtemos:

. good,

o que nos confirma que a primeira letra é *A* e que as duas primeiras palavras são *A good*.

"Para evitar confusão, é hora de organizar a chave do enigma em uma tabela, com o que descobrimos até agora. Fica assim:

5	representa	a
†	"	d
8	"	e
3	"	g
4	"	h
6	"	i
*	"	n
‡	"	o
(	"	r
;	"	t
?	"	u

"Temos, portanto, nada menos do que dez das letras mais importantes representadas e, sendo assim, não é mais necessário prosseguir com os detalhes da solução. Já disse o bastante para convencê-lo de que cifras como essa são de fácil solução e para lhe dar algum esclarecimento sobre a *lógica* de seu desenvolvimento. No entanto, esteja certo de que o enigma diante de nós pertence ao tipo mais simples de criptogramas. Resta-me apenas apresentar a tradução completa dos caracteres no pergaminho, já decifrados. É a seguinte:

> Um bom vidro no albergue do bispo no assento do diabo vinte e um graus e treze minutos nordeste para norte principal tronco sétimo galho lado leste atirar do olho esquerdo da caveira uma linha abelha da árvore através do tiro quinze metros além."

— Mas o enigma parece pior do que antes! — exclamei. — Como é possível extrair algum significado de todo esse linguajar sobre "assento do diabo", "caveiras" e "albergue do bispo"?

— Confesso — respondeu Legrand — que o enigma ainda parece complexo, quando analisado superficialmente. Minha primeira providência foi reformular a sentença usando a divisão natural pretendida pelo criptografista.

— A pontuação, você quer dizer?

— De certa forma.

— Mas como você conseguiu fazer isso?

— Concluí que o autor deve ter decidido, *propositalmente*, colocar as palavras todas juntas, sem divisão, para aumentar a dificuldade do enigma. Como não era um homem muito astuto, ao executar tal tarefa, decerto exageraria. Quando, ao longo da mensagem, alcançasse uma quebra no assunto que normalmente exigiria uma pausa, ou um ponto, não resistiria à tentação de, nesse local, agrupar mais os caracteres. Se você observar o manuscrito, tal como está, poderá detectar, sem dificuldade, cinco ocorrências de agrupamentos suspeitos. Seguindo tal pista, fiz a seguinte divisão:

> Um bom vidro no albergue do bispo no assento do diabo — vinte e um graus e treze minutos — nordeste para norte — principal tronco sétimo galho lado leste — atirar do olho esquerdo da caveira — uma linha abelha da árvore através do tiro quinze metros além.

— Mesmo com essa divisão — comentei — continuo no escuro.

— Também fiquei no escuro — respondeu Legrand. — Ao menos, por alguns dias, durante os quais conduzi uma investigação minuciosa nos arredores de Sullivan's Island, em busca de qualquer construção que tivesse o nome "Hotel do Bispo"; achei, é claro, que a palavra "albergue" tinha ficado obsoleta. Não consegui informação alguma a respeito e estava prestes a ampliar a esfera de minha busca, procedendo de maneira mais sistemática, quando, certa manhã, me ocorreu subitamente que esse "albergue do bispo" poderia se referir a uma família antiga, de nome Bessop, que há muitos e muitos anos, tivera uma mansão antiga a uns seis quilômetros ao norte da ilha. Fui até o local e retomei a investigação, fazendo perguntas aos negros mais velhos que encontrei por lá. Por fim, uma das mulheres mais idosas disse já ter ouvido falar de um local chamado *Castelo de Bessop* e disse que achava que poderia me conduzir até lá, mas que não se tratava de um castelo de verdade, e sim de uma pedra bem alta.

"Ofereci um bom pagamento pelo transtorno e, após alguma hesitação, ela consentiu em me levar até o local. Nós o encontramos sem dificuldade. Assim, dispensando a senhora, comecei a explorar a área. O 'castelo' era um agrupamento irregular de penhascos e rochas. Uma das rochas possuía uma altura impressionante, bem como uma aparência isolada e artificial. Subi até o topo e ali fiquei, sem saber o que fazer em seguida.

"Enquanto ocupava-me em reflexões, meus olhos bateram em uma borda estreita, na face lesta da rocha, mais ou menos a um metro abaixo do local onde eu estava. Essa borda tinha uma projeção de uns vinte centímetros e menos de trinta centímetros de largura. Um nicho no penhasco logo acima lhe conferia uma rústica semelhança com aqueles assentos vazados nas costas, usados por nossos ancestrais. Não tive dúvidas de que se tratava do 'assento do diabo' ao qual o manuscrito se referia e pude então desvendar o mistério do enigma por completo.

"O 'bom vidro' só poderia se referir a um telescópio, pois a palavra 'vidro' raramente é empregada com outro sentido pelos marinheiros. Vi então que deveria fazer uso de um telescópio, contando com um ponto de vista definido e que *não comportava variação*. Também não hesitei em constatar que as frases 'vinte e um graus e treze minutos' e 'nordeste para norte' eram instruções para o nivelamento do telescópio. Muito entusiasmado com essas descobertas, corri de volta para casa, consegui um telescópio e retornei ao local.

"Desci até a borda e observei que era impossível sentar no assento, a não ser em uma posição específica. Tal fato confirmou uma ideia que já se formara em minha mente. Comecei a usar o telescópio. Era evidente que 'vinte e um graus e treze minutos' só podia ser uma referência à elevação acima do horizonte visível, uma vez que a direção horizontal estava claramente indicada pelas palavras 'nordeste para norte'.

Para calculá-la, usei uma bússola de bolso. Então, com o máximo de precisão possível, apontei o telescópio para um ângulo de vinte e um graus de elevação, movendo-o cuidadosamente para cima e para baixo, até que um rombo circular na folhagem de uma árvore altíssima, que parecia sobrepujar suas companheiras, chamou minha atenção. No centro desse espaço, percebi uma mancha branca, mas não pude, de início, distinguir o que era. Ajustando o foco do telescópio, olhei novamente e foi então que percebi se tratar de um crânio humano.

"Diante dessa descoberta, fiquei tão otimista que cheguei a considerar solucionado o enigma, pois a frase 'principal tronco sétimo galho lado leste' só poderia se referir à posição do crânio na árvore, ao passo que 'atirar do olho esquerdo da caveira' também não comportava outra interpretação no que dizia respeito à busca pelo tesouro enterrado. Percebi que a indicação era para que se disparasse um tiro do olho esquerdo do crânio e que a linha de abelha ou, em outras palavras, uma linha reta, traçada do ponto mais próximo do tronco pelo 'tiro' (ou o ponto onde o projétil caísse), estendida por uma distância de cerca de dezoito metros, indicaria o ponto certo com precisão, e, embaixo dele, julguei no mínimo *possível* que o tesouro estivesse escondido."

— Tudo isso é bastante claro e, embora engenhoso, ainda assim muito simples e explícito — disse eu. — Então, o que você fez quando saiu do Albergue do Bispo?

— Ora, tendo marcado cuidadosamente a posição da árvore, voltei para casa. Contudo, assim que deixei o "assento do diabo", o rombo circular desapareceu e não consegui mais vislumbrá-lo, mesmo trocando de posição. O que me parece a maior engenhosidade em tudo isso é o fato (pois, após repetidos experimentos, constatei que era um *fato*) de que essa abertura circular não pode ser vista de nenhum ponto que não o oferecido pela borda estreita na face da pedra.

"Nessa expedição ao Albergue do Bispo, fui acompanhado por Júpiter que, sem dúvida notando meu comportamento introspectivo nas semanas anteriores, cuidava para não me deixar sozinho. Porém, no dia seguinte, acordando bem cedo, consegui tapeá-lo e parti desacompanhado para as colinas, em busca da árvore. Depois de muito esforço, encontrei-a. Quando voltei para casa à noite, ele quis até me açoitar. O resto da aventura você conhece tão bem quanto eu."

— Pelo que entendi — falei — você perdeu o ponto correto na primeira tentativa de escavação por conta da trapalhada de Júpiter, que deixou o inseto cair pelo olho direito, e não pelo esquerdo, da caveira.

— Exatamente. O erro causou uma diferença de uns sete centímetros no "tiro", ou seja, na posição da cavilha mais próxima à árvore. Se o tesouro estivesse escondido *debaixo* do "tiro", o erro teria sido contornável; mas o "tiro", junto com o ponto mais próximo da árvore, eram apenas dois pontos para estabelecermos uma linha de direção. É claro que o erro, por mais trivial que fosse no início, aumentaria enquanto traçássemos a linha e, quando tivéssemos alcançado os dezesseis metros, teríamos nos afastado do lugar correto. Não fosse a minha certeza arraigada de que o tesouro estava enterrado ali, teríamos nos empenhado em vão.

— Suponho que Kidd tenha se inspirado na bandeira dos piratas ao conceber a ideia de deixar um projétil cair pelo olho de uma *caveira*. Decerto julgava uma espécie de coerência poética recuperar seu dinheiro usando justamente esta insígnia ameaçadora.

— Talvez. Contudo, ainda acho que foi mais uma questão de bom senso do que de coerência poética. Para ser visível do assento do diabo, era necessário que o objeto, se pequeno, fosse *branco*. E nenhum objeto retém e até mesmo aumenta a sua brancura quando exposto às vicissitudes do clima quanto o crânio humano.

— Mas como você me pareceu desarrazoado em excesso, com aquela sua grandiloquência e seu comportamento ao caminhar girando o escaravelho! Eu estava certo de que você havia enlouquecido. Por que insistiu em deixar cair o inseto, e não um projétil, do olho da caveira?

— Ora, para ser franco, estava um pouco irritado com a desconfiança flagrante no que dizia respeito à minha sanidade mental e decidi castigá-lo, de minha própria maneira, com um pouco de lúcida mistificação. Por isso fiquei girando o escaravelho e decidi usá-lo no lugar do projétil. Tive essa ideia quando você comentou o quão pesado era o inseto.

— Certo, entendi. Apenas uma única coisa ainda me intriga. Qual será a identidade dos esqueletos que encontramos no fosso?

— Quanto a isso, ignoro a resposta tanto quanto você. No entanto, parece haver apenas uma explicação plausível, embora seja tenebroso pensar que a atrocidade sugerida por essa hipótese possa ter sido cometida. Está claro que Kidd, se de fato foi Kidd quem escondeu esse tesouro, o que não duvido, deve ter contado com alguma ajuda durante a tarefa. Porém, uma vez concluída a pior parte, ele pode ter julgado prudente eliminar aqueles que conheciam o segredo. Talvez tenha resolvido o problema, enquanto seus ajudantes estavam ocupados no fosso, com uns dois golpes de enxada... talvez uma dúzia. Quem poderá saber?

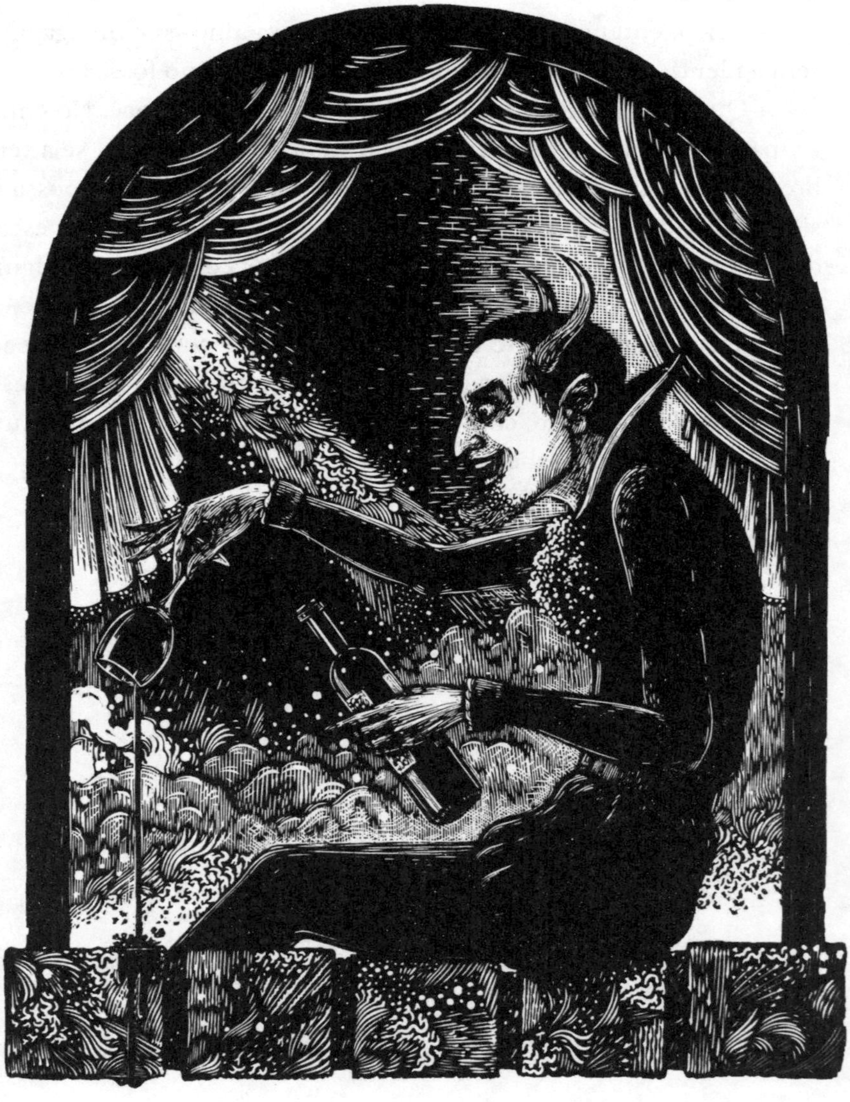

◀ ÍMPETO AVENTUREIRO ▶

NUNCA APOSTE
a cabeça
COM O DIABO

EDGAR ALLAN POE
1841

Con tal que las costumbres de un autor, escreveu Don Thomas de las Torres no prefácio para os seus *Poemas amatórios, sean puras y castas, importo muy poco que no sean igualmente severas sus obras*. Ou seja, desde que a moral de um autor seja puramente pessoal, pouco importa a moral de seus livros. Presume-se que Don Thomas esteja agora no purgatório, graças a tal afirmação. Seria sábio, à guisa de justiça poética, mantê-lo por lá até que seus *Poemas amatórios* saiam de circulação ou sejam, em definitivo, relegados às estantes por falta de leitores. Qualquer obra de ficção deve ter uma moral; e, o mais relevante, os críticos descobriram que toda ficção tem. Philip Melâncton, há algum tempo, escreveu um comentário sobre a "Batracomiomaquia", provando que o objetivo do poeta era instigar um repúdio à sedição. Pierre la Seine, indo ainda mais além, mostrou que a intenção era recomendar aos rapazes que comessem e bebessem com mais temperança. Do mesmo modo, Jacobus Hugo satisfez-se em achar que, por

Euenis, Homero queria se referir a João Calvino; por Antínoo, Martinho Lutero; por Lotófagos, os protestantes em geral; e, pelas Hárpias, os holandeses. Nossos escoliastas mais modernos são igualmente precisos. Esses sujeitos demonstram significados ocultos em *Os antediluvianos*, uma parábola em *Powhatan*, novas interpretações para *Cock Robin* e transcendentalismo em *O pequeno polegar*. Em suma, ficou provado que nenhum homem pode sentar para escrever sem um propósito muito profundo. Assim, os autores em geral são poupados de muitos problemas. Um romancista, por exemplo, não precisa se preocupar com sua moral. Ela está lá — quer dizer, está em algum lugar —, e a moral e os críticos podem tomar conta de si mesmos. Quando a hora certa chegar, tudo o que o cavalheiro pretendia dizer, e tudo o que não pretendia, será esclarecido na *Dial*[1] ou na *Down-Easter*, junto com tudo o que ele deveria ter pretendido e tudo que certamente pretendeu pretender — de modo que, no fim, tudo ficará claríssimo.

Não existe fundamento, portanto, para a acusação que certos energúmenos fizeram contra mim — a de que nunca escrevi um conto moralista ou, melhor dizendo, um conto com uma moral. Eles não são os críticos predestinados a me revelar ou a desenvolver minha moral — aí está o segredo. Eventualmente, o *North American Quarterly Humdrum* fará com que se envergonhem de sua burrice. Enquanto isso, para protelar a execução e mitigar as acusações contra mim, ofereço esta triste história — uma história cuja moral óbvia não pode ser de modo algum questionada, uma vez que o leitor poderá lê-la nas letras garrafais que compõem o título do conto. Essa estratégia deveria me valer algum crédito, sendo mais sábia do que a de La Fontaine e outros, que reservam a mensagem a ser transmitida para o último momento, encaixando-a no derradeiro estertor de suas fábulas.

Defuncti injuria ne afficiantur era uma lei das doze tábuas e *De mortuis nil nisi bonum* é uma excelente injunção — mesmo se o morto em questão não passar de um morto mixuruca. Não é minha intenção, no entanto, vilipendiar meu falecido amigo Toby Dammit. Era um

---

[1] Revista literária criada em 1840, especialmente associada aos transcendentalistas.

pobre-diabo, é verdade, e morreu como um; mas não era culpado por suas falhas. Estas foram causadas por um defeito pessoal de sua mãe. Ela se esforçou para açoitá-lo bastante quando pequeno, pois, para sua mente bem ordenada, os deveres eram sempre deleites, e bebês, como bifes duros ou as modernas oliveiras gregas, ficavam invariavelmente melhores quando bem batidos. Mas pobre mulher! Tinha a infelicidade de ser canhota e, para apanhar de um canhoto, é melhor nem apanhar. O mundo gira da direita para a esquerda. De nada adianta bater em uma criança da esquerda para a direita. Se cada golpe na direção certa expulsa uma tendência para o mal, cada pancada na direção contrária incute no castigado uma dose extra de perversidade. Fui testemunha frequente das surras que Toby levava e, até mesmo nos chutes que recebia, eu podia notar que estava ficando cada dia pior. Por fim, concluí, com lágrimas embaçando os olhos, que não havia esperança alguma para o patife e um dia, quando as bordoadas no rosto o deixaram tão negro a ponto de ser confundido com um africano, sem produzir nenhum efeito além de um convulsivo chilique, não pude mais suportar: prostrei-me de joelhos e, erguendo a voz, profetizei sua ruína.

É bem verdade que sua precocidade na depravação fora terrível. Aos cinco meses de idade, já era tomado por paixões que sequer podia articular. Aos seis, flagrei-o roendo um baralho. Aos sete, tinha o hábito constante de agarrar e beijar bebês do sexo feminino. Recusou-se peremptoriamente a aderir ao movimento da Temperança aos oito meses.[2] E assim prosseguiu, mês após mês, cada vez mais pérfido até que, ao fim de seu primeiro ano, não só insistia em usar bigodes como desenvolvera uma propensão para xingamentos e blasfêmias e passara a embasar suas convicções com apostas.

Foi por causa desse costume pouco cavalheiresco que a ruína que eu profetizara a Toby Dammit acabou por derrotá-lo. A mania havia "crescido com seu crescimento e se fortalecido com sua força" de tal

---

[2] Movimento social que promovia a moderação ou total abstinência do consumo de bebidas alcoólicas.

modo que, quando atingiu a idade adulta, mal conseguia proferir uma frase sem propor uma aposta. Não que chegasse a apostar dinheiro — isso não. Preciso fazer justiça ao meu amigo e reconhecer que ele preferiria botar ovos a arriscar dinheiro em uma aposta. Era apenas um cacoete, nada mais. A expressão lhe ocorria sem nenhum sentido real a ela atrelado. Eram expletivos simples, até mesmo inocentes — frases inventivas para complementar uma sentença. Quando dizia "aposto isso", "aposto aquilo", ninguém o levava a sério; ainda assim, não podia deixar de considerar meu dever admoestá-lo. Era um hábito imoral, e disse isso a ele. Era um hábito vulgar — implorei que acreditasse em mim. Era reprovado pela sociedade — não disse nada além da mais pura verdade. Era proibido por um ato no Congresso — não tive aqui a menor intenção de mentir. Protestei, sem sucesso. Demonstrei, em vão. Supliquei, ele sorriu. Implorei, ele deu uma gargalhada. Prelecionei, ele reagiu com escárnio. Ameacei, ele retrucou com um palavrão. Parti para os pontapés, ele chamou a polícia. Puxei seu nariz, ele o assoou e ofereceu a cabeça ao diabo, apostando que eu não tentaria repetir esse experimento.

A pobreza era outro vício que a peculiar deficiência física da mãe de Dammit incutira no filho. Era abominavelmente pobre e, sem dúvida, era esse o motivo pelo qual suas apostas em bravata não costumavam assumir um caráter pecuniário. Jamais sequer o peguei falando algo como "aposto um dólar". Era mais comum dizer "aposto o que você quiser", "aposto o que você ousar apostar", "aposto uma bagatela" ou, de modo ainda mais significativo, "aposto minha cabeça com o diabo".

Essa última frase parecia ser a que mais o agradava, talvez por ser a que lhe oferecia menos risco — Dammit tornara-se parcimonioso em excesso. Se alguém topasse a aposta em questão, sabia ter uma cabeça bem pequena, de modo que o prejuízo seria igualmente diminuto. No entanto, essas são elucubrações minhas e não tenho nenhuma certeza para considerá-las corretas. A aposta com o diabo, dia após dia e em diversas ocasiões, tornou-se a favorita dele, apesar da bruta impropriedade de um homem que aposta os miolos como se fossem notas — mas essa era uma questão cuja disposição perversa de meu amigo impedia o entendimento. No fim, acabou abandonando todas as demais apostas e entregou-se ao "aposto minha cabeça com o diabo" com uma pertinácia e exclusividade de devoção que não me desagradava menos do que me surpreendia. As circunstâncias cuja compreensão me escapa sempre me desagradam. Os mistérios obrigam o homem a pensar e, com isso, prejudicam a saúde. A verdade é que havia algo na maneira com que Dammit proferia sua expressão ofensiva — algo no modo como a enunciava — que de início me gerava curiosidade, mas depois causava grande desconforto; algo que, por falta de um termo mais definitivo no momento, permitam-me chamar de esdrúxulo. O sr. Coleridge teria chamado de místico, o sr. Kant, de panteístico, o sr. Carlyle de pacífico e o sr. Emerson, hiperzombatísticc. Comecei a não gostar nada daquilo. A alma de Dammit corria grave perigo. Decidi lançar mão de toda a minha eloquência para salvá-la. Jurei servi-lo como dizem na crônica irlandesa que São Patrício serviu ao sapo, ou seja, "despertá-lo para uma consciência da situação". Engajei-me sem demora na tarefa. Mais uma vez, pus-me a admoestá-lo. Novamente, reuni forças para uma tentativa definitiva de censura.

Quando terminei meu sermão, o sr. Dammit entregou-se a um comportamento bem ambíguo. Por alguns instantes, ficou em silêncio, fitando-me com olhar inquisitivo. Por fim, pendeu a cabeça para o lado e ergueu exageradamente as sobrancelhas. Depois, exibindo as mãos com as palmas viradas para cima, deu de ombros. Piscou com o olho direito. Repetiu o gesto com o olho esquerdo. Fechou bem os olhos em seguida. Então arregalou-os tanto que fiquei seriamente preocupado com as consequências. Logo depois, encostando o polegar no nariz, achou pertinente fazer um gesto indescritível com os dedos. Finalmente, com as mãos na cintura, dignou-se a me responder.

Recordo-me apenas das pérolas de seu discurso. Disse que ficaria muito grato se eu ficasse quieto. Que não queria nenhum de meus conselhos. Que desprezava todas as minhas insinuações. Que já era grandinho o bastante para tomar conta de si próprio. Acaso eu ainda o via como um bebê? Teria a intenção de criticar seu caráter? Insultá-lo? Era tolo a esse ponto? Estaria minha progenitora ciente de minha ausência da residência familiar? Disse que me perguntava levando em consideração minha sinceridade e que, dependendo da resposta que eu desse, cederia de bom grado aos meus argumentos. Mais de uma vez indagou explicitamente se minha mãe sabia que eu estava fora. Concluiu que meu atordoamento me traía e disse que estaria disposto a apostar a cabeça com o diabo para provar que ela desconhecia meu paradeiro.

O sr. Dammit não esperou por uma resposta. Girando nos calcanhares, deixou-me com indigna precipitação. Foi melhor para ele. Havia ferido meus sentimentos. Conseguira despertar até mesmo a raiva em mim. Pela primeira vez, eu seria capaz de ter aceitado sua insultante aposta. Teria garantido ao arqui-inimigo a cabeça do sr. Dammit — pois minha mãe sabia muito bem que eu me encontrava apenas temporariamente ausente de casa.

Porém, como dizem os muçulmanos quando alguém pisa no pé deles, *Khoda shefa midehed*: "O céu oferece alívio". Foi cumprindo meu dever que fui insultado e suportei o insulto como um homem. Tive a impressão de que havia feito tudo o que podia no que dizia respeito a esse indivíduo miserável e decidi não o importunar mais com conselhos, deixando-o a sós com sua consciência. No entanto, embora me abstivesse de aconselhá-lo, não conseguia abrir mão de sua companhia. Cheguei até mesmo ao ponto de satisfazer algumas de suas tendências menos repreensíveis; às vezes, me vi louvando suas piadas mais perversas, como fazem os epicuristas com a mostarda, com lágrimas nos olhos — tamanho o desgosto profundo que o discurso maligno do sr. Dammit me causava.

Em um belo dia, depois de termos passeado juntos, de braços dados, acabamos indo parar nas proximidades de um rio. Havia uma ponte e resolvemos atravessá-la. Era uma ponte coberta, como medida de proteção das intempéries, e a ausência de janelas em seu interior a tornava desconfortavelmente escura. Assim que entramos na passagem, o contraste entre a claridade externa e o breu interno me causou intenso mal-estar. O mesmo não se deu com o infeliz Dammit, que ofereceu sua cabeça ao diabo, apostando que eu estava perturbado. Ele parecia estar com um bom humor atípico. Estava entusiasmadíssimo — tanto que cheguei a cogitar uma desconfortável suspeita. Era bem possível que tivesse sido contaminado pelos transcendentalistas. No entanto, não tenho conhecimento suficiente para diagnosticar essa doença com certeza e, infelizmente, nenhum dos meus amigos da *Dial* estava presente. A ideia me ocorreu, não obstante, por conta de uma espécie de bufonaria austera que parecia acometer meu pobre amigo, levando-o a agir como um tolo. Cismara em alternar agachadas e saltos por baixo e por cima de tudo o que via pela frente, ora gritando, ora ceceando todo tipo de palavras estranhas enquanto preservava a expressão mais séria do mundo. Eu não sabia se deveria dar-lhe um pontapé ou ter pena dele. Por fim, tendo atravessado quase toda a extensão da ponte, estávamos nos aproximando do fim da parte coberta quando uma roleta de altura considerável bloqueou nosso avanço. Passei por ela sem dificuldade, empurrando-a como de costume. Mas tudo o que era costumeiro desagradava ao sr. Dammit. Ele insistiu em pular a roleta, dizendo que juntaria os pés no ar enquanto o fizesse. Isso eu não acreditava que pudesse fazer. O melhor saltador de pés juntos no ar, de todos os estilos, era amigo meu, o sr. Carlyle, e, como eu sabia que ele não conseguiria fazê-lo, não poderia acreditar que Toby Dammit pudesse. Foi o que lhe disse, com estas exatas palavras, que era um fanfarrão e que se gabava de poder fazer algo de que não era capaz. Acabei me arrependendo depois de tais palavras, pois ele logo apostou a cabeça com o diabo, afirmando que conseguiria.

    Apesar de minhas resoluções anteriores, estava prestes a admoestá-lo contra tal impiedade quando ouvi, bem perto, uma discreta tosse que soou como um "Aham!". Levei um susto e virei-me, surpreso. Meu olhar finalmente se deteve em um dos cantos da parte interna da ponte, onde distingui a figura de um velhinho coxo de aparência venerável. Nada podia inspirar mais respeito do que a aparência dele; trajava um terno preto e vestia uma camisa impecavelmente limpa, com o colarinho assentado sobre uma gravata branca; o cabelo era repartido na frente como o de uma menina. As mãos estavam entrelaçadas sobre a barriga, em atitude meditativa, e erguia os olhos para o alto.

Observando-o com mais atenção, notei que trazia um avental de seda preta sobre suas pequeninas vestes, o que achei bem estranho. Porém, antes que eu pudesse fazer qualquer comentário sobre circunstância tão singular, ele me interrompeu com um segundo "Aham!".

Não estava preparado para responder de imediato àquela observação. Comentários lacônicos como esse, em geral, não pedem respostas. Soube de uma revista trimestral que ficou desorientada com a palavra "Fraude!". Por isso, não me envergonho de dizer que recorri ao sr. Dammit em busca de auxílio.

— Dammit — disse eu — o que você está fazendo? Não ouviu? O cavalheiro disse "Aham!". — Minhas palavras foram acompanhadas de um olhar severo, pois, para ser sincero, estava bastante intrigado e, quando um homem está particularmente intrigado, deve franzir as sobrancelhas e fechar a cara ou corre o risco de parecer idiota. — Dammit — observei mais uma vez, ainda que minha fala parecesse ter a gravidade de um juramento, algo bem distante de minha intenção — o cavalheiro disse "Aham!".

Não tenho o intuito de defender a profundidade de meu comentário, nem eu o julguei profundo, mas já notei que o efeito de nosso discurso nem sempre é proporcional à importância que o atribuímos; se eu tivesse atingido o sr. D. repetidas vezes com uma bomba ou golpeado sua cabeça com o *Poetas e poesia da América*, ele dificilmente poderia se mostrar mais desconcertado do que quando me dirigi a ele com estas simples palavras:

— Dammit, o que você está fazendo? Não ouviu? O cavalheiro disse "Aham!".

— Não me diga — arquejou ele, por fim, após ter mudado mais de cor do que um pirata, uma após a outra, quando perseguido por um navio de guerra. — Tem certeza absoluta de que ele disse isso? Bem, seja como for, agora estou envolvido e acho melhor encarar o assunto de frente. Aí vai, então: aham!

Ao ouvi-lo, o velhinho pareceu contente — sabe Deus por quê. Deixou seu posto no canto da ponte, avançou mancando graciosamente, estendeu a mão a Dammit e a apertou cordialmente, encarando-o com um ar de benignidade mais genuíno do que a mente humana pode imaginar.

— Tenho certeza de que você vai ganhar, Dammit — disse ele com o sorriso mais franco. — Mas somos obrigados a ter um julgamento, você sabe, por uma questão de formalidade.

— Aham! — retrucou meu amigo, tirando o casaco com um suspiro profundo, amarrando um lenço em volta da cintura e produzindo uma alteração inexplicável no rosto, ficando vesgo e retorcendo os cantos da boca — Aham! Aham! — repetiu ele após uma pausa, e "Aham!" foi a última palavra que o ouvi dizer desde então.

"Ahá!", pensei, sem dar voz aos meus pensamentos. "É um silêncio deveras extraordinário da parte de Toby Dammit, sem dúvida consequência de sua verborragia em ocasiões prévias. Um extremo induz ao outro. Será que esqueceu as inúmeras perguntas irrespondíveis que me fez com tamanho desembaraço na ocasião de meu último pito? Seja como for, está curado do transcendentalismo."

— Aham! — repetiu Toby, como se tivesse lido meus pensamentos, parecendo um velho carneiro sonhando acordado.

O velho deu-lhe o braço e o conduziu a uma parte mais escura da ponte — alguns passos atrás da roleta.

— Meu caro — disse ele — é justo permitir essa distância de corrida para que pegue impulso. Espere aqui, até que eu assuma meu lugar ao lado da roleta, para poder avaliar se o salto foi bonito, transcendental e com todos os floreios que tem direito. Uma mera formalidade, compreende? Vou contar "um, dois, três e já". Você pode começar assim que ouvir a palavra "já". — Ele se posicionou ao lado da roleta, fez uma pausa como se em profunda meditação, ergueu os olhos e acho que esboçou um discreto sorriso antes de amarrar o avental. Lançando um olhar penetrante para Dammit, ele por fim disse, conforme o combinado: — *Um, dois, três e já!*

Pontualmente, ao ouvir a palavra "já", meu pobre amigo disparou em vigorosa corrida. A roleta não era nem muito alta nem muito baixa, mas, de modo geral, asseverei-me que ele conseguiria saltá-la. E se não conseguisse? Ah, essa era a questão — e se não conseguisse?

— Que direito — ponderei — tinha o velho de obrigar qualquer um a pular? Esse velho capenga, quem pensa que é? Se me pedir para pular, não obedeço, isso é certo, e não me importa quem diabos ele é. — A ponte, como disse, era abobadada e, sendo ridiculamente coberta, qualquer som nela se propagava com um eco bastante desconfortável, eco no qual eu não reparara até pronunciar as quatro últimas palavras do meu comentário.

No entanto, o que disse, pensei e ouvi ocupou apenas um instante. Em menos de cinco segundos após seu disparo, meu pobre Toby dera o salto. Eu o vi correr com agilidade e erguer-se do chão em um salto grandioso, executando com as pernas os floreios mais espantosos no ar. Eu o vi em pleno ar, saltando admiravelmente sobre a roleta e, é claro, estranhei ao perceber que fora interrompido. Como o salto durou apenas um instante, antes que eu tivesse a chance de refletir com profundidade sobre o acontecido, o sr. Dammit caiu estatelado de costas, do mesmo lado da roleta onde havia começado o salto. Naquele instante, vi o velho mancando depressa, tendo capturado com seu avental algo que caíra pesadamente do teto justamente acima da roleta. Tudo isso me deixou abismado, mas não tive tempo para pensar, pois Dammit jazia imóvel e concluí que tinha sido contrariado e que precisava que eu o socorresse. Corri até onde estava e descobri que sofrera o que pode ser considerado um ferimento grave. A verdade é que tinha sido privado de sua cabeça, a qual, após uma busca minuciosa, não logrei localizar em lugar algum; decidi então levá-lo para casa e mandar chamar os homeopatas. Nesse ínterim, um pensamento me ocorreu e abri depressa uma janela adjacente na ponte, dando-me conta logo em seguida da triste verdade. A uns trinta centímetros acima da roleta, cruzando o arco da ponte como uma braçadeira, havia uma viga lisa de ferro disposta na horizontal, compondo com as demais o sustentáculo da estrutura, em toda a sua extensão. Parecia evidente que o pescoço de meu malfadado amigo havia entrado em contato com a borda afiada da viga.

 Não sobreviveu por muito tempo após uma perda tão terrível. Os homeopatas não lhe deram remédios pequenos o bastante e ele hesitou em tomar o pouco que ofereceram. No fim, acabou piorando e morrendo, uma lição para todos os baderneiros viventes. Umedeci seu túmulo com minhas lágrimas, incluí uma linha diagonal no brasão de sua família e, quanto às despesas gerais do funeral, encaminhei minha moderada conta para os transcendentalistas. Os pilantras se recusaram a pagá-la, de modo que providenciei uma imediata exumação do sr. Dammit e vendi o cadáver para ser transformado em comida de cachorro.

O
CORVO

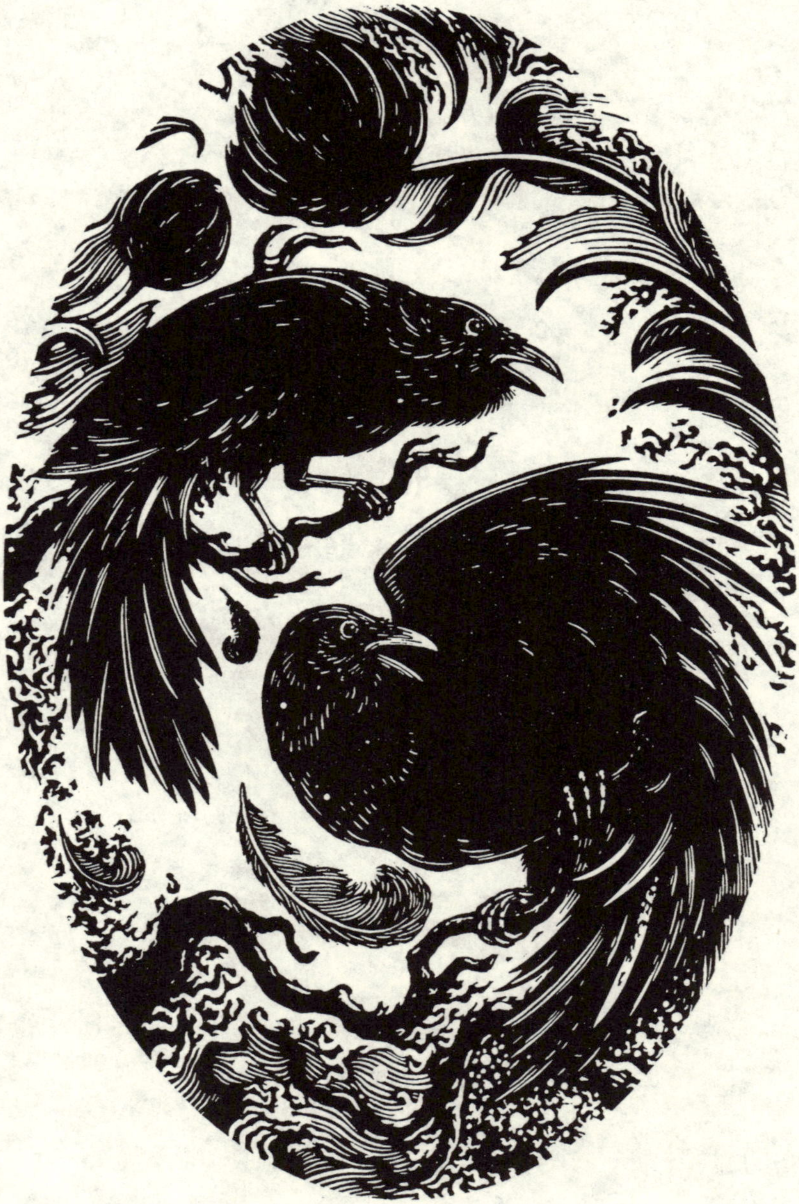

◀ INTRODUÇÃO ▶

A FILOSOFIA
da
COMPOSIÇÃO

por
EDGAR ALLAN POE
1846

Charles Dickens, em um bilhete que agora jaz diante de mim, referindo-se a uma análise que fiz certa vez de *Barnaby Rudge*, escreveu: "A propósito, você sabe que Godwin escreveu *Caleb Williams* de trás para frente? Ele primeiro envolveu seu herói em uma trama de percalços, compondo o segundo volume, e só depois, no primeiro, tratou de providenciar uma explicação para o que já estava pronto".

Custo a crer que tenha sido este o *exato* método de procedimento de Godwin — e, de fato, o que ele próprio afirmou a respeito não se coaduna com a ideia do sr. Dickens — mas o autor de *Caleb Williams* era um artista muito prodigioso para não perceber a vantagem de um processo semelhante. Parece-me bem claro que qualquer enredo digno de nota deva ser elaborado com seu desdobramento em mente antes mesmo de ser escrito. Somente não descuidando do desenrolar da trama que podemos conferir ao enredo um indispensável ar de consequência, de relação causal, fazendo com que os incidentes — e sobretudo, o tom geral da obra — contemplem o desenvolvimento de uma ideia.

O modo costumeiro de construção de uma história parece-me radicalmente equivocado. Ou a narrativa elabora uma tese ou é sugerida ao autor por um incidente cotidiano ou, na melhor das hipóteses, o autor engaja-se para trabalhar na combinação de acontecimentos notáveis que constituam a base de sua trama — desejando, geralmente, preencher com descrição, diálogo e suas observações pessoais as lacunas de fato ou de ação que porventura possam surgir a cada página.

Eu prefiro começar considerando um *efeito*. Mantendo a originalidade *sempre* em vista — pois mente para si próprio aquele que desdenha de uma fonte de interesse tão óbvia e de fácil alcance — digo a mim mesmo, antes de tudo: "Dos inúmeros efeitos e impressões aos quais o coração, o intelecto ou (de modo mais geral) a alma é suscetível, qual devo selecionar para a presente ocasião?". Tendo escolhido um efeito original e vívido, pondero se pode ser melhor desenvolvido por incidente ou tom — se por incidentes prosaicos e um tom peculiar, o contrário, ou se imprimindo peculiaridade ao incidente e ao tom. Só então busco ao meu redor (ou melhor ainda, dentro de mim) as combinações de situações ou o tom que possam me auxiliar na construção do efeito desejado.

Sempre imaginei o quão interessante seria um artigo de revista escrito por qualquer autor que quisesse — na verdade, que pudesse — detalhar passo a passo os processos pelos quais seus trabalhos alcançaram a forma final e definitiva. O motivo de tal artigo nunca ter sido feito, não sei verdadeiramente dizer — talvez a vaidade dos autores tenha mais a ver com esta falta do que qualquer outro motivo. A maioria dos autores — sobretudo os poetas — prefere dar a entender que compõe em uma espécie de refinado frenesi, arrebatados pela intuição. Tais escritores iriam estremecer diante da ideia de permitir que o público visse o que ocorre nos bastidores, que acompanhasse as elaboradas e vacilantes cruezas do pensamento — os objetivos verdadeiros alcançados somente no último minuto, os incontáveis vislumbres de uma ideia insipiente que demora a revelar-se por inteiro, as fantasias plenamente maduras descartadas em desespero como inviáveis, as cuidadosas seleções e rejeições, os dolorosos descartes e interpolações — em suma, as rodas e as engrenagens, o equipamento para a mudança de cenário, as escadas, as armadilhas, as penas de galo, a maquiagem e o figurino que, em 99 casos de cem, constituem o universo do *histrião* literário.

Por outro lado, estou ciente de que não é comum que o autor tenha condições de refazer o percurso que o conduziu às conclusões alcançadas. Em geral, as ideias surgem de maneira truncada, sendo acatadas e esquecidas em igual medida.

No meu caso, o relato dos bastidores não me causa repúdio, e não tenho a menor dificuldade em recordar, passo a passo, como construí meus escritos. Uma vez que o interesse em uma análise ou reconstrução, por mim consideradas um feito desejável, independe de um interesse real ou presumido no objeto a ser analisado, não creio que será indecoroso de minha parte expor o *modus operandi* que empreguei para compor alguns de meus trabalhos. Escolhi "O Corvo" por ser o mais conhecido. Minha intenção é mostrar que nada em sua composição foi acidental ou intuitivo — que o poema avançou passo a passo, até ficar pronto, com a precisão e o rigor de um problema matemático.

Vamos ignorar, como irrelevante ao poema em si, a circunstância — ou, digamos, a necessidade — que, em primeiro lugar, deu origem à intenção de compor um poema que agradasse ao público e à crítica.

Comecemos, então, para além desta intenção.

A primeira consideração foi o tamanho. Se uma obra literária é longa demais para ser lida de uma vez só, deve-se dispensar de bom grado o importantíssimo efeito gerado pela unidade de impressão — pois, se tiver de ser lida em dois momentos distintos, os assuntos mundanos interferem no texto e seu senso de totalidade é destruído. Porém, uma vez que, *ceteris paribus*, nenhum poeta pode se dar ao luxo de dispensar qualquer atributo que contribua para o progresso de seu trabalho, deve-se avaliar se existe alguma vantagem para contrabalançar a perda da unidade. Eu não creio que exista. O que julgamos um poema longo, na realidade, não passa de uma sucessão de poemas curtos — ou seja, de breves efeitos poéticos. É desnecessário demonstrar que um poema só pode ser considerado como tal na medida em que provoca intenso entusiasmo, elevando a alma — e todas as euforias intensas são, por necessidade psíquica, breves. Por este motivo, metade de *Paraíso Perdido* é essencialmente prosa, uma sucessão de euforias poéticas intercaladas, de forma *inevitável*, com consequentes depressões — privado assim, pelo tamanho extremo da obra, de um elemento artístico de suma importância: a totalidade, ou unidade do efeito.

Parece evidente, então, que haja um limite distinto, no que diz respeito ao tamanho, a todos os trabalhos literários — o limite da leitura contínua, de uma só vez — e que, embora em determinados tipos de composição de prosa, como *Robinson Crusoé* (que não exige unidade), este limite possa ser ultrapassado de modo vantajoso, ele jamais deve ser ultrapassado em um poema. Dentro deste limite, a extensão de um poema deve ser projetada em matemática proporção ao seu mérito — ou seja, à euforia ou elevação da alma — em outras palavras, novamente, ao grau do verdadeiro efeito poético que é capaz de induzir; pois está claro que a brevidade deve estar em proporção direta com a intensidade do efeito desejado — com a condição de que um certo grau de duração é requisito indispensável para a produção de qualquer efeito.

Levando isso tudo em consideração, bem como o grau de entusiasmo que julgo não estar acima do gosto do público nem abaixo da opinião da crítica, logo defini o *tamanho* adequado para o poema que visava compor: cem linhas, aproximadamente. Ele tem, na verdade, 108 linhas.

Minha preocupação seguinte foi acerca da escolha da impressão ou efeito a ser transmitido; durante toda a composição do poema, não perdi de vista em nenhum momento a intenção de torná-lo *universalmente* apreciado. Eu me afastaria muito do meu propósito atual se me pusesse a demonstrar um ponto sobre o qual insisti repetidas vezes e que, em poesia, me parece de dispensável demonstração: que a beleza é a única esfera legítima do poema. Direi algumas palavras, porém, a fim de esclarecer o que quero dizer com este argumento, que alguns de meus amigos insistem em interpretar de modo equivocado. A contemplação da beleza, creio eu, proporciona o mais intenso, elevado e puro de todos prazeres. Na verdade, quando se fala em beleza, não se está referindo exatamente a uma qualidade, como se supõe, e sim a um efeito — está se referindo, em suma, à intensa e pura elevação da *alma*, *não* do intelecto ou do coração — a qual mencionei e que pode ser extraída da contemplação do "belo". Considero a beleza a esfera do poema simplesmente por ser uma regra óbvia da arte que efeitos devam surgir de causas diretas, que os objetivos devam ser alcançados pelos melhores meios de obtenção, e ninguém até hoje foi tolo o bastante para negar que o melhor meio de obter a elevação peculiar a qual me refiro seja o poema. Já o propósito da Verdade — a satisfação do intelecto — ou o da Paixão — a euforia do coração — são, embora alcançáveis até certa medida na poesia, muito mais fáceis de serem obtidos na prosa. A Verdade requer uma precisão, e a Paixão, uma *simplicidade* (os apaixonados vão compreender) que são absolutamente antagônicas à Beleza que, repito, constitui a euforia ou elevação prazerosa da alma. Não é minha intenção que se deduza, pelo que afirmei até aqui, que paixão ou verdade não possam ser introduzidas, até mesmo de forma vantajosa, em um poema, pois podem servir para elucidá-lo ou auxiliá-lo em seu efeito geral, como dissonâncias em uma música. Contudo, o verdadeiro artista vai sempre buscar, em primeiro lugar, mantê-las submissas ao seu objetivo predominante e, em segundo, a entretecê-las, o tanto quanto possível, na Beleza que é a esfera e a essência do poema.

Tomando, portanto, a Beleza como minha esfera, minha próxima decisão foi acerca do *tom* de sua manifestação mais elevada — e, a experiência já demonstrou, este tom é o da *tristeza*. A beleza, de qualquer tipo, em seu desenvolvimento supremo, leva a alma sensível às lágrimas. A melancolia é, consequentemente, o mais legítimo de todos os tons poéticos.

Uma vez determinados tamanho, esfera e tom, engajei-me em busca de algum estímulo artístico que pudesse servir como chave na construção do poema — a base que haveria de sustentar toda a estrutura. Considerando todos os efeitos artísticos habituais — os elementos, no sentido teatral — logo percebi que nenhum fora mais universalmente empregado do que o do refrão. A universalidade do recurso foi o suficiente para me convencer de seu valor intrínseco e poupou-me da necessidade de submetê-lo à análise. Avaliei, contudo, sua capacidade de aperfeiçoamento e constatei que estava em condição primitiva. Tal como era comumente usado, o refrão não só ficava limitado ao verso lírico, como dependia, para impressão de monotonia, do som e da ideia. O prazer era extraído unicamente do senso de identidade, de repetição. Decidi diversificar e aumentar assim seu efeito, aderindo em geral a monotonia do som, mas variando continuamente a da ideia; ou seja, visei produzir efeitos novos usando a variação costumeira — mantendo o refrão em si, invariável.

Definidos tais pontos, pus-me a refletir sobre o *tipo* de meu refrão. Já que seu emprego deveria ser repetidamente variado, estava claro para mim que teria de ser breve, pois uma frase longa constituiria uma dificuldade intransponível para variações frequentes. A brevidade da frase, é claro, seria proporcional à facilidade da variação. Logo concluí que o melhor refrão seria composto por uma única palavra.

Passei então a refletir sobre a *natureza* desta única palavra. Tendo me decidido pelo refrão, a divisão do poema em estrofes era óbvia consequência, o refrão formando o fechamento de cada estrofe. Não tive dúvidas de que tal fechamento, para ter força, deveria ser sonoro e suscetível a uma ênfase prolongada. Tais considerações me conduziram, inevitavelmente, ao "o" como a vogal mais sonora e ao "r" como a consoante mais viável.

Determinado o som do refrão, fez-se necessário selecionar uma palavra que o representasse e, ao mesmo tempo, se mantivesse compatível com a melancolia que eu elegera para dar tom ao poema. Nesta busca, seria impossível ignorar a palavra "nevermore" [nunca mais]. Na verdade, foi a primeira que me ocorreu.

O próximo passo foi encontrar um pretexto para o uso contínuo da palavra "nevermore". Observando a dificuldade que tive para inventar um motivo suficientemente plausível para sua repetição contínua, não pude deixar de perceber que tal dificuldade surgia da suposição de que a palavra seria proferida, de modo contínuo e monótono, por um *ser humano* — não pude deixar de perceber, em suma, que a dificuldade estava na conciliação desta monotonia com a capacidade de raciocínio de quem haveria de repeti-la. Foi então que, de imediato, surgiu a ideia de uma criatura irracional capaz de articular palavras — naturalmente, pensei primeiro em um papagaio, mas, logo em seguida, me ocorreu o corvo, como animal igualmente dotado da capacidade de fala e muito mais compatível com o *tom* que eu pretendia dar ao poema.

Cheguei assim à seguinte elaboração: um corvo, pássaro de mau agouro, repetindo monotonamente uma única palavra, "nevermore", no fechamento de cada estrofe de um poema de cerca de cem linhas, escrito em tom melancólico. Então, sem perder de vista a *soberania* ou perfeição do objeto, perguntei-me: "De todos os temas melancólicos, segundo o entendimento *universal* da humanidade, qual é o *mais* melancólico de todos?". A morte foi a óbvia resposta. "E em qual circunstância esse mais melancólico dos temas torna-se mais poético?" Tendo em vista o que já expliquei com mais detalhes anteriormente, a resposta aqui também se fez óbvia: "Quando aliada à *Beleza*: a morte de uma bela mulher é, indubitavelmente, o tema mais poético do mundo e, da mesma feita, não resta dúvida de que os lábios mais apropriados para evocar este tema sejam o do enamorado de luto por um amor".

Combinei assim as duas ideias: um enamorado lamentando sua amada morta e um corvo repetindo continuamente a palavra "nevermore". Tinha que combinar ambas tendo em mente a intenção de variar a *aplicação* da palavra repetida, mas o único modo inteligível de tal combinação seria imaginar o corvo empregando a palavra como resposta às indagações do enamorado. Foi então que percebi a oportunidade oferecida para o efeito do qual dependia, isto é, o efeito da *variação da aplicação*. Vi que poderia criar a primeira indagação do enamorado — a primeira para qual o corvo responderia "nevermore" — como um lugar-comum, a segunda, não tão comum, a terceira, menos ainda, e assim por diante, até que, por fim, o enamorado, desperto de sua indiferença inicial pelo caráter melancólico da palavra em si, por sua repetição frequente e pela reputação agourenta do pássaro que a proferia, acabasse tomado por uma agitação supersticiosa e se pusesse a formular febrilmente indagações de outra natureza — indagações cujas respostas lhe eram caras — movido meio por superstição e meio por uma espécie de desespero que se deleita no autoflagelo — se pusesse a formulá-las não por crer na natureza profética ou demoníaca do pássaro (pois a razão lhe assegurava que o corvo está apenas repetindo algo que aprendeu mecanicamente), mas por experimentar um prazer frenético em modular suas perguntas para receber como resposta o *esperado* "nevermore" — o mais delicioso dos pesares por ser igualmente intolerável. Percebendo a oportunidade que se descortinava ou, em sentido mais estrito, que a mim se impunha no desenrolar de minha construção, estabeleci primeiro em minha mente o clímax ou indagação conclusiva — a pergunta para qual "nevermore" seria a resposta derradeira, carregada de pesar e desespero absolutos.

Pode-se dizer que o poema começou pelo fim — pois todas as obras de arte deveriam começar pelo fim — porque foi com o desfecho em mente que pus a caneta sobre o papel e pus-me a compor esta estrofe:

> Profeta, ou o que quer que sejas!
> Ave ou demônio que negrejas!
> Profeta sempre, escuta, atende, escuta, atende!
> Por esse céu que além se estende,
> Pelo Deus que ambos adoramos, fala,
> Dize a esta alma se é dado inda escutá-la
> No Éden celeste a virgem que ela chora
> Nestes retiros sepulcrais,
> Essa que ora nos céus anjos chamam Lenora!
> E o corvo disse: "Nunca mais".

Compus logo esta estrofe para que, ao estabelecer o clímax, em primeiro lugar, eu pudesse variar e graduar melhor, no que diz respeito à seriedade e importância, as indagações anteriores do enamorado e, em segundo lugar, pudesse definir o ritmo, a métrica, o tamanho e a disposição geral das estrofes, bem como graduar as anteriores para que nenhuma pudesse superar esta primeira em seu efeito rítmico. Se porventura na composição subsequente eu fosse capaz de construir estrofes mais vigorosas, não teria nenhuma objeção a enfraquecê-las de propósito, para que não interferissem no efeito de maturação do texto.

E cabem também aqui algumas palavras sobre versificação. Meu primeiro objetivo (como de costume) foi a originalidade. Para mim, o modo como este fator tem sido negligenciado em versificação é uma das coisas mais inexplicáveis do mundo. Mesmo reconhecendo que existe pouca possibilidade de variedade no *ritmo*, é evidente que as variações possíveis em métrica e estrofes são absolutamente infinitas e, no entanto, *durante séculos, ninguém jamais fez ou julgou fazer algo original em matéria de versos*. Acontece que a originalidade (exceto em mentes de vigor incomum) não é de forma alguma uma questão, como alguns supõem, de impulso ou intuição. Em geral, para ser alcançada, deve ser buscada com afinco e, embora seja um mérito positivo da mais alta categoria, exige em sua obtenção menos invenção do que negação.

É claro que não busquei originalidade nem no ritmo, nem na métrica em "O Corvo". O ritmo é trocaico, a métrica, um octâmetro acataléctico, alternando-se com um heptâmetro catalético repetido no refrão do quinto verso, terminando com um tetâmetro catalético. De maneira menos pedante, os pés empregados em todo o texto (troqueus) consistem em uma sílaba longa seguida por uma curta; o primeiro verso da estrofe é formado por oito pés, o segundo, de sete e meio, o terceiro, de oito, o quarto, de sete e meio, o quinto, também de sete e meio e o sexto, de três e meio. Cada um destes versos, se tomados individualmente, já foram empregados antes, e a originalidade de "O Corvo" está na sua *combinação em estrofes*; nada sequer parecido foi tentado anteriormente. O efeito gerado por esta combinação original é auxiliado por outros efeitos incomuns e novos, oriundos de uma extensão do uso dos princípios de rima e aliteração.

O próximo ponto a ser considerado foi um modo de reunir o enamorado com o corvo — e a primeira escolha a ser feita dizia respeito ao *lugar* onde se encontrariam. A sugestão mais natural seria em uma floresta ou em um campo, mas sempre me pareceu que *a restrição de um espaço fechado* era absolutamente necessária para criar o efeito de um incidente isolado, como uma moldura em um quadro. Possui o incontestável dom moral de manter a atenção concentrada e, é claro, não deve ser confundida com uma mera unidade de local.

Determinei, então, que o enamorado deveria estar em seu quarto — um aposento para ele sagrado, graças às lembranças daquela que o frequentara. O quarto é representado no poema como ricamente decorado, com base nas ideias que já expliquei sobre o tema da Beleza como o único tema realmente poético.

Uma vez escolhido o *local*, precisava introduzir o pássaro — e a ideia de introduzi-lo pela janela foi inevitável. A ideia de fazer com que o enamorado supusesse, em um primeiro momento, que o bater das asas do pássaro na veneziana fosse uma batida à porta surgiu do meu desejo de aumentar a curiosidade do leitor, prolongando-a, e de um desejo de produzir um efeito incidental ao fazer que o enamorado, abrindo a porta e encontrando apenas a escuridão lá fora, imaginasse que talvez pudesse ser o espírito de sua amada o chamando.

Criei uma noite tempestuosa, primeiro para justificar o corvo buscando abrigo e, segundo, para gerar um contraste com a serenidade (física) do aposento.

Fiz com que o pássaro pousasse no busto de Palas para gerar também um contraste entre o mármore e a plumagem — dando a entender que o busto foi *sugerido* pelo pássaro — sendo o busto de *Palas* escolhido por sugerir a erudição do enamorado e pela sonoridade da palavra "Palas".

Na metade do poema também recorri à força do contraste, para intensificar sua impressão final. Por exemplo, a entrada do corvo ganhou um ar fantástico — beirando o máximo de extravagância que o poema permitia. Ele surge "tumultuosamente".

> Não despendeu em cortesias
> Um minuto, um instante. Tinha o aspecto
> De um lorde ou de uma *lady*.
> E pronto e reto,
> Movendo no ar as suas negras alas,
> Acima voa dos portais,
> Trepa, no alto da porta.

Nas estrofes seguintes, a intenção fica ainda mais evidente:

> Diante da ave feia e escura,
> Naquela rígida postura,
> Com o gesto severo — o triste pensamento
> Sorriu-me ali por um momento,
> E eu disse: "Ó, tu que das noturnas plagas
> Vens, embora a cabeça nua tragas,
> Sem topete, não és ave medrosa,
> Dize os teus nomes senhoriais;
> Como te chamas tu na grande noite umbrosa?".
> E o corvo disse: "Nunca mais".
>
> Vendo que o pássaro entendia
> A pergunta que lhe eu fazia,
> Fico atônito, embora a resposta que dera
> Dificilmente lha entendera.
> Na verdade, jamais homem há visto
> Cousa na terra semelhante a isto:
> Uma ave negra, friamente posta
> Num busto, acima dos portais,
> Ouvir uma pergunta e dizer em resposta
> Que este é seu nome: "Nunca mais".

Uma vez atingido tal efeito, imediatamente abandonei o fantástico por um tom da mais profunda seriedade — tom que abre a estrofe seguinte, posterior à que acabo de comentar, com os versos:

> No entanto, o corvo solitário
> Não teve outro vocabulário,
> Como se essa palavra escassa que ali disse
> Toda a sua alma resumisse.

Deste momento em diante, o enamorado não debocha mais — nem vê mais nada de fantástico no comportamento do corvo. Ele o descreve como "infeliz e acabrunhado" e sente "o olhar que abrasava" ardendo em seu peito. Esta mudança de pensamento por parte do enamorado visa induzir uma alteração semelhante no leitor — a modular a mente para o desenlace que se apresenta da maneira mais rápida e *direta* possível.

Com tal desenlace preparado — com a resposta do corvo, "nevermore" à pergunta final do enamorado, se ele encontraria sua amada no além — o poema, em sua fase óbvia de narrativa simples, atinge a conclusão. Até então, tudo obedeceu aos limites do possível, do real. Um corvo, tendo aprendido mecanicamente uma única palavra, "nevermore", e escapado de seu dono, é levado, pela violência de uma tempestade, a buscar abrigo à meia-noite em uma janela onde uma claridade ainda reluz. É a janela do quarto de um estudante, que se ocupa em parte com a leitura de um livro, e em parte sonha acordado com sua amada, já falecida. O bater das asas do pássaro abre o caixilho da janela e ele pousa no local mais conveniente, longe do alcance imediato do estudante, que parece divertir-se com o incidente e o comportamento singular do visitante e pergunta, de brincadeira e sem esperar dele uma resposta, o seu nome. O corvo responde com sua palavra costumeira, "nevermore" — uma palavra que encontra eco imediato no coração melancólico do estudante que, proferindo em voz alta algumas elucubrações provocadas pela ocasião, novamente se assusta com a repetição da palavra "nevermore". O estudante desconfia entender do que se trata, mas se vê impelido, como já expliquei, pela sede humana por tortura autoinfligida, e em parte por superstição, a propor perguntas ao pássaro em busca do pesar mais prazeroso, contando com a resposta de sempre, "nevermore". Com a satisfação, levada ao extremo, desta tortura, a narrativa no que denominei sua fase mais óbvia chega a um desfecho natural e, até então, sem ultrapassar os limites do real.

No entanto, em temas assim trabalhados, por mais habilidade que se tenha e por mais vívido o escopo de incidentes, resta sempre uma certa rigidez ou nudez que repelem o olhar artístico. Dois aspectos são invariavelmente exigidos: em primeiro lugar, uma dose de complexidade ou, melhor dizendo, de adaptação; em segundo, uma dose de sugestão, um significado oculto, ainda que indefinido. Este último, em especial, é o que confere à obra de arte a *riqueza* (tomando emprestado um termo forçado) que gostamos de confundir *com o ideal*. É o excesso do significado que deveria ser apenas sugerido, tornando explícito o que deveria ser insinuado, que transforma em prosa (e das mais rasas) a suposta poesia dos supostos transcendentalistas.

Com tais reflexões em mente, acrescentei as duas estrofes derradeiras do poema, seu caráter sugestivo permeando toda a narrativa que as precedera. O significado insinuado torna-se aparente nos versos:

> Tira-me ao peito essas fatais
> Garras que abrindo vão a minha dor já crua.
> E o corvo disse: "Nunca mais".

Cabe observar que as palavras "ao peito" constituem a primeira metáfora do poema. Junto com a resposta, "nevermore", elas predispõem a mente a buscar uma moral em tudo que foi narrado anteriormente. O leitor começa a enxergar o corvo como emblemático — mas a intenção de torná-lo emblema de uma *recordação penosa e eterna* só é descortinada nos últimos versos da última estrofe:

> E o corvo aí fica; ei-lo trepado
> No branco mármore lavrado
> Da antiga Palas; ei-lo imutável, ferrenho.
> Parece, ao ver-lhe o duro cenho,
> Um demônio sonhando. A luz caída
> Do lampião sobre a ave aborrecida
> No chão espraia a triste sombra; e, fora
> Daquelas linhas funerais
> Que flutuam no chão, a minha alma que chora
> Não sai mais, nunca, nunca mais!

THE RAVEN

EDGAR ALLAN POE
1845

Once upon a midnight dreary, while I pondered, weak and weary,
Over many a quaint and curious volume of forgotten lore—
While I nodded, nearly napping, suddenly there came a tapping,
As of some one gently rapping, rapping at my chamber door.
"'Tis some visiter," I muttered, "tapping at my chamber door—
Only this and nothing more."

Ah, distinctly I remember it was in the bleak December,
And each separate dying ember wrought its ghost upon the floor.
Eagerly I wished the morrow;—vainly I had sought to borrow
From my books surcease of sorrow—sorrow for the lost Lenore—
For the rare and radiant maiden whom the angels name Lenore—
Nameless here for evermore.

And the silken, sad, uncertain rustling of each purple curtain
Thrilled me—filled me with fantastic terrors never felt before;
So that now, to still the beating of my heart, I stood repeating
"'Tis some visiter entreating entrance at my chamber door—
Some late visiter entreating entrance at my chamber door—
This it is and nothing more."

Presently my soul grew stronger; hesitating then no longer,
"Sir," said I, "or Madam, truly your forgiveness I implore;
But the fact is I was napping, and so gently you came rapping,
And so faintly you came tapping, tapping at my chamber door,
That I scarce was sure I heard you"—here I opened wide the door;—
Darkness there and nothing more.

Deep into that darkness peering, long I stood there wondering, fearing,
Doubting, dreaming dreams no mortals ever dared to dream before;
But the silence was unbroken, and the darkness gave no token,
And the only word there spoken was the whispered word, "Lenore!"
This I whispered, and an echo murmured back the word, "Lenore!"
Merely this, and nothing more.

Back into the chamber turning, all my soul within me burning,
Soon I heard again a tapping somewhat louder than before.
"Surely," said I, "surely that is something at my window lattice;
Let me see, then, what thereat is, and this mystery explore—
Let my heart be still a moment and this mystery explore;—
'Tis the wind and nothing more!"

Open here I flung the shutter, when, with many a flirt and flutter,
In there stepped a stately Raven of the saintly days of yore;
Not the least obeisance made he; not a minute stopped or stayed he;
But, with mien of lord or lady, perched above my chamber door—
Perched upon a bust of Pallas just above my chamber door—
Perched, and sat, and nothing more.

Then the ebony bird beguiling my sad fancy into smiling,
By the grave and stern decorum of the countenance it wore,
"Though thy crest be shorn and shaven, thou," I said, "art sure no craven,
Ghastly grim and ancient Raven wandering from the Nightly shore—
Tell me what thy lordly name is on the Night's Plutonian shore!"
Quoth the Raven "Nevermore."

Much I marvelled this ungainly fowl to hear discourse so plainly,
Though its answer little meaning—little relevancy bore;
For we cannot help agreeing that no living human being
Ever yet was blessed with seeing bird above his chamber door—
Birdor beast upon the sculptured bust above his chamber door,
With such name as "Nevermore."

But the Raven, sitting lonely on that placid bust, spoke only
That one word, as if his soul in that one word he did outpour.
Nothing farther then he uttered—not a feather then he fluttered—
Till I scarcely more than muttered: "Other friends have flown before—
On the morrow he will leave me, as my Hopes have flown before."
Then the bird said "Nevermore."

Startled at the stillness broken by reply so aptly spoken,
"Doubtless," said I, "what it utters is its only stock and store,
Caught from some unhappy master whom unmerciful Disaster
Followed fast and followed faster till his songs one burden bore—
Till the dirges of his Hope that melancholy burden bore
Of 'Never—nevermore.'"

But the raven still beguiling my sad fancy into smiling,
Straight I wheeled a cushioned seat in front of bird, and bust and door;
Then, upon the velvet sinking, I betook myself to linking
Fancy unto fancy, thinking what this ominous bird of yore—
What this grim, ungainly, ghastly, gaunt, and ominous bird of yore
Meant in croaking "Nevermore."

This I sat engaged in guessing, but no syllable expressing
To the fowl whose fiery eyes now burned into my bosom's core;
This and more I sat divining, with my head at ease reclining
On the cushion's velvet lining that the lamp-light gloated o'er,
But whose velvet violet lining with the lamp-light gloating o'er,
She shall press, ah, nevermore!

Then, methought, the air grew denser, perfumed from an unseen censer
Swung by seraphim whose foot-falls tinkled on the tufted floor.
"Wretch," I cried, "thy God hath lent thee—by these angels he hath sent thee
Respite—respite and nepenthe from thy memories of Lenore;
Quaff, oh quaff this kind nepenthe and forget this lost Lenore!"
Quoth the Raven "Nevermore."

"Prophet!" said I, "thing of evil!—prophet still, if bird or devil!—
Whether Tempter sent, or whether tempest tossed thee here ashore,
Desolate, yet all undaunted, on this desert land enchanted—
On this home by Horror haunted—tell me truly, I implore—
Is there—is there balm in Gilead?—tell me—tell me, I implore!"
Quoth the Raven "Nevermore."

"Prophet!" said I, "thing of evil!—prophet still, if bird or devil!
By that Heaven that bends above us—by that God we both adore—
Tell this soul with sorrow laden if, within the distant Aidenn,
It shall clasp a sainted maiden whom the angels name Lenore—
Clasp a rare and radiant maiden whom the angels name Lenore."
Quoth the Raven "Nevermore."

"Be that our sign of parting, bird or fiend!" I shrieked, upstarting—
"Get thee back into the tempest and the Night's Plutonian shore!
Leave no black plume as a token of that lie thy soul hath spoken!
Leave my loneliness unbroken!—quit the bust above my door!
Take thy beak from out my heart, and take thy form from off my door!"
Quoth the Raven "Nevermore."

And the Raven, never flitting, still is sitting, still is sitting
On the pallid bust of Pallas just above my chamber door;
And his eyes have all the seeming of a demon's that is dreaming,
And the lamp-light o'er him streaming throws his shadows on the floor;
And my soul from out that shadow that lies floating on the floor
Shall be lifted—nevermore!

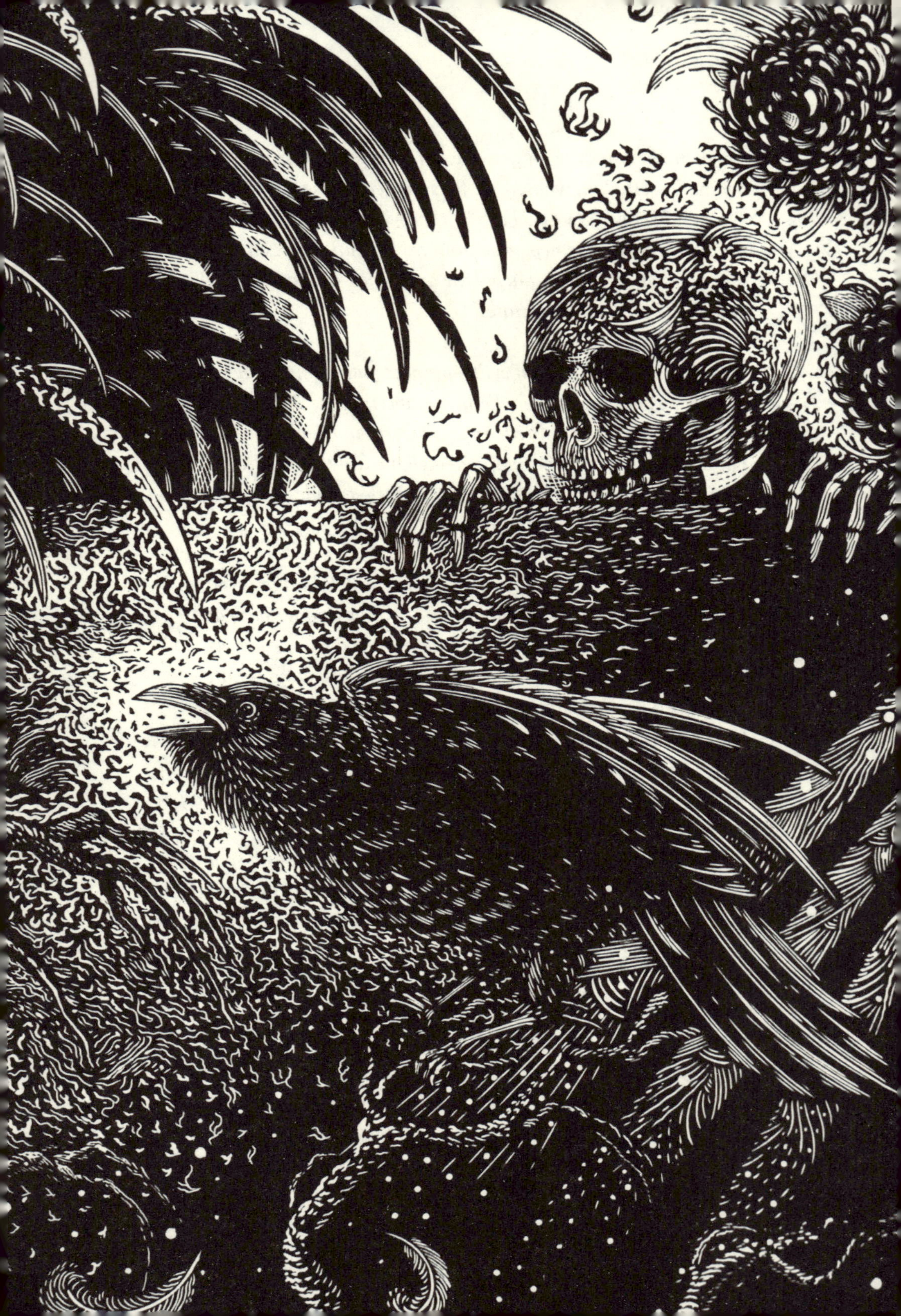

O CORVO

tradução de
MACHADO DE ASSIS
1883

*Em certo dia, à hora, à hora
Da meia-noite que apavora,
Eu, caindo de sono e exausto de fadiga,
Ao pé de muita lauda antiga,
De uma velha doutrina, agora morta,
Ia pensando, quando ouvi à porta
Do meu quarto um soar devagarinho,
E disse estas palavras tais:
"É alguém que me bate à porta de mansinho;
Há de ser isso e nada mais".*

Ah! bem me lembro! bem me lembro!
Era no glacial dezembro;
Cada brasa do lar sobre o chão refletia
A sua última agonia.
Eu, ansioso pelo sol, buscava
Sacar daqueles livros que estudava
Repouso (em vão!) à dor esmagadora
Destas saudades imortais
Pela que ora nos céus anjos chamam Lenora.
E que ninguém chamará mais.

E o rumor triste, vago, brando
Das cortinas ia acordando
Dentro em meu coração um rumor não sabido,
Nunca por ele padecido.
Enfim, por aplacá-lo aqui no peito,
Levantei-me de pronto, e: "Com efeito,
(Disse) é visita amiga e retardada
Que bate a estas horas tais.
É visita que pede à minha porta entrada:
Há de ser isso e nada mais".

Minh'alma então sentiu-se forte;
Não mais vacilo e desta sorte
Falo: 'Imploro de vós, — ou senhor ou senhora,
Me desculpeis tanta demora.
Mas como eu, precisando de descanso,
Já cochilava, e tão de manso e manso
Batestes, não fui logo, prestemente,
Certificar-me que aí estais".
Disse; a porta escancaro, acho a noite somente,
Somente a noite, e nada mais.

Com longo olhar escruto a sombra,
Que me amedronta, que me assombra,
E sonho o que nenhum mortal há já sonhado,
Mas o silêncio amplo e calado,
Calado fica; a quietação quieta;
Só tu, palavra única e dileta,
Lenora, tu, como um suspiro escasso,
Da minha triste boca sais;
E o eco, que te ouviu, murmurou-te no espaço;
Foi isso apenas, nada mais.

Entro coa alma incendiada.
Logo depois outra pancada
Soa um pouco mais forte; eu, voltando-me a ela:
"Seguramente, há na janela
Alguma cousa que sussurra. Abramos,
Eia, fora o temor, eia, vejamos
A explicação do caso misterioso
Dessas duas pancadas tais.
Devolvamos a paz ao coração medroso,
Obra do vento e nada mais".

Abro a janela, e de repente,
Vejo tumultuosamente
Um nobre corvo entrar, digno de antigos dias.
Não despendeu em cortesias
Um minuto, um instante. Tinha o aspecto
De um lord ou de uma lady. E pronto e reto,
Movendo no ar as suas negras alas,
Acima voa dos portais,
Trepa, no alto da porta, em um busto de Palas;
Trepado fica, e nada mais.

Diante da ave feia e escura,
Naquela rígida postura,
Com o gesto severo, — o triste pensamento
Sorriu-me ali por um momento,
E eu disse: "Ó tu que das noturnas plagas
Vens, embora a cabeça nua tragas,
Sem topete, não és ave medrosa,
Dize os teus nomes senhoriais;
Como te chamas tu na grande noite umbrosa?".
E o corvo disse: "Nunca mais".

Vendo que o pássaro entendia
A pergunta que lhe eu fazia,
Fico atônito, embora a resposta que dera
Dificilmente lhe entendera.
Na verdade, jamais homem há visto
Cousa na terra semelhante a isto:
Uma ave negra, friamente posta
Num busto, acima dos portais,
Ouvir uma pergunta e dizer em resposta
Que este é seu nome: "Nunca mais".

No entanto, o corvo solitário
Não teve outro vocabulário,
Como se essa palavra escassa que ali disse
Toda a sua alma resumisse.
Nenhuma outra proferiu, nenhuma,
Não chegou a mexer uma só pluma,
Até que eu murmurei: "Perdi outrora
Tantos amigos tão leais!
Perderei também este em regressando a aurora".
E o corvo disse: "Nunca mais!".

Estremeço. A resposta ouvida
É tão exata! é tão cabida!
"Certamente, digo eu, essa é toda a ciência
Que ele trouxe da convivência
De algum mestre infeliz e acabrunhado
Que o implacável destino há castigado
Tão tenaz, tão sem pausa, nem fadiga,
Que dos seus cantos usuais
Só lhe ficou, na amarga e última cantiga,
Esse estribilho: "Nunca mais".

Segunda vez, nesse momento,
Sorriu-me o triste pensamento;
Vou sentar-me defronte ao corvo magro e rudo;
E mergulhando no veludo
Da poltrona que eu mesmo ali trouxera
Achar procuro a lúgubre quimera,
A alma, o sentido, o pávido segredo
Daquelas sílabas fatais,
Entender o que quis dizer a ave do medo
Grasnando a frase: "Nunca mais".

Assim posto, devaneando,
Meditando, conjeturando,
Não lhe falava mais; mas, se lhe não falava,
Sentia o olhar que me abrasava.
Conjeturando fui, tranquilo a gosto,
Com a cabeça no macio encosto
Onde os raios da lâmpada caíam,
Onde as tranças angelicais
De outra cabeça outrora ali se desparziam,
E agora não se esparzem mais.

Supus então que o ar, mais denso,
Todo se enchia de um incenso,
Obra de serafins que, pelo chão roçando
Do quarto, estavam meneando
Um ligeiro turíbulo invisível;
E eu exclamei então: "Um Deus sensível
Manda repouso à dor que te devora
Destas saudades imortais.
Eia, esquece, eia, olvida essa extinta Lenora".
E o corvo disse: "Nunca mais".

"Profeta, ou o que quer que sejas!
Ave ou demônio que negrejas!
Profeta sempre, escuta: Ou venhas tu do inferno
Onde reside o mal eterno,
Ou simplesmente náufrago escapado
Venhas do temporal que te há lançado
Nesta casa onde o Horror, o Horror profundo
Tem os seus lares triunfais,
Dize-me: existe acaso um bálsamo no mundo?".
E o corvo disse: "Nunca mais".

"Profeta, ou o que quer que sejas!
Ave ou demônio que negrejas!
Profeta sempre, escuta, atende, escuta, atende!
Por esse céu que além se estende,
Pelo Deus que ambos adoramos, fala,
Dize a esta alma se é dado inda escutá-la
No Éden celeste a virgem que ela chora
Nestes retiros sepulcrais,
Essa que ora nos céus anjos chamam Lenora!"
E o corvo disse: "Nunca mais".
"Ave ou demônio que negrejas!

Profeta, ou o que quer que sejas!
Cessa, ai, cessa! clamei, levantando-me, cessa!
Regressa ao temporal, regressa
À tua noite, deixa-me comigo.
Vai-te, não fique no meu casto abrigo
Pluma que lembre essa mentira tua.
Tira-me ao peito essas fatais
Garras que abrindo vão a minha dor já crua."
E o corvo disse: "Nunca mais".

E o corvo aí fica; ei-lo trepado
No branco mármore lavrado
Da antiga Palas; ei-lo imutável, ferrenho.
Parece, ao ver-lhe o duro cenho,
Um demônio sonhando. A luz caída
Do lampião sobre a ave aborrecida
No chão espraia a triste sombra; e, fora
Daquelas linhas funerais
Que flutuam no chão, a minha alma que chora
Não sai mais, nunca, nunca mais!

O CORVO

tradução de
FERNANDO PESSOA
—— 1924 ——

Numa meia-noite agreste, quando eu lia, lento e triste,
Vagos, curiosos tomos de ciências ancestrais,
E já quase adormecia, ouvi o que parecia
O som de alguém que batia levemente a meus umbrais.
"Uma visita", eu me disse, "está batendo a meus umbrais.
É só isto, e nada mais."

Ah, que bem disso me lembro! Era no frio dezembro,
E o fogo, morrendo negro, urdia sombras desiguais.
Como eu qu'ria a madrugada, toda a noite aos livros dada
P'ra esquecer (em vão!) a amada, hoje entre hostes celestiais —
Essa cujo nome sabem as hostes celestiais,
Mas sem nome aqui jamais!

Como, a tremer frio e frouxo, cada reposteiro roxo
Me incutia, urdia estranhos terrores nunca antes tais!
Mas, a mim mesmo infundido força, eu ia repetindo,
"É uma visita pedindo entrada aqui em meus umbrais;
Uma visita tardia pede entrada em meus umbrais.
É só isto, e nada mais".

E, mais forte num instante, já nem tardo ou hesitante,
"Senhor", eu disse, "ou senhora, decerto me desculpais;
Mas eu ia adormecendo, quando viestes batendo,
Tão levemente batendo, batendo por meus umbrais,
Que mal ouvi..." E abri largos, franqueando-os, meus umbrais.
Noite, noite e nada mais.

A treva enorme fitando, fiquei perdido receando,
Dúbio e tais sonhos sonhando que os ninguém sonhou iguais.
Mas a noite era infinita, a paz profunda e maldita,
E a única palavra dita foi um nome cheio de ais —
Eu o disse, o nome dela, e o eco disse aos meus ais.
Isso só e nada mais.

Para dentro então volvendo, toda a alma em mim ardendo,
Não tardou que ouvisse novo som batendo mais e mais.
"Por certo", disse eu, "aquela bulha é na minha janela.
Vamos ver o que está nela, e o que são estes sinais."
Meu coração se distraía pesquisando estes sinais.
"É o vento, e nada mais."

Abri então a vidraça, e eis que, com muita negaça,
Entrou grave e nobre um corvo dos bons tempos ancestrais.
Não fez nenhum cumprimento, não parou nem um momento,
Mas com ar solene e lento pousou sobre os meus umbrais,
Num alvo busto de Atena que há por sobre meus umbrais,
Foi, pousou, e nada mais.

E esta ave estranha e escura fez sorrir minha amargura
Com o solene decoro de seus ares rituais.
"Tens o aspecto tosquiado", disse eu, "mas de nobre e ousado,
Ó velho corvo emigrado lá das trevas infernais!
Dize-me qual o teu nome lá nas trevas infernais."
Disse o corvo, "Nunca mais".

Pasmei de ouvir este raro pássaro falar tão claro,
Inda que pouco sentido tivessem palavras tais.
Mas deve ser concedido que ninguém terá havido
Que uma ave tenha tido pousada nos seus umbrais,
Ave ou bicho sobre o busto que há por sobre seus umbrais,
Com o nome "Nunca mais".

Mas o corvo, sobre o busto, nada mais dissera, augusto,
Que essa frase, qual se nela a alma lhe ficasse em ais.
Nem mais voz nem movimento fez, e eu, em meu pensamento
Perdido, murmurei lento, "Amigos, sonhos — mortais
Todos — todos já se foram. Amanhã também te vais".
Disse o corvo, "Nunca mais".

A alma súbito movida por frase tão bem cabida,
"Por certo"', disse eu, "são estas vozes usuais,
Aprendeu-as de algum dono, que a desgraça e o abandono
Seguiram até que o entono da alma se quebrou em ais,
E o bordão de desesp'rança de seu canto cheio de ais
Era este "Nunca mais".

Mas, fazendo inda a ave escura sorrir a minha amargura,
Sentei-me defronte dela, do alvo busto e meus umbrais;
E, enterrado na cadeira, pensei de muita maneira
Que qu'ria esta ave agoureira dos maus tempos ancestrais,
Esta ave negra e agoureira dos maus tempos ancestrais,
Com aquele "Nunca mais".

Comigo isto discorrendo, mas nem sílaba dizendo
À ave que na minha alma cravava os olhos fatais,
Isto e mais ia cismando, a cabeça reclinando
No veludo onde a luz punha vagas sombras desiguais,
Naquele veludo onde ela, entre as sombras desiguais,
Reclinar-se-á nunca mais!

Fez-se então o ar mais denso, como cheio dum incenso
Que anjos dessem, cujos leves passos soam musicais.
"Maldito!", a mim disse, "deu-te Deus, por anjos concedeu-te
O esquecimento; valeu-te. Toma-o, esquece, com teus ais,
O nome da que não esqueces, e que faz esses teus ais!"
Disse o corvo, "Nunca mais".

"Profeta", disse eu, "profeta — ou demônio ou ave preta!
Fosse diabo ou tempestade quem te trouxe a meus umbrais,
A este luto e este degredo, a esta noite e este segredo,
A esta casa de ânsia e medo, dize a esta alma a quem atrais
Se há um bálsamo longínquo para esta alma a quem atrais!
Disse o corvo, "Nunca mais".

"Profeta", disse eu, "profeta — ou demônio ou ave preta!
Pelo Deus ante quem ambos somos fracos e mortais.
Dize a esta alma entristecida se no Éden de outra vida
Verá essa hoje perdida entre hostes celestiais,
Essa cujo nome sabem as hostes celestiais!"
Disse o corvo, "Nunca mais".

"Que esse grito nos aparte, ave ou diabo!", eu disse. "Parte!
Torna à noite e à tempestade! Torna às trevas infernais!
Não deixes pena que ateste a mentira que disseste!
Minha solidão me reste! Tira-te de meus umbrais!
Tira o vulto de meu peito e a sombra de meus umbrais!"
Disse o corvo, "Nunca mais".

E o corvo, na noite infinda, está ainda, está ainda
No alvo busto de Atena que há por sobre os meus umbrais.
Seu olhar tem a medonha cor de um demônio que sonha,
E a luz lança-lhe a tristonha sombra no chão há mais e mais,
E a minh'alma dessa sombra que no chão há mais e mais,
Libertar-se-á... nunca mais!

A casa do Mestre

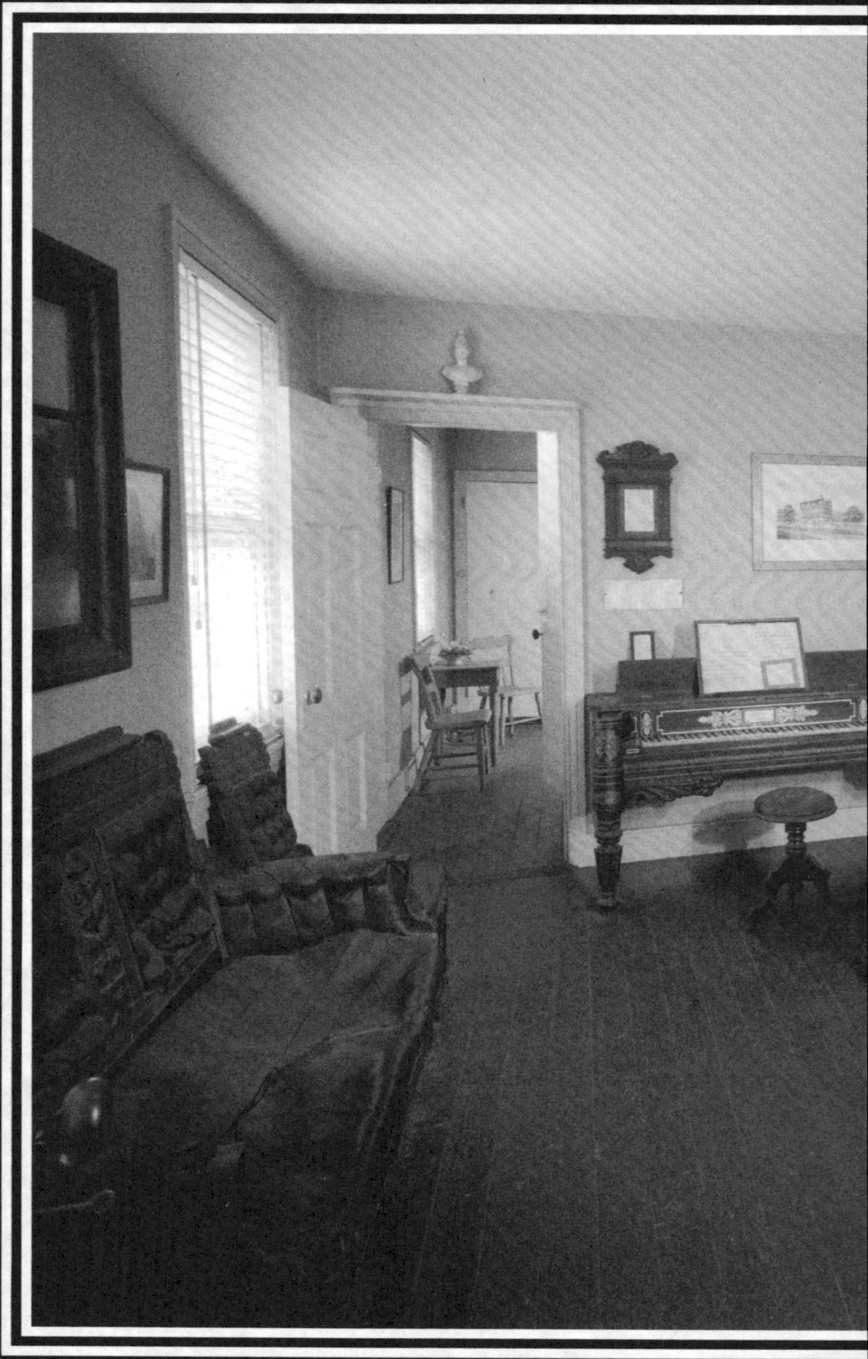

Sala da casa habitada por Edgar Allan Poe nos anos 1840. A casa está localizada no que agora é o número 532 da North Seventh Street, na Filadélfia, Pensilvânia, e faz parte do Edgar Allan Poe National Historic Site.

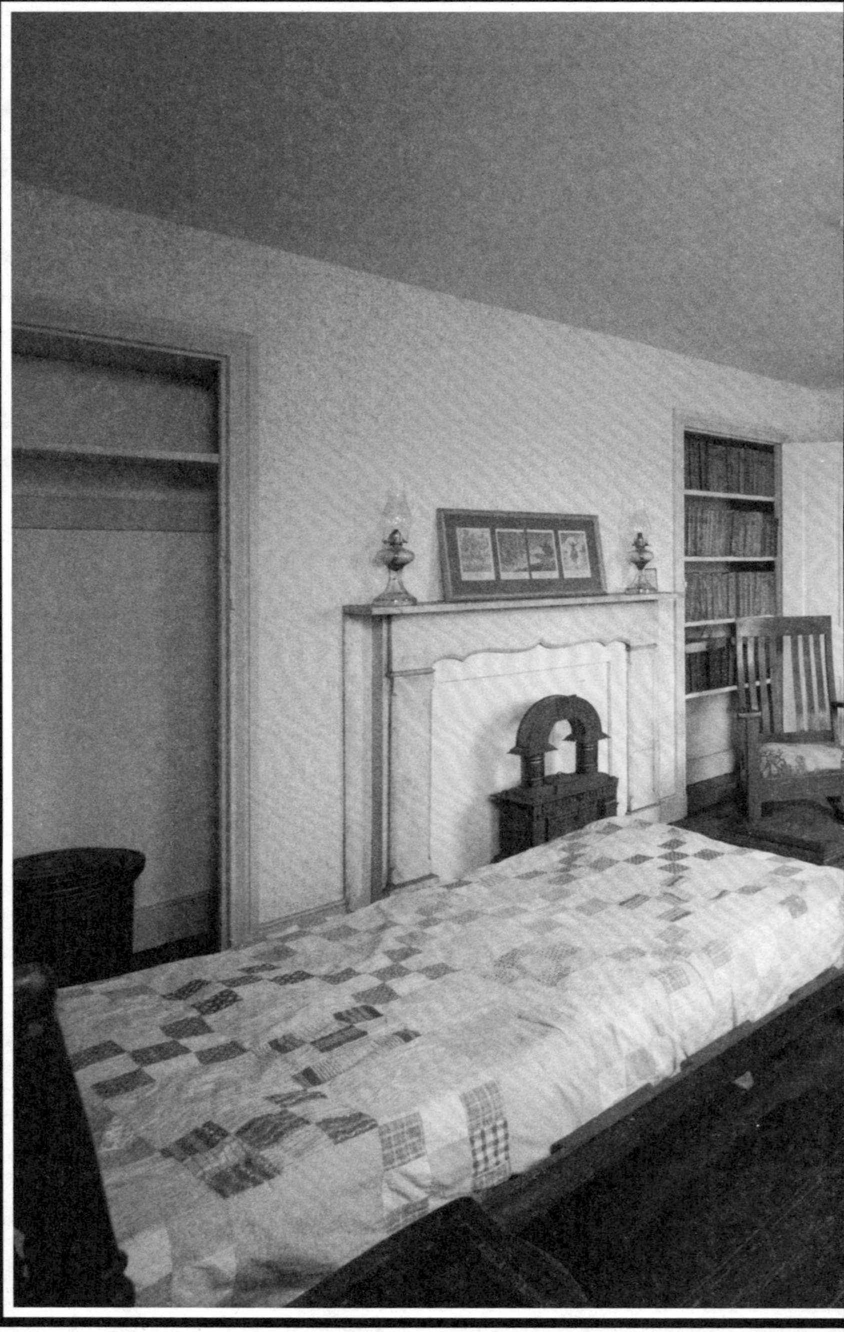

O quarto no
segundo andar
da casa de Poe na
North Seventh
Street, Filadélfia,

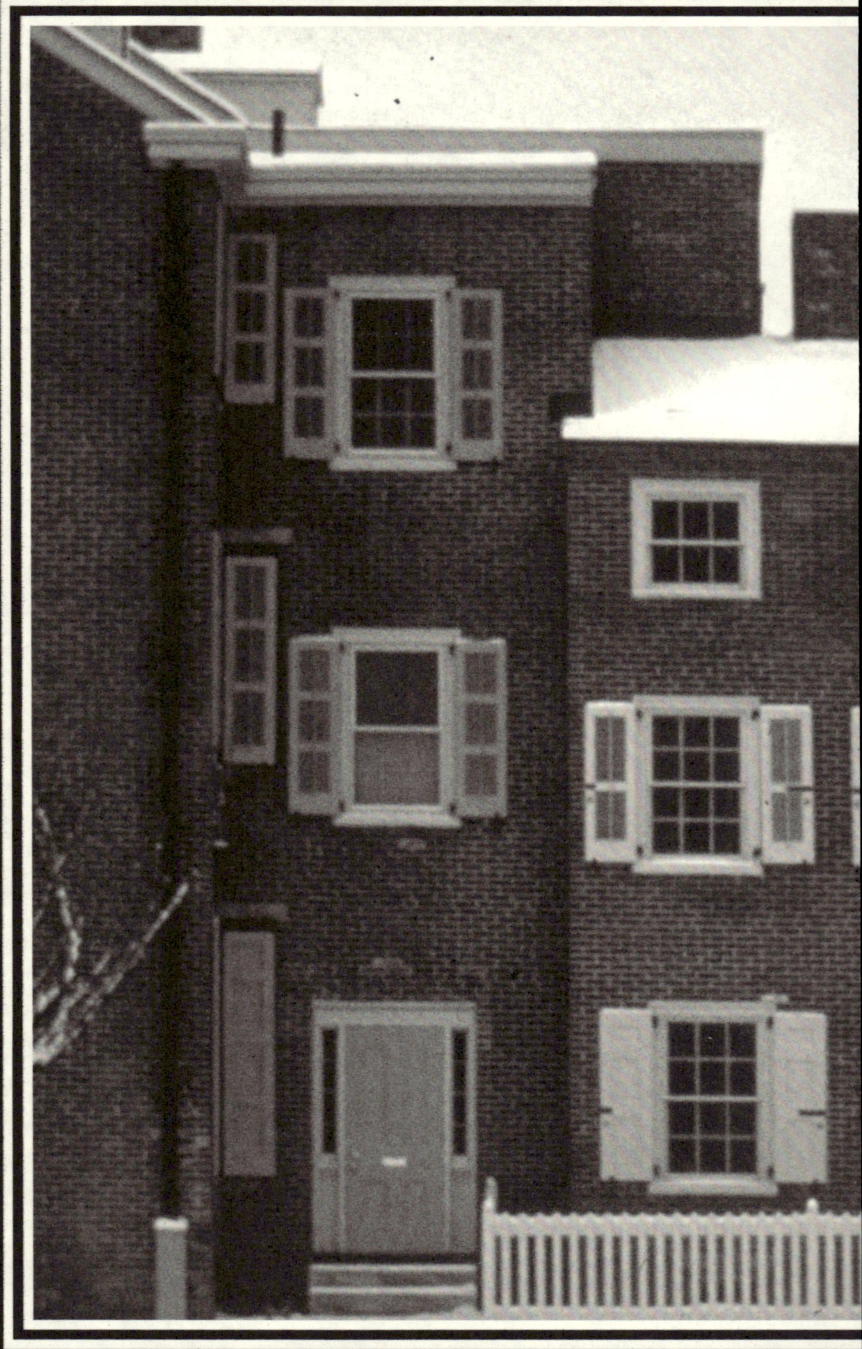

Poe morou na parte menor do prédio, à direita. A parte maior foi construída mais tarde e funciona hoje como entrada do prédio e recepção para os visisitantes

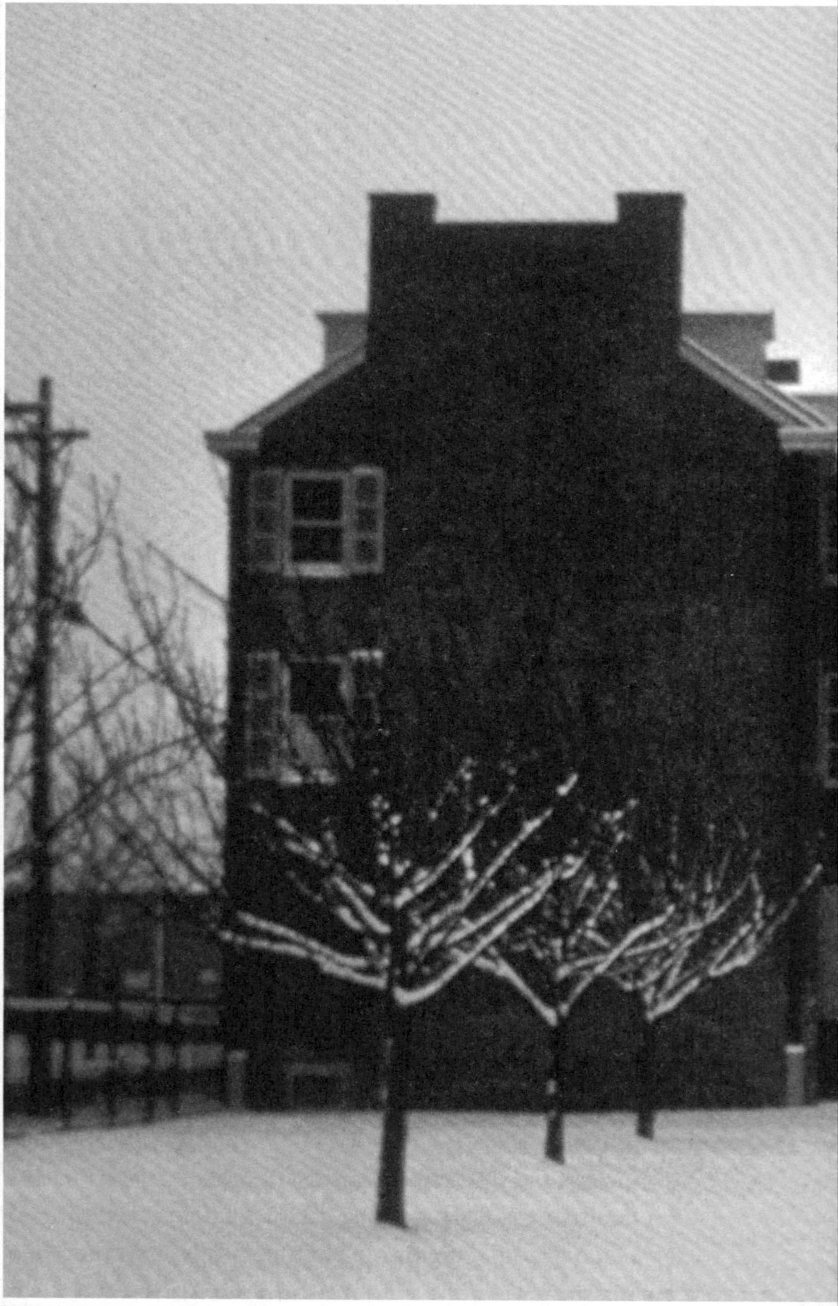

Embora Poe tenha morado em diversas casas no tempo em que viveu na Filadélfia (entre 1837 e 1844), esta é a única que sobreviveu até os dias de hoje.

A casa de campo de Edgar
Allan Poe, em Fordham,
Nova York. Este registro
foi feito em torno de 1900.

Desaparecido precocemente aos 40 anos, EDGAR ALLAN POE (1809-1849) já ultrapassou dois séculos de seu nascimento em posição privilegiada, responsável não somente por influenciar alguns dos mais importantes escritores das décadas seguintes como também por estabelecer com propriedade caminhos novos e férteis para a literatura ocidental do então século XIX. Jorge Luis Borges, um de seus mais ardorosos fãs, teria dito que "a literatura atual seria inconcebível sem Whitman e Poe". Pensavam de maneira similar escritores como Henry James, Franz Kafka, Thomas Mann, Arthur Conan Doyle, Júlio Verne, Charles Baudelaire, Vladimir Nabokov, Oscar Wilde, Fernando Pessoa e Machado de Assis. Com narrativas científicas, misteriosas e policialescas permeadas de terror, horror e suspense, Poe carrega nas costas o título de criador de vários gêneros literários. Outro admirador, o poeta francês Paul Valéry, afirmou ser do autor os primeiros e mais impressionantes exemplos da narrativa científica, além de considerá-lo o responsável por introduzir situações e estados psicologicamente doentios na literatura. Em 1845, "O Corvo" trouxe alguma fama a Poe, que havia começado a publicar poemas em 1826, com o dinheiro que seu pai de criação havia lhe dado para sobreviver em Boston. Seus contos começaram a ser compostos na década seguinte, e publicou cinco deles no *Philadelphia Saturday Courier*, em 1832. Depois, até meados dos anos 1840, editou revistas literárias, atuando como crítico e também publicando suas histórias, que começariam a ser editadas em livro em 1838. A tragédia que permeava seus escritos chegou a invadir a própria vida, com a falência do jornal que publicava junto com C.F. Briggs, seguida da morte de sua esposa, Virginia, em 1847. Predisposto ao álcool, afundou-se na bebida, que transtornava sua personalidade já em pequenas doses. Não levaria três anos para morrer de uma forma misteriosa que até hoje suscita discussões. Espancamento, epilepsia, dipsomania, enfarto, intoxicação, hipoglicemia, diabetes, desidrogenase alcoólica, porfiria, delirium tremens, raiva, assassinato, envenenamento por monóxido de carbono — as hipóteses são várias. De concreto, sabemos que foi achado "em Baltimore, em uma sórdida taberna, pelo dr. James E. Snodgrass, velho amigo, no dia 3 de outubro, com roupas que não eram suas e em condição deplorável. Encontrava-se em estado de delirium tremens e foi levado ainda inconsciente ao Washington College Hospital, onde foi atendido pelo médico residente, o dr. J.J. Moran, e onde morreu quatro dias depois, no domingo, 7 de outubro de 1849. Foi enterrado no pátio da Westminster Presbyterian Church, em Baltimore, Maryland", conforme escreve James Southall Wilson em sua biografia resumida composta pelo Poe Museum, instituição que cuida da memória do poeta e contista. Incrível e improvável, como nas melhores histórias de Edgar Allan Poe.

Marcia Heloisa é tradutora, professora, pesquisadora e dark desde sempre. Tem trabalhos publicados sobre literatura e cinema de horror e já deu workshops sobre casas mal-assombradas e vampiros. Há sete anos desafia a caretice canônica da vida acadêmica inserindo seus monstros queridos em aulas, artigos, cursos e congressos. Embora casada com o gótico vitoriano, atualmente anda flertando com o horror moderno e, após um mestrado sobre *Drácula*, está concluindo sua tese de doutorado sobre *O Exorcista*. Batizou um de seus gatos de Edgar, em homenagem ao mestre Poe — mas ele só atende por Gaga.

O artista gráfico Ramon Rodrigues nasceu em Florianópolis, Santa Catarina, no ano de 1982. Possui formação acadêmica em Design Industrial e é mestre em Design, ambos na UDESC — Universidade do Estado de Santa Catarina. Paralelo à sua formação acadêmica estudou desenho, ilustração, anatomia e gravura no Brasil e na Argentina. Frequentou durante alguns anos as oficinas de gravura da Fundação Catarinense de Cultura, no Centro Integrado de Cultura, em Florianópolis, onde estudou litogravura (gravura com a matriz em pedra) e depois xilogravura (gravura com a matriz em madeira), sempre orientado pelo mestre Bebeto. Em 2010 morou em Buenos Aires onde estudou desenho, pintura e fez residência artística no ateliê de xilogravura do mestre argentino Leonardo Gotleyb. Saiba mais em ramon-rodrigues.com.

Edgar A Poe

Vida e morte coexistiam naquele pequeno ser. As portas da eternidade foram abertas pela força das palavras e até hoje ele vive entre nós.

NUNCA MAIS HOUVE UM AUTOR COMO POE.

DARKSIDEBOOKS.COM